D1094527

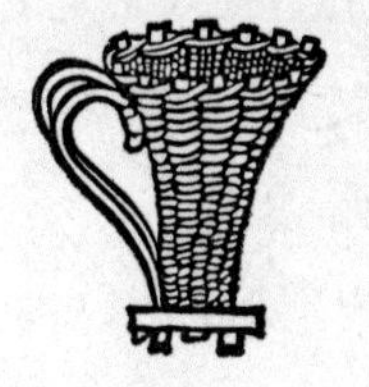

Venus im Mars

Rudolf Hagelstange

Venus im Mars

Liebesgeschichten

Kiepenheuer & Witsch

Schutzumschlag und Einband Hannes Jähn Köln
Gesamtherstellung Kleins Druck- und Verlagsanstalt
Lengerich Westfalen
Printed in Germany 1972
ISBN 3 462 00880 8

Für Eva und Ricarda

Inhalt

Wetter: wendisch

Herr Oberstudienrat Dr. Merker, Conrad mit Vornamen, also nicht mit dem gewöhnlichen Konsonanten geschrieben, ging schon auf die Fünfzig, als er sich durch einen eingeschriebenen Brief aufgefordert sah, noch einmal unter die Waffen zu treten.
Das mochte auf den ersten Blick nicht sensationell erscheinen, denn Merker hatte seit dem Aufbau der Wehrmacht schon zweimal Gelegenheit genommen, an einer Reserveübung teilzunehmen, und auch beim zweiten Mal eine Beförderung verbuchen können. Aber diesmal stellte sich – auf den zweiten Blick – heraus, daß die Dauer der Übung nicht terminiert war. Das Datum, da er sich zu melden hatte, war vermerkt, auch Ort und Einheit – aber sonst hieß es, in etwas schwer leserlicher Handschrift, auf dem Papier: auf unbestimmte Zeit, genauer: »auf unbest. Zeit«.
Es war Anfang August, Ferienzeit also. Was dachte sich das Wehrkreiskommando eigentlich? Er hätte irgendwo in Italien baden können, in der Schweiz auf die Berge steigen, in Tirol jodeln ... und wer weiß, ob ihn dieser Brief, für den sich die Behörde ja sogar das Porto ersparte, überhaupt erreicht hätte. In Österreich vielleicht, da die Verwandten ja seit dem sogenannten Anschluß am großdeutschen Kuchen mitaßen. Aber in der weniger anschlußfreudigen Schweiz bestimmt nicht.
Aber da Merker seit dem Tod seiner Frau, die ihn vor zweieinhalb Jahren als Witwer und Hüter zweier Töchter zurückgelassen hatte, von denen die ältere bereits verehelicht war und die jüngere sich auf die bevorstehende Matura vorbereitete, die großen Ferien – von besonderen Ausflügen abgesehen – im Hause verbrachte, konnte er den

blauen Brief quittieren. Damit war die Hälfte der Ferien vom Staat gestrichen, eine Maßnahme, die keinen Pädagogen entzückt, auch wenn Herr Merker es als bescheidenen Ausgleich für den Ausfall an Unterrichtstagen hätte nehmen können, der mit seinen früheren Übungen verbunden gewesen war.

Immerhin – es war kein Schicksalsschlag, vierzehn Ferientage zu verlieren. Ernster konnte schon die unbest. Zeit stimmen. Es lag etwas in der Luft, das nach Kriegsbrand und Kriegsbrandstifterei roch. Die renitenten Polen wollten nicht, wie der Führer wollte, und schienen sich hinter den Engländern und Franzosen zu verstecken, welche nach der Übernahme des tschechischen Protektorats plötzlich nicht mehr mitspielten. Es fielen sehr harte und deutliche Worte, und wenn auch jedermann gern in Frieden lebte – wer wollte denn wissen, ob nicht dieser politische Blinddarm von Polnischem Korridor, der da vor sich hin eiterte, eine plötzliche Operation forderte. Europa war gesund, wie es schien – bis auf dieses lächerliche Überbleibsel von Versailles. Man kann doch ein Land nicht teilen, eine Provinz nicht absondern vom Mutterland. Das war wohl einzusehen.

Aber offenbar fehlte es auf der anderen Seite an Einsicht, und so spitzten sich die Dinge zu. Es wurde nicht nur politisch und diplomatisch, sondern auch militärisch »manövriert«, und daß sich aus gewissen Manövern Einmärsche entwickeln konnten, das wußte man schon. Aber niemand wußte, ob es einen polnischen Hacha gab und ob ein Chamberlain seinen Regenschirm gegen das Unwetter aufspannen würde. Jedenfalls schwante dem Oberstudienrat Merker (Deutsch, Latein, Geschichte, auch Religion) nichts Gutes, als er seine Uniform richten ließ durch Frau Strobel, die Aufwartung, die eigens dazu gebeten werden mußte, da Tochter Erika bei ihrer in den Bergen lebenden Tante Ferien machte. Das Wetter war gut, geradezu herrlich. Aber es konnte sich wenden.

Diese Wendung bringt Gelegenheit, einiges Landsmannschaftliche zur Person Dr. Merkers zu sagen, der zwar seit mehr als fünfzehn Jahren hier in H., im Niedersächsischen, an einem Realgymnasium im Staatsdienst arbeitete, aber nicht aus Niedersachsen stammte. Er war zwischen Halle an der Saale und dem Harz geboren, stammesmäßig weder Sachse, noch Thüringer, noch Preuße, sondern – auch von den Voreltern her (wie sich bei der allen bekannten unerläßlichen Ahnenforschung bestätigt hatte) – ein Wende. In jener Gegend, die eigentlich durch nichts bekannt ist außer durch eine gewisse, sich in Grenzen haltende Fruchtbarkeit des Bodens – irgendwo liegt dort auch die »Goldene Aue« –, finden sich einige Flecken und Dörfer, die zu Zeiten gewisser Völkerbewegungen von den mehr ostischen Wenden gegründet und besiedelt wurden und auch durch ihren Ortsnamen daran erinnern: Wendehausen, Windhausen, Großwenden, Kleinwenden und ähnliche andere.
Conrad Merker hätte ohne die in Blut und Boden tiefschürfende Gewissenhaftigkeit des Dritten Reiches wohl kaum östliche Bestandteile in seinem Herkommen oder Charakter vermutet und mußte sich auch nicht durch solche »belastet« empfinden. Als arisch galt er in jedem Fall, und niemals in der Öffentlichkeit wurde der Name oder der Begriff des Wenden diffamiert, höchstens mißverständlicherweise durch den Begriff wetterwendisch. Selbst Herr Rosenberg – die zuständige Autorität in Fragen des gesunden, gefährdeten oder kranken Volkstums – hatte über die Wenden nichts Nachteiliges verbreitet. Für die meisten Deutschen – das waren damals fast immer 99 % – existierten die Wenden überhaupt nicht. Sie hätten also im Maximalfall – d. h. theoretisch – nur ein Prozent ausmachen können. In der Realität durfte man, vermutlich, die Wenden auf einen Bruchteil dieses einen Prozentes schätzen. Sie waren so selten, daß die menschenfreundlichen Volkstumsforscher ihnen sogar das Recht auf Reservate einräumten, und da sich Spuren der wendischen Volksgruppe im Spreewald aufspüren ließen,

durfte eine Wende, der um sein Wende-Sein wußte, sich beinahe fühlen wie ein versprengter Löwe im Odenwald.
Das Schicksal wollte es, daß Oberstudienrat Merker, von der Wehrmacht her: Hauptmann Merker, sich zu einer Einheit einberufen sah, die in einem Winkel des Reiches manövrierte, in dem es diese gleichsam staatlich approbierten und konservierten Wenden gab, in kleinen Gruppen, Familien, vereinzelt – sogar bescheidene Vereine gab es hier und da, die ihr von Staats wegen toleriertes Wendentum pflegten oder zu pflegen gehalten waren –, jeder Wende ein lebendiger Beweis gegen die Greuelpropaganda des Auslandes, die der nationalsozialistischen Bewegung inhumanes Vorgehen gegenüber Minderheiten, Nichtariern, Nichtgermanen, Nichtdeutschen anzulasten trachtete! Wo nicht Krankheit, Fäulnis, Kriminalität, Verbrechertum und Schwachsinn zu naturbedingter Abschirmung, Absonderung, Aussonderung, Aus- oder Abtreibung, notfalls Ausmerzung herausforderten, herrschte Gesundheit, Recht, Ordnung, Gemeinsinn, Opfergeist und notfalls Humanität. Wenn den Wenden, von irgendwoher, Unrecht geschehen wäre – sie hätten allerhöchster Protektion sicher sein dürfen, obwohl sie niemals den legalen Status eines Protektorats erreichten, erreichen konnten. Es waren ihrer zu wenige.
Daß unter diesen Umständen Hauptmann Merker in dem kleinen Städtchen, in dem er Quartier zugewiesen bekam, in das Haus und die Familie eines echten und sogar stammesbewußten Wenden verlegt wurde, muß als zweite Fügung des Schicksals angesehen werden, die sich folgenschwerer noch erweisen sollte als der Umstand, daß August Stolze, sein Quartierwirt, ein Berufskollege war. Kein ganz vollwertiger oder gleichrangiger zwar, sondern nur Studienrat, auch nicht doktorierter und nur an einem Aufbaugymnasium, das sich der vorbereitenden schulischen Ausbildung späterer Elementar- oder Volks- oder (bestenfalls) Mittelschullehrer widmete. Was jedoch ausgeglichen oder aufgewogen wurde durch die Verwandtschaft der

Lehrfächer und persönlichen Interessen: Stolze war literaturkundig, theologisch geschult und geschichtlich geradezu passioniert; er lehrte also die gleichen Fächer wie Conrad Merker: Deutsch, Geschichte, Religion. Und Latein – bis zum kleinen Latinum.
Als Hauptmann der Reserve Conrad Merker sich pünktlich am gegebenen Ort meldete, durfte er sich wundern, daß ihm ein Quartier zugewiesen wurde. Das sah weniger nach Manöver und mehr nach Wartestand, weniger nach Kriegsspiel und mehr nach dem Ernstfall aus. Auch die Mannschaften und Stäbe, denen er sich gegenüber sah, ließen gewisse Schlüsse zu. Natürlich wurde die Truppe »bewegt«; es fanden gewisse Übungen statt, kleinere Unternehmungen, Alarme. Aber ein rechtes Manöver ließ auf sich warten. Die Zusammensetzung der Eingezogenen war auch zu einseitig und unvollständig, um Ernstfälle durchexerzieren zu können. Und gerade dieser Mangel schien Merker für einen bedrohlichen Ernstfall zu sprechen. In solcher Ungewißheit und soldatischen Unerfülltheit empfand Merker die Einweisung in das Stolzesche Privatquartier von Tag zu Tag mehr als besondere Vergünstigung. Nach wenigen Tagen schon hatte sich der gesellschaftliche Abstand – Stolze konnte auch an Lebens- und Dienstjahren nicht mit Merker Schritt halten – fühlbar verringert; es gab eine Einladung zum Abendessen, eine zur Sonntagsmittagsmahlzeit, es gab einen gemeinsamen Vortragsbesuch (über die deutsch-polnische Frage), von seiten Merkers eine Schokoladenspende für Frau Stolze, eine Weinspende für den Hausherrn, man tauschte Erinnerungen an die Schul- und Studienzeit aus, zeigte Bilder der abwesenden Familienmitglieder – Merker die Töchter, Stolze zwei eineiige fünfzehnjährige männliche Zwillinge und ein Töchterchen von elf Jahren, die alle bei den Großeltern im Märkischen weilten – und kam sich, zunächst von der kollegialen und dann auch von der menschlichen Seite näher und näher.
Stolze, mit Vornamen Hermann ausgestattet, den seine

Frau im Fall von Dringlichkeit oder auch Nachlässigkeit auf »Männe« verkürzte, erwies sich dabei als außerordentlich umgängliche und urbane Natur. Obwohl er klein und fast zierlich von Statur war und seine Frau, die er Bruni rief (was eine Verzärtelung des Namens Brunhilde sein mochte), ihn um fast eine halbe Hauptеslänge überragte und auch sonst wohlbestückt war, plagten ihn keinerlei Komplexe. Was ihn plagte, war eine offenbar von mütterlicher Seite her ererbte Neigung zu rheumatischen Schmerzen, Gliederreißen und ähnlichem; aber der Umstand, daß er dieses Leiden preisgab, ohne es zu beklagen, ja überhaupt sich anmerken zu lassen, beweist eindeutig, daß er es geistig und seelisch meisterte. Als einmal die Rede auf diese Dinge – in einem anderen Zusammenhang – kam und Merker das Wort vom Geist, der sich den Körper baut, zur Erwägung stellte, bezeichnete Stolze diesen Satz als Quatsch und Käse. »Das einzige, was der Geist mit dem Körper machen kann«, sagte er sarkastisch, »ist, daß er ihm das Maul verbieten kann.« Und darin schien er sich bis zur Meisterschaft geübt zu haben.

Mit seiner Frau, die eine ziemlich kecke Brünne trug, schien er sich ausgezeichnet zu verstehen. Obwohl sie körperlich die Dominierende war, hatte er nie Anlaß, ihr »das Maul zu verbieten«, denn sie forderte ihn nie dazu heraus. Sie war, wie man es drastisch, aber volksmundlich verständlich ausdrücken könnte, an allen Ecken rund: gefällig, fleißig, liebenswürdig, nachsichtig, mütterlich. Merker, dessen Frau eine starke Neigung zur Rechthaberei und zum Kommandieren gehabt hatte (was ihn vermutlich reziprok zum Reservehauptmann angespornt hatte), sah die ganze komplette Erscheinung mit Sympathie, ja Bewunderung an. Wie viele voluminöse, herrschsüchtige Weiber terrorisieren ihre ihnen körperlich etwas unterlegenen Gatten, denen sich voreilig – und aus schäbigster Berechnung – unterworfen zu haben, sie dann täglich jede Stunde von neuem zu bereuen scheinen! Diese Ehe hier schien geglückt – was wohl immer ein besseres Wort ist als dieses alberne, aufgeblasene »glücklich«. Es gab kein böses Wort, keine Verstimmung, keinen Widerspruch in diesem Haus. Man verstand sich, respektierte, arrangierte sich. Jeder hatte die Hosen oder Höschen an, die ihm zustanden.

Hauptmann Merker war wohl eine Woche im Stolzeschen Haus verordneter, aber zunehmend willkommener Gast, als man abends zufällig auf Herkommen, Abstammung und Heimat zu sprechen kam und die beiden Herren entdeckten, daß sie stammesverwandt waren – als Wenden. Frau Stolze (es wurde schon vermerkt) kam aus dem Märkischen und schien zunächst von dieser Tatsache unberührt; aber als Gattin eines Wenden, der zumeist in dieser Frage ohne ebenbürtigen interessierten Widerpart blieb, zeigte sie sich aufmerksam und teilnehmend und dies um so spürbarer, je weiter ihr Mann, durch Interesse und Ebenbürtigkeit herausgefordert, in die Geheimnisse des Wendentums vorstieß, Geheimnisse, die selbst dem nicht ungebildeten Merker bisher verborgen geblieben waren. Wenn Merker Wende war, dann in diesem Sinne etwa: Ich bin ein Preuße. Kennt ihr meine Farben? Das heißt: er kannte sie selber kaum. Stolze jedoch, teils aus persönlicher Passion, teils als berufener Konservator und Reservator des Wendentums, wußte Dinge zu berichten, die für den Oberstudienrat Dr. Merker Hekuba waren. Hatte er jemals zuvor vernommen, daß ein echter Wende verpflichtet war, einem Wenden, der zu Gast in seinem Hause weilt, alles zur freien Verfügung zu überlassen, einschließlich seiner Frau? Wußte er, daß es eine Ehrung des Hausherrn darstellte, wenn er – das heißt: der Wende – seine – das heißt des Wenden – Frau als seine eigene betrachtete und, demgemäß, eine Kränkung des Gatten und seiner (dessen) Gattin, wenn er, der Wende, dieses Recht des Gastes verschmähte?
Nein, das wußte er nicht, hatte es nie gewußt.
»Das wußten Sie nicht?!« amüsierte sich Hermann Stolze

und schlug sich dabei auf die gewiß nicht massiven Schenkel. »Das rührt doch an tiefste religiöse Geheimnisse, die wir im Orient mit der banalen Vokabel ›Vielweiberei‹ zu erfassen glauben. Gott hat das Weib zur Lust geschaffen und nicht zur Plage. Wer am Weibe Lust haben will, muß ein zufriedenes Weib haben. Ein Weib kann nur zufrieden sein, wenn es wahre Lust hat. Und wenn es nun Lust hat auf einen anderen Mann? Kann ihm – dem Weibe – diese Lust verboten werden, die doch wieder zur Lust des Mannes am eigenen Weibe wird?«
Merker staunte, und Brunhild Stolzes Augen glänzten. Mit sich feuchtenden Augen hörte sie dem Gatten zu, der da zwischen Exotik und Erotik, Theologie und Blasphemie, Logik und Moral einen fast jesuitischen Seiltanz zu vollführen schien.
»Ach, was sind wir für Spießer«, rief Hermann Stolze, »gegen unsere Vorfahren! Wir telefonieren, hören Radio, fahren Auto ... aber in den elementarsten Fragen benehmen wir uns wie Elementarschüler!«
Das Wortspiel ums Elementare, das ihm unterlaufen war, freute ihn so augenscheinlich, daß Merker ihm Genugtuung zu schulden fühlte. Nicht ohne Betroffenheit, ja Bewegung bekannte er, aufs tiefste überrascht zu sein. Da lebe man so dahin und halte sich für ein fortgeschrittenes Wesen ... Und was sei man in Wirklichkeit? Ein Blick auf die Uhr. Ein Hampelmann, der »Herr Hauptmann« genannt werde. Und was gelte? – Des Dienstes gleichgestellte Uhr. Da rühme sich seine Stadt, den schönsten romanischen Dom zu besitzen. »Aber wer weiß – inklusive meiner eigenen Person! – etwas Verbindliches, Zuverlässiges über die Wenden?!«
»Ich«, sagte Herr Stolze freundlich. »Ich!«
»Und was ist damit, oder was kann damit erreicht, geändert werden?« Merker hielt seine offenen Hände vor sich hin, beinahe hilfesuchend.
Stolze lachte kurz und trocken auf und sagte: »Seien Sie Wende, Herr Kollege Dr. Merker. Wende aus übervollem

Herzen. Dann wird sich alles, alles wenden.« Und fortfahrend, gleichsam als Entschuldigung für sein den Sachverhalt denn doch sehr entstellendes Zitat, dabei die Schultern ein wenig einziehend:
»Ich übertreibe natürlich, Herr Kollege. Sie verstehen: es bot sich so an. Nicht alles, alles ... aber doch manches. Dieses und jenes ...« Er hob sein Glas: »Den letzten Rest auf die Überlebenden!« »Auf unser aller Wohl!« sagte Merker.
»Es lebe das Wendentum!« hob auch Frau Bruni ihr Glas. »Was für ein interessanter Abend! Herr Dr. Merker, was können wir von Glück sagen, daß das Quartieramt ausgerechnet Sie in unser bescheidenes, aber gastliches Haus eingewiesen hat.«

Man hätte guten Grund, am Sinn dieser Welt zu verzweifeln, wenn dieser Abend folgenlos verklungen wäre. Herr Merker war ein Mann in jenen Jahren, die man nur deshalb die besten nennt, weil bessere vorausgegangen sind, und wenn er auch bislang unverehelicht geblieben war, so ist das nicht gleichbedeutend mit unbeweibt. Eine gewisse Unschlüssigkeit hatte ihn abgehalten, sich zwischen zwei oder drei Möglichkeiten zu entscheiden, und auch wirtschaftliche Gesichtspunkte spielen ja bei einer späteren Gattenwahl mit. Er pflegte eine durchaus intime Freundschaft mit der Witwe eines verunglückten Staatsanwalts, die eine gute Pension für ihre Anteile am Studienratsgehalt hätte eintauschen müssen. Auch aus einem benachbarten Kleinstädtchen erhielt er gelegentlich den Besuch einer jüngeren Kollegin, die er bei Provinzialschulkollegien kennen- und schätzengelernt hatte und die sicherlich noch Karriere machen würde. Auch eine unbemannt gebliebene Jugendfreundin machte sich wohl immer noch – übertriebene – Hoffnungen. Kurzum: Hauptmann Merker war nicht ganz aus der Übung, und diese langweiligen acht oder neun Manövertage und der überflüssige, überschüssige Andrang von

Mannsbildern, Männerschweiß, Männergebrüll, Männerdrill ließen ihn schon ein Bedürfnis nach zärtlicheren Tönen, freundlicheren Düften, weicheren Hüften verspüren. Er erwischte sich bei ethnisch-rechtlichen Grübeleien: ob etwa die Tatsache, daß Frau Bruni – rein theoretisch gedacht – zwar Gattin eines Wenden, aber landsmannschaftlich eine Märkerin war – eine Einschränkung der wendischen Gastrechte darstellen könnte. Diese Überlegungen wiederum leiteten zu delikateren Vorstellungen über, die der katholische Katechismus in die Abteilung »Unkeusche Gedanken« einordnet. Und nicht zuletzt war auch der Umstand, daß ganz offenhörig, wenn auch unverständlich, im nachbarlichen Zimmer ein lebhaftes Gattengespräch stattfand, das freilich keineswegs auf Mißverständnisse oder zornige Auseinandersetzungen schließen ließ. Merker glaubte eher, gelegentliches Gelächter oder Gekicher zu vernehmen. Nicht ordinäres, anstößiges – beileibe nicht. Eher geheimnisvoll anregendes, beunruhigendes. Es war ein Uhr nachts, als Merker endlich den so nötigen Schlaf fand, denn er mußte um sieben Uhr geschniegelt und gespornt vor seiner kampfgewillten Mannschaft stehen.
Als er sich so leise, wie es seine Reitstiefel zuließen, die Treppe hinabgetastet hatte, um in der Küche der Thermosflasche seine verabredete Tasse Morgenkaffee zu entnehmen, sah er einen kleinen Zettel daneben liegen mit dem Text:

Lieber Herr Wende –
Guten Morgen und Heil und Sieg
für den schweren Tag und
auf herzliches Wiedersehen
heute abend –

Ihre Märkerin
B. St.

Conrad Merker lächelte, steckte den Zettel ein, blickte aus dem Fenster in einen strahlenden Spätsommertag, atmete tief durch und zog hinaus ins Manöver – ins Feld ... Im Felde, da ist der Mann noch was wert, fiel es Merker ein, als er auf den ihn erwartenden Kübelwagen zuschritt. Aber diesen Gedanken folgte gleich ein gesprochenes, leises »Nicht nur, Conny. Nicht nur ...«

Als Hauptmann Merker bei der Manöverkritik – es hatte sich eher um ein Manöverchen gehandelt – auf einige Fehler oder Fehlentscheidungen angesprochen wurde, zeigte er sich mannhaft einsichtig und bat um Entschuldigung dafür, daß ihn eine sehr selten, aber ausgerechnet heute aufgetretene Gastritis nicht voll einsatzfähig habe handeln lassen. Mit diesem Hinweis gedachte er auch, sich Befreiung von dem vorgeschobenen Casino-Abend zu erkaufen, der ihn um so weniger lockte, je öfter er während der Kampfhandlungen den Gruß seiner korrigierten und in seiner Einschätzung beinahe emphatisch aufgewerteten Märkerin betrachtet hatte.

»Es wird gut sein, wenn ich heute nicht lumpe, sondern bald das Bett aufsuche,« sagte er mit beherrschter Wehleidigkeit zu dem Obersten, bei dem er sich abmeldete. Der meinte: »Das Bett heilt viele Krankheiten. Sieg Heil, lieber Merker!«

Frau Bruni war nicht wenig und sichtlich aufs freudigste überrascht, als es kurz vor neunzehn Uhr klingelte und vor der Öffnenden Herr Merker stand, der ja abends zuvor hatte verlauten lassen, daß eine Übung mit anschließendem Casino-Umtrunk ihn heute vermutlich spät heimkehren lassen werde.

»Nein,« rief sie beinahe mädchenhaft entzückt, »da mache ich das Hähnchen heute abend fertig. Trifft sich das gut! Auch mein Mann hat gesagt: wie schade, daß Kollege Merker diesen selten schönen Sommerabend nicht mit uns verbringen kann. Kommen Sie!« Sie faßte seinen Arm und führte ihn wie einen überraschend heimgekehrten Sohn

oder Verwandten ins Wohnzimmer, das in den kleinen Garten blickte, in dem Herr Stolze die letzten schwarzen Johannisbeeren aberntete.
»Hermann«, rief sie, »unser Gast ist schon von der Schlacht zurück! Sicher siegreich?« Sie lächelte Merker zu. »Das werden wir feiern!«
Beim Händeschütteln gestand Merker dem Kollegen, daß er sich leider heute keine Lorbeeren verdient, sondern einige Kritik geerntet habe.
»Dann müssen wir um so netter zu ihm sein. Ich mache nun das Hähnchen, und du setzt eine kalte Ente an, während unser Krieger sich erfrischen kann. Vielleicht nehmen Sie ein Bad? In einer Stunde spätestens ist das Festmahl gerichtet.«
»Prima«, sagte Hermann Stolze lächelnd. »Sie scheinen mir auch nicht sehr mitgenommen von den Strapazen und Molesten des Tages. Und wenn schon ... Wir werden alle Wunden zu heilen versuchen. Ich gehe gleich ans Werk.«
Als Dr. Merker pünktlich um zwanzig Uhr, durch ein Bad erfrischt, in sommerlicher Zivilkleidung herunterkam, war der Eßtisch besonders schön gedeckt. Neben jedem Teller lag eine Margerite. Ein Kerzenleuchter wartete darauf, entzündet zu werden, und Herr Stolze hielt schon zum Auftakt Eiswürfel, Sprudel und Weinbrand bereit. »Die Bowle muß noch ziehen; die trinken wir hernach. Zum Coq au vin trinken wir einen guten Bordeaux. Der macht die Sonne, die bald untergeht, von innen scheinen. Ich darf den Brandy einschenken? Zwei Finger hoch, oder drei? Machen Sie's selbst!«
Merker nahm sich und dachte dabei: ein guter, ein liebenswerter Mensch. Ohne Falsch und Arg. Er verdient nicht, daß man ihn betrügt. Er sagte herzlich:
»Sie verwöhnen mich, lieber Kollege, und ich lasse mir's wohl sein. Es ist mir lange nicht so gutgegangen unter Menschen. Man vereinsamt doch ein bißchen als Witwer, auch wenn das Töchterchen einigermaßen für mich sorgt.

Die volle, warme Häuslichkeit fehlt. Hier werkt und weht ein guter Geist. Ihre Frau ist ein Schatz.«
Er hatte es kaum gesagt, da bereute er das Wort – es wollte ihm anzüglich erscheinen, obwohl er es ganz vom Wert her gemeint hatte. Aber Stolzes begeisterte Zustimmung machte jede Erklärung oder Korrektur überflüssig. Er griff den in jeder Hinsicht etwas größeren Kollegen beim Oberarm, drückte kräftig und sagte glücklich:
»Sie sagen es. Sie sagen es. Genau, genau. Sie ist wirklich ein Goldstück.« Und da die Gerühmte gerade hereinkam, um einen »kleinen Nipp« mitzunehmen, gab er das Lob sogleich enthusiasmiert weiter: »Bruni, er hat eben gesagt, du seiest ein Schatz. Recht hat er. Recht hat er. Komm!« Er gab ihr einen Wangenkuß, den sie herzlich erwiderte.
»Vielleicht ist er auch ein Schatz . . .?« meinte sie mit fragendem Lächeln.
»Das ist er!« rief Stolze. »Nein, daß uns das passiert ist. So ein prächtiger Verein. Wir sollen leben! Prost!«
Ach, der Oberstudienrat und Hauptmann Merker war in diesen Minuten weder zu bedauern noch zu beneiden. Hin und her gerissen wie ein schwankendes Rohr, bewegte er sich in diesem Ansturm echter Sympathie zwischen bewundernd entflammter Zuneigung und gerührt entwaffneter Begierde. Daß es das noch gab: Menschen, Mann und Weib, die so ohne Berechnung und Verstellung, mit so viel Freimut und Duldsamkeit die konventionellen Schranken der sogenannten Gesellschaft überspielten und ohne das verlogene, verklemmte Theater auskamen, das sich die Mehrzahl der Zeitgenossen schuldig zu sein glaubte! Wenn er nur an die Geheimniskrämerei dachte, mit der er seine Beziehungen zu der Staatsanwaltswitwe oder zur so sympathischen jungen Kollegin Roswitha D. umgeben mußte, um in diesem Spießernest, das sich mit seinem Rathaus, seinen romanischen Kirchen wie eine Primaballerina brüstete, nicht »moralisch« untergebuttert zu werden . . .
»Lieber Stolze,« sagte er, »ich will und kann keine Worte

machen. Ich habe mich mit einer Lüge – einer angeblichen Gastritis – losgekauft von dieser Gesellschaft korsettierter, militärisch aufgezäumter Spießer, die sich für auserwählt, unentbehrlich, tonangebend hält – und so weiter –, weil mir Ihre und Ihrer verehrten Gattin Gesellschaft unendlich mehr bedeutet als alles Kameradengeschwätz, Offiziersgehabe und Vaterlandsgeschwafel. Hier bin ich Mensch, hier darf ich's sein ...«
Hermann Stolze stand auf, hob die Linke und zitierte:

»Ich höre schon des Dorfs Getümmel,
Hier ist des Volkes wahrer Himmel,
Zufrieden jauchzet groß und klein:
›Hier bin ich Mensch, hier darf ich's sein!‹ «

Dr. Merker nickte zwei, drei Mal und sagte leise: »Die reine Wahrheit. Was für ein herrlicher Sommerabend! Es ist eine Lust zu leben.«
Und wirklich: Glühwürmchen flimmerten vor dem großen Fenster – ein besonderes und besonders teueres Glas! –, und die Sterne traten hervor, zaghaft, aber mit unaufhaltsamem Glänzen. Es war – in diesem so regenreichen Lande, nahe der Oder – ein unvergleichlicher Abend, in den Bruni Stolze plötzlich rief: »Mein Coq! Oh, man könnte sich vergessen. So schön kann es sein.« Sie bat um Entschuldigung und eilte in die Küche, wo das Hähnchen ihrer bedurfte, um sich in bester Form präsentieren zu können.
»Gehen wir einen Augenblick in den Garten ...«, schlug Herr Stolze vor, »bis das Essen auf dem Tisch steht.« Er ließ den Vortritt, und Dr. Merker stand, sommerlich gekleidet und gelöst, auf einem der ca. 28 Quadratmeter, die den Stolzeschen Garten ausmachten. Die Aussicht war zwar durch ein benachbartes Reihenhaus verbaut, aber die Büsche dazwischen hoben die Nähe auf. Stolze sagte einfach:
»Ich bin gerne hier.«
Merker sagte nach kurzem Schweigen:
»Der Ort ist nicht wichtig. Die Menschen ...«

Stolze nickte. Schließlich fügte er seiner stummen Bestätigung den inhaltsschweren Satz hinzu:
»Es schmeckt alles nach Frieden, aber – es ist nicht ganz glaubhaft.«
Und nach einigem Zögern:
»Lieber Herr Kollege, genießen wir, was uns gewährt ist. Es kommen ernste Zeiten. Ich fürchte ...«
Er sprach nicht aus, was er befürchtete. Frau Bruni rief zu Tisch. Es gab – aus Büchsen natürlich – eine Tasse Hummersuppe. Kurzer, köstlicher Vorgeschmack sozusagen für das auf dem Rechaud sanft vor sich hin schmachtende Hähnchen.
Man aß, nicht andächtig, aber fast schweigend. In gewissen Momenten darf das sogenannte Animalische vorherrschen – schließlich ist auch in diesem Wort »anima«, die Seele, enthalten. Eine schier skandalöse Verleumdung hat die sogenannte Völlerei erfunden, so wie sie den Genuß gottgewollter irdisch-himmlischer Lust als Unkeuschheit verteufelt hat. Da Stolze ein geschulter Theologe, aber weder Pietist noch Papist, sondern liberaler Religionswissenschaftler war, waren ihm Verklemmungen und Verteufelungen fremd. Religion war für ihn eine viel zu elementare und fundamentale Sache, als daß er sie Päderasten oder Eunuchen überlassen hätte.
Der Coq war Frau Bruni prächtig gelungen. Sie selbst war entzückt von ihrer »glücklichen Hand«.
»Mit Liebe gekocht«, lautete ihr Kommentar, der mit bedächtig-zustimmendem Kopfnicken bestätigt wurde.
Merker war, solange er aß, begierdenlos glücklich. Frau Bruni, die Musik liebte – nicht als Element, sondern als Zutat –, hatte zum Essen eine Platte aufgelegt: das Violin-Konzert von Max Bruch (1838–1920), von dem sich sagen ließ, daß es weder störte noch ablenkte: es begleitete – zuweilen etwas übersüßt – den gastronomischen Genuß. Aber ein großer Geiger strich gleichsam über alles Fragwürdige mit kühnem Bogen hinweg. Herr Dr. Merker hätte auch ohne

Bruch einen kompletten Genuß erzielt. Aber seine uneingeschränkte Verehrung für Frau Bruni hielt ihn ab, diese Möglichkeit überhaupt erkennen zu lassen.
Zum Nachtisch wurde etwas Besonderes in Aussicht gestellt, das Frau Bruni mindestens zehn bis fünfzehn Minuten in der Küche festhalten würde. Die dadurch entstehende Pause nun füllte Hermann Stolze mit einem unerwartet intimen Sachgespräch aus, dem Merker schließlich nur noch ein mehr und mehr in Staunen, ja in Verlegenheit übergehendes Zuhören entgegenbringen konnte. Es wurde ihm nämlich darin, beiläufig, aber unmißverständlich zu verstehen gegeben, daß die gestern – unter anderem – dem Gastfreund Merker gegebene Information über die wendische Gepflogenheit, einem reinstämmigen Gastfreund auch die Ehefrau – quasi als Leihgabe oder Gastgeschenk – zu treuen und zärtlichen Händen zu überlassen, von Stolze keineswegs als eine abgestorbene oder nur redensartlich-unverbindliche Gepflogenheit betrachtet werde, sondern daß er als Wende auch solcher Vätersitte zu entsprechen bereit sei, ja gewissermaßen Anspruch darauf erhebe, bei seinem Wort genommen zu werden. Ein Wende sei im Haus eines Wenden als willkommener Gast Herr über Leib und Liebe der Hausherrin.
»Dieses nur zum besseren Verständnis. Sie wissen wohl längst, ein wie willkommener Gast Sie in meinem Hause sind ...« Stolze hob sein Glas. Merker verneigte sich unwillkürlich beim Zutrunk – ob aus Ehrfurcht für die schöne Vätersitte oder als Zeichen des Dankes für das verschlüsselte Angebot, soll offen bleiben. Er schwieg, von der Situation überwältigt und trotz allem sehr überrascht. Er schien sprachlos.
»Wechseln wir jetzt den Wein?« fragte Stolze, als sei das behandelte Thema keiner weiteren Erörterung oder Prüfung wert. »Ich hole den Neumagner Laudamusberg ...« Aber in der Tür stieß er fast mit Frau Bruni zusammen, die ihrerseits nun eine zweite und leibhaftige Überraschung verkörperte.

Sie trug einen flammenden Nachtisch – eine flambierte kleine Fruchtpagode –, aber sie trug noch mehr: zunächst ihr üppiges Blondhaar geöffnet, dann ein langes durchsichtiges himmelblaues Gewand, das von einer Art Brokatgurt zusammengehalten wurde, und unter dem Gewand trug sie – nichts. Wenn man es so ausdrücken dürfte; aber man darf es nicht. Denn sie trug ja alles, was eines Weibes Reiz ausmacht. Dr. Merker wollte scheinen, als ob vielleicht durch leichte Schürzung Brunis Büste abgestützt sein könnte. Aber so genau wollte er wiederum doch nicht hinsehen. Die Gesamterscheinung raubte ihm fast den Atem.
»Prächtig,« rief Stolze begeistert. »Glänzende Idee! Was sagen Sie, Herr Kollege?«
»Mir war so warm,« sagte Bruni lächelnd, ein bißchen verlegen, aber nur ein bißchen. »Die schöne Sommernacht ...«
»Fabelhaft«, sagte Merker. »Sie verstehen zu überraschen. Das muß ich sagen. A la bonne heure!«
»Nehmen wir's wörtlich – eine gute Stunde!« meinte Stolze. »Ich hole jetzt den Wein ...«
Aber er durfte noch nicht: erst mußte das köstliche Dolcissimum genommen werden, und Dr. Merker war froh, daß diese Amtshandlung noch vorgenommen werden mußte – das ließ ihm ein wenig Zeit zur Anpassung. Donnerwetter! dachte er bei sich: die Wenden schießen schneller als die Preußen. Man lernt nicht aus. Man lernt nicht aus.
Frau Bruni saß auf dem Sofa. Sie trug auch die goldgerandete Brille jetzt nicht mehr, schmauste, lächelte, löffelte, plapperte, ließ sich loben, strahlte, reichte nach, wobei die für eine Enddreißigerin (schätzte Merker) noch recht wohlerhaltene Büste anziehende Verwerfungen erfuhr, und legte, weil Herr Bruch längst ausgesungen hatte, eine leichtere Platte auf.
»Marlene ...« sagte sie verheißend und dann erscholl die kesse Stimme:

Ich bin die fesche Lola
der Liebling der Saison

»Komm!« sagte Stolze. »Du bist die fesche Bruni. Der erste Tanz gehört dem Hausherrn. Auch das ist Wenden-Brauch!«
Stolze war kein sehr flotter Tänzer – das hing wohl mit dem Gliederreißen zusammen –, aber nach Pflicht- oder Höflichkeitstanz sah das keineswegs aus. Auch wenn sie ihn um eine Handbreite überragte – er war kein Anhängsel, kein Mitläufer. Er war zärtlich. Er liebte seine Bruni, und sie liebte ihn. Er wußte, woran es ihr fehlte, sie wußte, woran es ihm fehlte; aber keiner schien es dem anderen anzurechnen.
Merker dachte, den beiden zusehend: so ist das – der eine hat einen größeren Magen als der andere, jener kann weiter ausschreiten als dieser (weil er längere Beine hat), den drückt der Schuh hier, den dort. Wir sind verschieden allzumal, aber vor dem Gesetz sollen alle gleich sein. Diese beiden sind ein Herz und eine Seele; aber was den Leib betrifft, da bleibt er ihr wohl einiges schuldig, auch ohne Gliederreißen. Aber sie liebt ihn deshalb nicht weniger, und er nimmt ihr den größeren Appetit nicht übel. Wieso auch? Ein Wellensittich braucht einen geräumigeren Käfig als ein Kanarienvogel; eine Tigerin frißt mehr als ein Gepard. Sind wir nicht elende Beckmesser allesamt, indem wir alles und alle über einen Kamm scheren und dabei fortwährend Porzellan zerschlagen, Prokrustes-Betten aufstellen ...?
Bei Prokrustes und seinem Bett wurde ihm auf einmal ganz warm. Da war kein Zweifel, daß er hier kein Störenfried war – dieser Friede hier war intakt und unangreifbar, unirritierbar. Aber zugleich war damit auch sicher, daß eben deshalb alle moralischen oder quasi moralischen Bedenken überflüssig waren. Sicher liebte sie diesen Hermann Stolze an diesem Abend um so aufrichtiger und entscheidender, weil er ihr erlaubte, diesen Conrad Merker zu lieben, der ihr – und ihm! – gefiel, ein anständiger Kerl war und, nüchtern betrachtet, auch die Stelle eines Arztes

einnahm, der den angeratenen Aderlaß vornehmen konnte, nach dem sich alles wieder für eine geraume Zeit einpendeln würde.

Ach, Herr Hauptmann Dr. Merker war ein guter Merker – es war ihm von der Natur verordnet. Aber Gott sei Dank war ihm auch verordnet, zur rechten Zeit einen Gedankenballast über Bord werfen zu können. Als Stolze plötzlich den Tanz abbrach und nicht ohne Witz sagte: »Wir können ihn nicht länger dürsten lassen. Ich hole jetzt doch den Mosel.« – Da erhob sich Merker spontan und trat, einsatzbereit, vor die ihn erwartende Hausherrin, die ihm entgegenlächelte.

»Herr Merker ...?« sagte sie leise und öffnete die Arme.

»Frau Märkerin!«

Sie legte ihm die üppigen Arme um den Hals, und er umschlang sie zwischen Büste und Hüfte mit einer Vehemenz, die ihn selbst überraschte und nicht weniger auch die Umschlungene, die in wohliger Bedrängnis aufstöhnte. Ehe sie sich küßten, sahen sie sich kurz in die Augen, als ob es gelte, irgendwelche Verkehrszeichen zu beachten, ehe ... aber da stand alles auf »Freie Fahrt«, und Herr Merker stürzte sich mit einem seelischen Doppelsalto auf diesen Mund, in dieses – um beim Bild zu bleiben – Becken, von seinem Zehn-Meter-Turm ... es ist sinnlos, nach Vokabeln zu suchen für Vorgänge, die des Redensartlichen spotten. Nur die Vorstellung, daß Herr Stolze zur unrechten Zeit, d. h. voreilig mit dem Mosel aufkreuzen würde, veranlaßte Hauptmann Merker, sich schließlich aus dem atemberaubenden Clinch zu lösen.

Da auch die Platte abgelaufen war, konnte man sich setzen und dabei die Hände festhalten, verlangend, zärtlich – bis Herr Stolze, sich durch lebhaftes Poltern ankündigend, mit dem Laudamusberg erschien.

»Das ist ein Tropfen«, sagte er triumphierend, »um den uns unsere Enkel beneiden würden, wenn sie je Gelegenheit erhielten ... Aber was kümmern uns die Enkel? Haben Sie gut getanzt, Herr Kollege?«

»Beinahe unvergleichlich, Herr Kollege!« sagte Merker aufgeräumt. »Mir steht der Wunsch –«
»Er soll Ihnen stehen, Herr Kollege!« rief Stolze ausgelassen. »Was stehen will, soll stehen, was fallen will, soll fallen! Bruni! Deine Glanznummer!«
Sie eilte, offensichtlich hoch erfreut, an die musikalische Truhe, nahm eine bestimmte Platte heraus und legte sie auf. Als die ersten Takte erklangen, ließ sie ihre durchsichtigen Hüllen fallen und stand nackt, aber mit hochgestreckten Armen im Zimmer, wohl bedenkend, daß diese Haltung der Büste frommt. »Hat sie nicht eine Figur?« rief Stolze. Merker schüttelte, aber nicht verneinend, sondern so gut wie fassungslos, das Haupt. Und während die beiden Herren sich's, Neumagener Laudamusberg schlürfend, im Sessel bequem machten, erging sich Bruni Stolze in einem tänzerischen Solo von äußerster Unbefangenheit.
Sie hatte sich das schwierige Thema »Ich bin von Kopf bis Fuß auf Liebe eingestellt« ausgewählt, das der Stunde angemessen war, aber ihre Talente überforderte. Da Merker jedoch längst entschlossen war, das Ästhetische zugunsten des Erotischen zu vernachlässigen, störte ihn die unfreiwillige Komik der Frau Bruni nicht. Er sah sie längst mit anderen Augen und in anderen Gliederanordnungen. Ehe sie wieder Platz nahm, legte sie die durchsichtige Hülle wieder an. Aber da Herr Stolze aufs neue Musik forderte und befehlshaberisch »Ohne!« sagte, dabei mit einer Handbewegung Herrn Dr. Merker die Regie übergebend, sah sich dieser – nicht ohne eine gewisse Beklemmung – aufgefordert, die hüllenlose Frau Bruni nach der Melodie »Benjamin, ich hab' nichts anzuziehn« an sich zu ziehen.
Daß er dabei noch einige Hemmungen zu überwinden hatte, darf ihm nicht als Spießerhaftigkeit angelastet werden. Die Situation war wirklich außergewöhnlich, zumal in Frankfurt an der Oder. Aber da Merker noch niemals als Spielverderber üblen Nachruf geerntet hatte, sprang er – wie einst und jetzt Brunhilde – mit einem mutigen

Satz über seinen Schatten und versuchte, durch innige tänzerische Haltung und lebhafte Arm- und Handbewegungen der Blöße von Frau Bruni abzuhelfen – was den wendischen Gatten in äußerste Begeisterung versetzte. Auf jeden Fall bestellte er sich eine gewisse kürzere Platte, um auch seinerseits die paradiesisch anmutende Bruni zu betanzen.
Daß Dr. Merker diesem Tanz nicht ganz beiwohnte, hatte banale Gründe, die jedoch vom Kollegen Stolze feinfühliger als verdient gedeutet wurden. Jedenfalls sah sich Merker, als er zurückkam, mit Frau Bruni allein.
»Mein Mann bittet, ihn zu entschuldigen. Er muß haushalten mit seinen Kräften. Wir sind uns selbst überlassen ...« Sie lächelte auf eine Art und Weise, die alle Signale der großdeutschen Reichsbahn hochgehen ließ.
»Sie frieren nicht ...?« fragte er besorgt.
»Wenn Sie mich wärmen ...« sagte sie mit zuckenden Schultern. Und Hauptmann Dr. Merker, sie vom Sessel an sich ziehend, fragte, etwas unbeholfen und fast wie ein bemühter Krankenpfleger:
»Wo kann man Sie betten, Frau Bruni?«
»In Ihrem Zimmer ...«
Das war so einfach gesagt wie getan. Aber dennoch blieb in Dr. Merker ein Rest Unsicherheit zurück, der sich erst im Verlauf der nächsten Tage bzw. Nächte ins Nichts auflöste. Gab es wirklich so viel Toleranz, Verzicht, Entgegenkommen – oder würde nicht plötzlich die Besitzbestie in Hermann Stolze erwachen und aus dem großzügigen Idyll ein kleinbürgerliches Schauerdrama machen?
Nichts dergleichen.
Als man am dienstfreien Sonntag – der Coq au vin hatte am Freitag stattgefunden – wie eine alte Familie am Frühstückstisch Platz genommen hatte und Stolze, während Bruni einen zweiten Kaffee kochte, offenherzig sagte:
»Herr Merker, Sie machen uns glücklich«, war erwiesen, daß die üblichen Vorstellungen vom Glück hier ad absurdum geführt waren. Conrad Merker mußte sich gestehen,

daß auch er bislang in solchen Vorstellungen befangen gelebt hatte.
Einen bescheidenen Rest von Konvention erhielt er sich freilich, und es wollte scheinen, daß auch die Gastfreunde für diese seelische Hygiene Verständnis hatten, ja sie vielleicht sogar selbst zustimmend übernahmen. Noch in der innigsten Umarmung siezte Merker die Märkerin. Er sagte Bruni, sie sagte Conny.
»Ich sage Conny zu Ihnen. Vielleicht wegen Conrad Veith, den ich sehr gern in seinen Filmen sehe. Etwas Zärtliches muß man sagen als Frau zu einem Mann ...«
Er dachte, sie würde vielleicht fortfahren »den man liebt«. Aber das sagte sie nicht; und auch er sagte nichts von Liebe. Auch sagte sie Conny nur, wenn sie zärtlichen oder leidenschaftlichen Umgang pflegten. Bei Tisch, beim Gruß hieß es weiter: Herr Merker, Herr Kollege oder Kollege Merker und Frau Bruni oder Verehrte. Unbefangene Ohren- und Augenzeugen – es kamen einmal Kollegen und zweimal Kränzchenschwestern – wären nie auf den Gedanken gekommen, daß außer dem liebenden Ehepaar noch ein außereheliches Liebespaar zugegen war. Nur fiel jedermann auf, wie »prächtig« Frau Bruni aussah, wie »wohlgelaunt« Herr Stolze war und welchen »Glücksfall« von Einquartierung Oberstudienrat Dr. Merker persönlich darstellte und wie »charmant« er doch sei.
Und kein Zweifel: auch Hermann Stolze profitierte von seiner Liberalität. Erloschene oder nur noch selten spukkende Vulkane meldeten sich wieder in ihm, und daß auch in diesem Bereich des persönlichen Umgangs das Wort Kollege keine leere Floskel blieb, muß bei der Konzilianz der jeweils angesprochenen Naturen beinahe als selbstverständlich gelten.
Obwohl man August schrieb, war Wonnemonat, und daß dieser Honigmond ein jähes Ende fand, lag an keinem der drei in Frieden lebenden und liebenden Menschen, die – bei aller reservatio mentalis – als geglückte Entwürfe der

Schöpfung angesehen werden dürfen, sondern an jenem fürchterlichen Mißgriff der vielberufenen Vorsehung, der gerade in jenen Tagen den Befehl zum Überfall auf Polen gab.
Es geschah also, was Merker und Stolze befürchtet hatten: aus dem Manöver wurde ein Krieg, ja, das Manöver war überhaupt nichts anderes als eine getarnte Bereitstellung gewesen. Hauptmann Merker erhielt den Befehl über eine Kompanie, allerdings keine, die mit Karabinern, Handgranaten oder gar Panzern umzugehen hatte, sondern eine Nachrichten-Kompanie, die zwar bewaffnet war, aber deren Aufgabe es war, mit langen Gabeln in Bäume Drähte zu fädeln, die auf schweren Bauchtrommeln aufgewickelt waren, und Telefonverbindungen herzustellen zwischen Befehlenden und Befehlsempfängern aller militärischen Kategorien. –

Hauptmann Merker überstand den Polenfeldzug und versäumte nicht, beim ersten Urlaub und bei der späteren Verlegung seine Freunde in Frankfurt an der Oder aufzusuchen und zu genießen, was Keller, Küche und Bett einem nomadisierenden Krieger damals bieten konnten.
Als er nach Frankreich versetzt wurde, traten dann größere Intervalle auf. Aber der Rußlandfeldzug verschob das Gewicht des Krieges, die Tätigkeiten und Einsätze des inzwischen zum Major beförderten Oberstudienrates Merker wieder in östliche Bereiche. Und da sich zuweilen auch Kurieraufträge für Geheime Kommandosachen ergaben, für deren Überbringung es eines Offiziers bedurfte, gab es noch außer den seltenen Urlaubsreisen hin und wieder eine Gelegenheit, Bruni Stolze und ihren Gatten Hermann mit einem Besuch zu erfreuen.
Wenn man überraschend kam, kam man überraschend – willkommen war man stets. War jedoch genügend Zeit zur Anmeldung oder Verständigung, so bürgerte sich die Telegrammformel ein, die – von Absender und Adressaten

abgesehen – aus den preiswerten und kurzen Formeln bestand:
Wie ist das Wetter?
Stets (wenn sie eintraf) lautete die Antwort:
Wetter: wendisch.

Weißkäppchen

Der Luftwaffengefreite Alfred Haußner, ein hochaufgeschossener, eben zwanzigjähriger Österreicher aus der Gegend von Linz, hatte auf der Fahrt zu seinem nahe der Eismeerfront gelegenen Stützpunkt eine merkwürdige Begegnung, die er sein Lebtag nicht vergessen konnte und von der er gelegentlich noch heute als gestandener Fünfziger wie von einer Sache spricht, die in die Irrealität zurückfallen könnte, wenn man sich ihrer und ihrer Glaubhaftigkeit nicht durch Wiederholung, Wiedererinnerung, Wiedererzählung vergewissert.

Da er ein nüchterner Mann ist – Bankkaufmann heute – und nicht sonderlich redselig oder gar beredt, wiegt diese kleine Erzählung offenbar für ihn selbst schwerer, als mancher Außenstehende annehmen mag. Er verändert sie auch nicht, wie manche tun, die Freude am Berichten und Fantasieren haben und denen es gegeben ist, immer wieder neue und sie selbst überraschende Aspekte zu entdecken und zu vermitteln, so daß man fast meint, eine neue Geschichte zu hören, wenn man die sechste oder achte Fassung der längst bekannten vernimmt. Nein, es ist stets die gleiche, im Grunde mit sparsamsten Fakten ausgestattete Geschichte, und da man die Pointe kennt (sofern Haußner dieses triviale Nutzwort gelten ließe), die beim ersten Anhören seiner Erzählung noch eine gewisse Wirkung haben mag, müßte es eigentlich langweilen, ihm zuzuhören. Aber eben dies ist nicht der Fall. Entweder hat diese Begebenheit etwas von einem Märchen und damit die gläserne Frische dessen, »was sich nie und nirgends hat begeben – das allein veraltet nie«. Oder aber sie ist für Haußner dem ähnlich, was man etwa unter dem Stichwort »unbewältigte Vergangenheit« anspricht. Er ist noch nicht fertig mit dieser Begegnung oder auch: sie ist noch nicht fertig, noch nicht abgeschlossen. Oder auch: der Abschluß, den sie damals gefunden hat, befriedigt ihn nicht. Er möchte ihn korrigieren vielleicht. Oder auch rechtfertigen vor sich selbst – und eben mit diesem Versuch (widerwillig) erfahren, daß da nichts zu rechtfertigen sei. Jedes Mal, wenn er sie erzählt, scheint er reicher und ärmer zugleich, glücklicher und unglücklicher als zuvor.

Er hatte eine lange Reise hinter sich und noch eine lange vor sich. Für ihn war es damals wenigstens die weiteste Reise, die er je unternommen hatte. Er hatte zwei Hauptstädte auf ihr kennengelernt oder doch wenigstens flüchtig in Augenschein nehmen können; als einfacher Soldat hatte er nicht das Privileg der Offiziere, denen man Nachtquartier zuwies und auch noch ein paar Prospekte in die Hand drückte. Er bekam seinen Stempel, seine Marschverpflegung und Auskunft über die nächste Beförderungsmöglichkeit. Ab nach Oslo. Und so weiter. Der Krieg ist kein Touristik-Unternehmen und eine Frontleitstelle kein Gepäckaufbewahrungsschalter. Der Krieg war noch jung, und Feldwebel schienen Herrgötter. Und sonderlich soldatisch sah dieser Springinsfeld auch nicht aus. Wäre er von robusterer Webart gewesen – es würde ihm nicht so lange nachgehen, was ihm auf der Eisenbahn widerfuhr.

Es ging auf Weihnachten zu; und wenn es in Hamburg und Kopenhagen auch noch genebelt und geregnet hatte – hier lag schon Schnee. Es war einige Grad unter Null, und Haußner begann die bis dahin lästige Ausrüstung zu schätzen, rollte die blaugraue Decke auf, legte die Beine hoch und blätterte wieder in dem einzigen Buch, das er bei sich führte und das viel mehr ein Bilderbuch als ein Lesebuch war. Irgendwelche Lektüre würde er – vielleicht – am neuen Standort finden. Aber auf gar keinen Fall dieses Buch hier, das zwar etwas mehr als andere Bücher wog, aber das Hundert- oder auch Tausendfache an Stoff enthielt: ein volkstümliches, erst vor kurzem erschienenes Lexikon, das sich zwar

im Text knapp faßte, dafür aber um so mehr Abbildungen, Landkarten, Kostüme, graphische Darstellungen, Tabellen und so weiter enthielt. Haußner dachte mit einiger Dankbarkeit an seinen Patenonkel, der ihm für das bestandene Abitur dieses Buch geschenkt hatte, das weit unterhaltsamer war, als er gedacht hatte.
Es war etwa gegen Mittag, als er Gesellschaft erhielt. Unverhoffte sogar, denn es war ein junges Mädchen, das eigentlich gar nicht in seinen Wagen hätte steigen dürfen, der für sogenannte »Militärpersonen« reserviert war. Aber einmal war es nicht Haußners Sache, den Kontrollbeamten zu spielen, und zum anderen gefiel ihm diese »Gesellschaft«, die zwar grußlos eingetreten war, aber doch genickt und auch leicht gelächelt hatte. Das Mädchen trug einige Täschchen und Taschen bei sich, deren eine es mit besonderer Vorsicht behandelte, als ob sie Glas oder auch Eier enthielte.
Haußner sah das Mädchen gern und war insgeheim froh, daß der norwegische Schaffner erst vor kurzem diesen Wagen passiert hatte, also fürs erste nicht »eingreifen« konnte – wobei es weniger um die angemaßten Rechte der deutschen Besetzer als um die Abneigung der Besetzten ging, von der Haußner zwar einiges gehört, aber innerhalb der wenigen Stunden oder Tage doch kaum etwas gespürt hatte. Was freilich auch an seinem Typ und Habitus liegen konnte. Mit so gutmütig dreinblickenden blauen Augen und so ungelenkem, leicht fahrigem Auftreten macht man sich selbst in der Uniform des Feindes schwerlich Feinde. Dieses war kein Eroberer, kein Rechthaber, sondern ein Anklopfender, ein Neugieriger – er gehörte nicht nur im militärischen Bereich zum Bodenpersonal.
Haußner nahm seine Füße von der gegenüberliegenden Bank, um sich höflich und, gegebenenfalls, gesprächsbereit zu zeigen. Aber er wußte, daß er so gut wie kein einziges Wort Norwegisch verstand, und das Mädchen, das etwa sein Alter haben mochte, sah nicht aus, als ob es einer Fremdsprache mächtig sei. Obwohl es nicht ungebildet oder gar

dumm zu sein schien. Aber sein ganzes Gebaren, seine Kleider (die zweifellos so etwas wie eine Landestracht waren), die Landschaft, in der es eingestiegen war, ließen Haußner nicht so etwas wie »höhere Schulbildung« vermuten. Auch das Gesicht, so frisch, ja eigentlich recht zart wirkte, war im Grunde einfach, eben, vermutlich bäuerlich. Wenn dieses Mädchen, so selbstverständlich mit den Taschen umgehend, das weiße Mützchen oder Häubchen zurechtzupfend, leise vor sich hinlächelnd, nicht leibhaftig vor ihm gesessen hätte – er hätte es vielleicht für eine Märchenfigur, eine Sagengestalt gehalten –, wie etwa Rotkäppchen oder ...
Weißkäppchen – dachte er, in seinem Gedanken innehaltend. Weißkäppchen nenne ich sie. Das paßt genau zu ihr, ihren Taschen und Beuteln. Und vielleicht reist sie zur kranken Großmutter, um ihr Stärkung zu bringen. Ja, die Eier, dachte er. Die wollen vorsichtig behandelt sein. Jetzt im Krieg sind sie rar und gewiß auch hier teuer. Im Krieg legen die Hühner immer teurere Eier als sonst. Teurer und weniger. Oder weniger und deshalb teurer. Wer kennt sich da aus ...
Aber es waren gar keine Eier in der Tasche, die Weißkäppchen jetzt auf den Schoß nahm, sie ein wenig sperrend, hineingreifend – was zauberte die junge, ländliche Circe aus Hühnereiern? – Ein kleines silbergraues Kaninchen.
Das nahm sie an den jungen, wohl behäuteten und behüteten Busen und streichelte es freundlich, gar nicht affektiert oder betulich – sieh mal, wie tierliebend ich bin, wie hübsch mir das Kaninchen steht –, sondern ganz selbstverständlich, wie einen kleinen Bruder, der einem anvertraut worden ist.
Haußner entzückte sich an dem Bild. Er überlegte, ob je einer der großen Maler eine Madonna mit einem Kaninchen gemalt hatte, aber es wollte ihm keiner einfallen. Außer Dürer. Aber der hatte die Madonna vergessen, so wie die anderen das Kaninchen vergaßen. Sie waren nie diesem Weißkäppchen begegnet ...

Er nickte freundlich, und obwohl er es selbst sofort sinnlos und töricht fand, hier eine unverstandene Frage zu stellen, wies er auf das Tierchen und legte allen Frage-Akzent in das Wort:
»Name?!«
Aber Weißkäppchen zuckte lächelnd die Achseln. Was ebenso heißen mochte, daß sie nicht verstanden hatte, wie auch, daß es in Norwegen nicht üblich sei, so kleine Tiere mit schwerwiegenden menschlichen Namen zu belasten. Da ihm außer Per Gynt kein norwegischer Name einfallen wollte, stellte er die abwegige Nachforschung ein und zuckte auch seinerseits lächelnd die Achseln. Man muß nicht reden, dachte er, um einander Sympathie zu bekunden. So wie sie ihn frei und wohlwollend ansah, durfte er glauben, daß auch er ihr gefiel. Daß er großdeutscher Soldat war, sah sie ja an seiner Uniform. Aber sie sah wohl noch mehr. Auf jeden Fall mehr als die mißmutige ältere Dame, die bei der nächsten Station die Tür aufmachte und bei dem Versuch, zuzusteigen, des deutschen Soldaten so spät gewahr wurde, daß ihre heftige Umkehrbewegung beinahe zu einem Sturz geführt hätte. Um so erbitterter warf sie die schwere Türe ins Schloß und eilte zu dem nächsten Wagen. Haußner sah ihr, aufstehend, mit Kopfschütteln nach.
Gerade ging der Schaffner vorbei.
Als er sich setzte, fing er ein leises, bedauerndes, fast beschämtes Lächeln auf, das ihm sehr wohl tat. Seine Ausbilder hatten den etwas hilflos ungelenken jungen Mann oft genug gedemütigt, als daß er für Teilnahme unempfindlich gewesen wäre.
Er nickte ein paar Mal, als wollte er sagen: so ist es, so ist es – was kann man machen . . . Aber er nickte ihr dabei doch auch zu: dankbar, voller Zuneigung. Irgendeine seelische Übereinstimmung – im Temperament, in der Situation – teilte sich da schon mit. Obwohl er einer großen und (vorerst) siegreichen Nation angehörte, gehörte *er* zu den Unterlegenen . . .

Es fiel ihm ein, daß er eine Tafel Schokolade in Kopenhagen erhalten hatte; er holte sie aus dem Mantel, brach sie in zwei Teile und reichte einen der Norwegerin. Die wehrte erst ab, beinahe erschreckt. Aber dann teilte sie die genommene Hälfte noch einmal und wollte das Viertel zurückgeben. Er nahm es, hielt aber dabei ihre Hand fest und legte das Viertel mit Nachdruck in die offene Handfläche zurück.
»Schluß!« sagte er. »Basta!« Er suchte nach anderen Definitiv-Formeln, fand aber keine. Er wehrte mit den Händen weiteren Widerstand ab. Aber aus der Abwehr wurde instinktiv eine Bitthaltung. So nimm doch! Tu mir den Gefallen! Sie atmete ein zögerndes Einverständnis aus, und sie aßen jeder von seiner Hälfte.
»Gut?« sagte er. »Sehr gut.«
Und sie nickte ein paar Mal und knabberte mit sichtlichem Vergnügen. Sicher war Schokolade in Norwegen auch schon eine Rarität. Er sah es auch daran, daß sie jetzt langsamer aß und einen Rest verwahrte. Vielleicht für die Großmutter?
Plötzlich hatte er eine Idee, die dieses dumme Herumgerätsel vielleicht überflüssig machen könnte: er griff sein Buch und begann, unter N zu suchen, bis er es gefunden hatte: Norwegen, Norge – und eine große Karte dazu, auf der er sein Reiseziel zu suchen begann, um es ihr zu zeigen. Aber der Ort war nicht vermerkt. Als er jedoch zufällig umblätterte, sah er eine Abbildung: eine Frau in einer Tracht, die derjenigen sehr ähnelte, die Weißkäppchen trug. Das mußte er ihr zeigen: Hier! Da! Er schob eine der Taschen beiseite, setzte sich neben sie und zeigte, was da zu zeigen war: die große Landkarte, die Bilder ...
»Norwegen!« sagte er, und sie nickte.
»Norge!« sagte er, und da lächelte sie ganz glücklich und seufzte. Ach ja. So klang es fast. Und dann fing sie an, ein wenig zu blättern, mit den Augen anfragend, ob es erlaubt sei. Aber es war nicht nur erlaubt. Nein, er übernahm die

Führung. (»Gib mal her!«) Zunächst wollte er Weiteres über Norwegen suchen. Hamsun fiel ihm ein, Ibsen, Holmenkollen . . . aber indem er blätterte, stieß er auf viel interessantere Dinge. Es gab ja nicht nur Norwegen auf der Welt oder Deutschland – da mußte sie sehen, wo er zu Haus war (er zeigte dabei gleich die Bilder der Eltern und des Bruders, die er bei sich trug, und *sie* konnte ihre beiden Schwestern zeigen. Da hätte er nun freilich gern auf norwegisch »ein Dreimädelhaus« sagen können – das aber konnte er nicht). Aber da gab es zum Beispiel unter dem Buchstaben N noch andere Länder wie die Niederlande, wo die Mädchen auch so weiße Häubchen tragen, wie sie eines trug; oder Nepal, wo ganz hohe schneebedeckte Berge waren, die höchsten der Welt, und kleine, zierliche braunhäutige Menschen lebten. Da gab es, zurückblätternd, die große Insel Madagaskar, den Mailänder Dom und dann Lappland – das mußte ihr ja bekannt sein. Aber Indien, das war wieder eine ganz andere fremde Welt – mit erstaunlichen Tieren: Elefanten, Tigern . . . Und die Hindus! Aber mit denen konnte sie wohl nicht viel anfangen. Aber von Hamburg hatte sie sicherlich schon gehört. Guatemala . . .? Nein. Aber natürlich Grönland und die Eskimos. Da nickte sie lebhaft. Länder gab es . . . Ganze Kontinente – unter A: Afrika, die beiden Amerika, Asien, Australien. Das A hatte es in sich: Abessinien, Afghanistan, Ägypten, Arabien, Argentinien, Athen mit der Akropolis.
Der Zug fuhr durchs winterliche Norwegen, aber in ihm saßen zwei, die reisten durch die Welt und schienen sprachlos vor so vielen Wundern, Fremdheiten und Merkwürdigkeiten. Und durfte man, mußte man nicht sprachlos sein darüber?! Er hatte das Abitur und wußte sicher viel mehr als sie. Außerdem war das ja alles in seiner Sprache gedruckt. Aber im Grunde blieb auch er sprachlos. Was hatte es schon für einen Sinn, daß er manchmal ein »Schön« oder ein »Interessant, was?« oder ein »Da hier« oder »Hier da« fallen ließ. Dafür spielte er ja den Fremdenführer.

Sie aber war die mundoffen Staunende, die ganz Hingerissene. Manchmal schüttelte sie den Kopf mit dem Weißkäppchen – längst hatte sie das Kaninchen in die Tasche zurückbugsiert –, fassungslos über so viel fremdes, ungewußtes Leben. Manchmal stießen auch ihre Finger zusammen vor Erregung über ein besonders schönes Bild, auf das hinzuweisen war, oder beim Zurückblättern; und mit den Schultern lehnten sie ja ohnehin schon aus Zweckmäßigkeitsgründen aneinander. Im Grunde waren sie nicht so sehr verschieden von zwei Kindern, die ein Bilderbuch betrachten. Nur reden und rufen die dabei, und hier ging es verhältnismäßig still zu. Die paar Worte, die er sagte, wogen auch nicht viel mehr als ihre Ahs und Ohs oder Iihs – sie hatte manchmal eine etwas absonderliche Art, ihren Beifall auszudrücken. Vielleicht war es eine skandinavische Eigenart ... Was gibt es doch für seltsame Sprachen und Laute auf der Welt, wenn man nur an die Araber denkt oder gewisse Negerstämme!
Dann hielt der Zug wieder, und sie sprang wie erschreckt auf, um nach dem Stationsschild zu sehen. Sie reisten ja außer Raum und Zeit. Aber es war wohl erst eine gute Stunde vergangen, und die Großmutter wohnte noch weit hinter den Bergen. Sie setzte sich beruhigt wieder hin und wollte weiter in dem Buche reisen. Aber da kam der norwegische Schaffner und redete mit ihr. Ganz offensichtlich sagte er ihr, daß sie in diesem Teil des Wagens nicht sitzen dürfe, weil hier die deutsche Wehrmacht ... Aber sie hatte eine wunderbare Art, sich stumm und dumm zu stellen. Sie lächelte nur und zeigte ihren Fahrtausweis und noch einen anderen Ausweis. Und dann zeigte sie auf das Buch, und da durfte *er*, bei aller Bescheidenheit, zu verstehen geben, daß er *überhaupt* nichts dagegen habe, als Militärperson mit einer Zivilperson im gleichen Abteil zu reisen. Und der Schaffner war auch gar nicht *so* erpicht auf die Völkertrennung. Er verschmähte zwar die angebotene Zigarette, aber die fünf Zigarillos, die Haußner nie rauchen würde und die

er vor zehn Tagen als kleine Prämie für den Gepäcktransport eines umsteigenden Oberstleutnants bekommen hatte, *die* nahm er schließlich doch gnädig an. Er schlug sogar im Fahrplan nach und schrieb die genaue Ankunftszeit hinten auf den Fahrschein Weißkäppchens. Ach, die Norweger waren gar nicht so übel. Haußner stellte es mit Befriedigung fest. Der Schaffner legte sogar den Finger an die Mütze, als er den Wagen wieder verließ.
Aber nun war die Reise ohnehin unterbrochen, und man konnte eine Pause einlegen, die dem Leib zugute kam – der Geist und die Seele hatten ja so ungeschmälert von den Wundern der Welt gekostet.
Er holte seinen Brotbeutel aus dem Gepäcknetz und hatte Rauchfleisch zu bieten, ein Stück Mettwurst, zwei saure Gurken, ein Stück Stangenkäse undefinierbarer Art, Backpflaumen. Und Weißkäppchen holte aus einer ihrer Taschen oder Beutel einen am Morgen gebackenen Laib Brot, helle gelbe Butter, goldgelb geräucherten Fisch, drei rotbäckige Äpfel, ein Glas mit süß-sauerem Etwas (Kürbis – schätzte er); und das schönste war ein großes schneeweißes Tuch, auf dem alle gemeinsamen Schätze Platz fanden. Haußner, nun schon im zwölften Monat Soldat, hatte seit langem nicht so ein schönes weißes Tuch gesehen. Sie hatte auch eine Flasche Milch bei sich. Aber die ließ er lieber der Großmutter. Er hatte Tee in der Feldflasche, starken dänischen Tee.
Komisch, dachte er zwischenhinein. Da können sich zwei Leute über nichts verständigen, als darüber vielleicht, daß Norwegen Norge heißt. Und dennoch geht ihnen eigentlich nichts ab. Natürlich wäre es schön, wenn man miteinander richtig sprechen könnte. Aber was weiß ich, wenn ich nur die *Namen* ihrer beider Schwestern wüßte, wo ich doch ihre *Bilder* gesehen habe. Und sie hat meine Eltern gesehen. Und jetzt schmeckt sie mein Rauchfleisch. »Gut?« fragte er, und sie machte »Hm«.
Über Rauchfleisch reden ist etwas anderes als Rauchfleisch schmecken, dachte er. Wenn wir uns in Ägypten oder Afgha-

nistan getroffen hätten, hätten wir uns auch nicht mehr sagen können. Aber vermutlich gibt es dort gar nicht so reizende, appetitliche Mädchen. Ja, er bestand auf diesem Wort: appetitlich. Nicht wegen dieser Mahlzeit hier. Nein. Weil sie, so wie sie dasaß und lächelte, zum Anbeißen war – wie ein frischer Apfel, ein warmer Laib Brot ...

»Alfred«, sagte er und tippte sich mit dem Mittelfinger auf die Brust. Ich muß richtig auskauen, dachte er, als keine Reaktion kam. Das tat er denn auch und wiederholte seinen Namen. Und weil ja alle oder doch viele Namen in anderen Sprachen ähnlich sind, ähnlich klingen, verkürzt wiederkehren, sagte er auch die Ruf- und Koseformen.

»Fred. Freddy.« Er wiederholte die Namen noch einmal. Und wies mit dem Finger auf die Brust.

Und sie nickte, aber ganz leicht nur, zögernd. Dann griff sie in ihr Handtäschchen, dem sie vorhin Fahrschein und Ausweis entnommen hatte, und holte beides wieder hervor. Sie reichte ihm den Ausweis, und er sah das Bild und darunter, mit Maschine und handschriftlich geschrieben, den Namen

Solveyg Johannssen

Er sah auf, und seine Lippen bildeten ihren Namen, ohne ihn auszusprechen. Er wußte gar nicht, was er tat. Ehe seine Einsicht, sein Verstand ihm den genauen Sachverhalt eröffneten, ahnte ihn sein Instinkt. Er hörte plötzlich noch einmal wie aus weiter Ferne die merkwürdigen Ahs und Ohs und Ihs, diese Andeutungen von Lauten, Bekundungen ... und mit einem Mal nahm er in ihrem atemlos gespannten Gesicht die verzweifelte Unsicherheit wahr, die er für Verlegenheit, Mädchenhaftigkeit, Verschämtheit gehalten hatte, und die plötzlich aussah wie schutzloses rohes Fleisch, gejagte, gefangene Kreatur.

»Solveyg Johannssen«, sagte er jetzt laut. Und wiederholte »Solveyg« und sah sie ganz fest an dabei, als wollte er sagen: Wage es nicht zu glauben, daß sich durch diese meine Wahrnehmung etwas auch nur einen Millimeter verschoben hat! Oder daß es für mich von irgendwelcher Bedeutung ist... Und während er sie mit diesem Blick zugleich zu bändigen und zu beruhigen trachtete, fühlte er die ungeheuere Anstrengung und Anspannung, die es ihn kostete, diesen gewaltsam abrupten Umschlag von spielerischer, heiterer Verliebtheit zu aufgewühlter mitleidender Ergriffenheit zu bewältigen, zu ertragen, zu verbergen. Sollte er unbefangen nun weiteressen? Er wußte, daß das nicht ging. Was tun...

Er sah die beiden Äpfel, die sie neben sich liegen hatte. Und plötzlich griff er, selig über seinen Einfall, den größeren der beiden, hieb mit kräftigem Biß hinein und hielt ihn ihr hin. »Beiß!« schrie er in verzweifelter Lustigkeit. »Beiß, Solveyg!« Und da sie noch zögerte, nahm er sie beim Hinterkopf und drückte ihr den Apfel in die Zähne, die zupackten und abbissen. Und als er sah, daß sie – notgedrungen, aber auch erlöst – kaute und schluckte, aufatmend nach Atem ringend, biß er wieder zu, daß die harte Frucht krachte, malmte und kaute wie ein Berserker, und für den zweiten Biß setzte er sich neben sie, nun schon beinahe stolz auf seine Psychotherapie, und erlaubte ihr, einen kleineren Biß zu tun...

»Gut!« sagte er und hieb ins letzte Drittel und kaute lächelnd, mit der rechten ihre Schulter streichelnd, und sie lächelte zurück, noch im Ungewissen schwimmend, aber an Rettung glaubend, und ihre Miene war dabei von solcher Kindlichkeit und Vertrauensseligkeit, daß er sie an sich zog, als sei *er* der Verzweifelte, Gedemütigte, Gezeichnete und brauche Trost. Er legte seine Wange an ihre, schüttelte, wie darüber verwundert, den Kopf, setzte dann in fast besinnungsloser Überwältigung diese »kopflose« Bewegung fort, bis sich die Lippen fast automatisch begegneten, um dann, mit einem Schlag, friedlichste Genugtuung zu spüren.

Als sie von einander ließen, hielt der Zug.

Sie sprang auf, ans Fenster, warf erschreckt die Arme hoch, raffte ihre Taschen und Beutel zusammen, gab einige merk-

würdige Laute von sich, die ihm nun erklärlich waren, und drängte zur Tür.
Er faßte sie an den Schultern, wie um sie zu beruhigen.
Sie wandte sich, wie um einen Kuß bittend, zu ihm um, und er küßte sie einen langen, langen Augenblick lang – bis sie sich losriß mit heftigen Bewegungen und aus der Tür drängte, die er mühsam öffnete, so heftig, daß sie stolperte und nach zwei, drei Schritten hinfiel, eine Tasche verlierend, wobei er plötzlich das kleine Kaninchen auftauchen, entschlüpfen und verschwinden sah.
Der Zug fuhr an, während er das Fenster herunterließ.
Er sah noch, wie sie die Hände vor das Gesicht schlug und wie zerbrochen auf dem Bahnsteig kniete.

Zwei Herren in Biarritz

Herr Oberleutnant Stauninger war kein Unmensch, wie er selbst immer dann betonte, wenn ihm diese Wendung im Zusammenhang mit einer Amtshandlung oder auch sonst sinnvoll erschien. Vielleicht wollte er mit dieser doppelten Negation darauf anspielen, daß er eine Seele von Mensch sei; aber dieser Verdacht würde ein geschultes Verhältnis zur deutschen Sprache voraussetzen, und das darf man weder dem Menschen Stauninger als solchem, noch dem Amtsträger gleichen Namens unterstellen. Stauninger sprach, wie ihm der Schnabel gewachsen war; allerdings wetzte er ihn zuweilen an scharfen und nicht ungefährlichen Kanten, zu denen vor allem Mode- und Fremdwörter zählten. Grundsätzlich betrachtete er jede Sache zunächst einmal »als solche«, setzte auch öfter als nötig »den Fall« und brach sich im Verlauf längerer Satzkonstruktionen, zumal bei rednerischen Unternehmungen wie etwa Kompanieansprachen, linguistisch und grammatikalisch nicht selten den Hals, dann allerdings nicht als solchen, sondern ohne selbst dessen inne zu werden. Man könnte auch sagen, er sei in dieser Hinsicht überhaupt unverwundbar.

Was ihn gegen Mißverständnisse der Mißverständnisse, die er sprachlich ausstreute, von vorneherein absicherte, waren einmal sein militärischer Rang und seine Dienststellung als Kompaniechef, zum anderen war es die Beschaffenheit seiner Einheit, die sich aus grenzdeutschen, volksdeutschen und leicht hinterwäldlerisch süddeutschen Telegraphenarbeitern, Stellmachern, Kraftfahrern, Monteuren, Land- und Bauarbeitern zusammensetzte, welche allesamt motorisierte Angehörige der »Partei« oder einer ihrer »Gliederungen« oder zu solchen als solche geworben waren, damit der in etlichen

Freiwilligen-Kursen und Übungen zum Offizierstand aufgestiegene NS-Frauenschaftskassenwart (auf Gau-Ebene) Stauninger, einer Idee seines um drei Ecken mit ihm verwandten Gauleiters entsprechend, dem Führer bei Ausbruch der Feindseligkeiten diese Spezial-Einheit zur Verfügung stellen konnte, die als solche ein Novum an sich darstellte.
Die Kompanie, fast auf Normalstärke gebracht, war zunächst in der Fährte der Polenfeldzügler gezogen, dann in der Spur der Frankreichfeldzügler. Wohl weil über ihre Verwendung noch Unsicherheiten bestanden und die gelegentlichen Einsätze – immer technischer Art – ausschließlich in der Etappe stattgefunden hatten, war der Haufe noch komplett – bis auf den Schirrmeister, der sich beim nachvollzogenen Vormarsch eine Gehirnerschütterung zugezogen hatte, als ihm – beim Wettspringen nach dem einen Fässerstapel tragenden Querbalken – in einer Kellerei an der Dordogne der größere Teil der sich lösenden (allerdings leeren) Fässer aufs Haupt gepoltert war. Er lag im Lazarett in Bordeaux, das zumeist mit fußkranken Infanteristen belegt war, während die motorisierte Kompanie Stauninger in stürmischem, aber gefahrlosem Vorwärtsdrang bis an die Pyrenäen gelangt war.
Biarritz, das französische Modebad, in dem sich sonst die Kapitalisten und Kokotten aus Westeuropa ein Stelldichein gaben, schien dem alten Kämpfer Stauninger just der rechte Ort für ein Außenfort erneuten Weltgenesens am deutschen Wesen. Zugleich aber auch Sprungbrett nach Francos Spanien, dem erhofften Bündnispartner für eine nationalsozialistisch-falangistisch-faschistische Erneuerung des verrotteten Europas. Es gab ja bereits eine Achse Berlin–Rom, und es gab – über Moskau hinaus – auch eine Linie, die östlich bis Tokio führte. Wenn sich die im spanischen Bürgerkrieg bereits durch Blutopfer von Freiwilligen markierte Linie demnächst bündnismäßig und strategisch bis Madrid verdichten werde, käme zu der Achse Berlin–Rom noch die Achse

Tokio–Berlin–Madrid, welche beide gewissermaßen das Fadenkreuz darstellten, durch das oder in dem Stauninger, als Parteigenosse wie als Offizier, die Welt aufgegliedert sah. Nach den ersten gewaltigen Schlägen aufs Haupt der anmaßenden Polen und degenerierten Franzosen war ihm kein Zweifel mehr an der künftigen deutschen Herrschaft in der Welt. Adolf Hitler, der einfache Soldat aus dem Weltkrieg Nr. 1, hatte das Zeitalter des kleinen Mannes eingeleitet und den Beweis dafür erbracht, daß erst die Beseitigung aller Standesvorteile und -vorurteile, eine echte Volksgemeinschaft also, das Letzte und Äußerste an Leistung aus einer Nation herausholen konnte. Hans Otto Stauninger, klein oder doch untersetzt von Statur, aber groß an Ehrgeiz und Energien, mit bescheidener Mittelschulbildung ausgestattet, aber in Parteikursen rastlos um Vervollkommnung bemüht, hatte es sich zur Lebensaufgabe gemacht, der neuen Weltanschauung, die zugleich eine mächtige Bewegung als solche war, zum letzten Triumph zu verhelfen und selbst dabei seinen Anteil an Verdiensten, Verdienst und Machtgewinn zu erobern.

Das neue Jahrtausend, das mit der Machtübernahme des Führers angebrochen war, hatte also in Stauninger einen gläubigen und aktiven Zeitgenossen gefunden, der freilich – was ihn von den meisten anderen Fanatikern unterschied – von so naiver und gutwilliger Gemütsart war, daß er, von der militärischen Auseinandersetzung abgesehen, fest davon überzeugt war, daß »die gute Sache« so oder so zum Siege kommen werde, wenn nur jeder seine Pflicht tue, ein anständiger Kerl sei, sich allezeit im Einsatz fühle und – die rechte Inazitive entfalte.

Stauninger sprach das Wort phonetisch, pronunciatorisch, vokalisch, konsonantisch genauso, wie es hier geschrieben steht, und wenn er auch das gleiche meinte wie alle anderen, die dieses Wort im Munde führen, so ist nicht ausgemacht, ob er ihm nicht einen ganz anderen Wurzelstamm zuwies, einen, der nicht aus dem Lateinischen kam, sondern mächtig und jung dem Blut und Boden dieser neuen Zeit entsprossen war. Auf jeden Fall klang es, wenn er seine Mannen oder daheim seine Unterkassierer auf bessere Leistungen hin ansprach und sie aufforderte »mehr Inazitive zu entfalten«, als wäre dieser Impuls erst als solcher erkannt und benannt, seit die Nazis oder der Nazismus des deutschen Reiches Ruder ergriffen hatten. Wer war denn auf den genialen Einfall gekommen, sich der sowjetischen Bedrohung – der vermiedene Zweifrontenkrieg! – durch einen Pakt zu entledigen? Wer hatte – nach all den Schachzügen und Finten meisterlicher Art – zur rechten Zeit mit der eisernen Faust auf den Tisch gehauen? Wem war die Umgehung der Maginotlinie und die alle Welt in fassungsloses Staunen versetzende Niederwerfung Frankreichs im letzten und als solche zu verdanken? Der Inazitive des Führers! Und gesetzt den Fall, die Engländer würden morgen – weil ihnen nichts anderes übrig blieb – klein beigeben und der Friede käme unerwartet über die Welt, so wäre auch dies wem und welcher Eigenschaft wessen zu verdanken . . .?

Wir können uns die Antwort als solche schenken. Es genügt, festzustellen, daß der hier zu beschreibende Abend auf die Initiative Stauningers zurückzuführen ist, auch wenn der Verlauf nicht unbedingt dafür spricht, daß sich alle Initiativen für den Initiator so auszahlten, wie er sich erhoffte. Und wem auf den ersten Blick nicht erkennbar wird, wieso hier von zwei Herren die Rede ist, weil ein Gefreiter nicht zur Herrschaft, sondern zur Mannschaft zählt, der verlasse sich auf das Urteil der Damenwelt, wie sie sich im Spätsommer des Jahres 1940 in Biarritz eben unter deutscher Besetzung präsentieren kann: schutzlos, gattenlos, desorientiert – rien ne va plus.

Diese französische Formel hätte Stauninger auch ohne einen Dolmetscher eben noch übersetzen können, obwohl er niemals an einem Spieltisch gesessen hatte. Aber ansonsten verfügte er nur über bescheidenste Sprachkenntnisse,

und seinen Leuten ging es nicht anders. Solange eine Armee, eine Truppe sich mit der Waffe verständlich macht, kann sie – von Ausnahmen abgesehen – ohne die Sprache des bekämpften Landes auskommen. Wenn aber die Waffen schweigen, müssen die Zungen reden. Und so hatte Stauninger einen Dolmetscher angefordert, der nach wochenlangem Warten endlich bei der Kompanie eingetroffen war.
Er hörte auf den nicht häufigen Namen Ingenerv, war knapp unter dreißig, von angenehmem Äußeren, guten Manieren, blond, blauäugig, eine Art Renommiergermane im Mittelstandsformat. Im Zivilberuf war er angehender Industriekaufmann, hatte zwei Jahre in einer Auslandsvertretung in Paris gearbeitet und war erst vor kurzem von einer Nachrichten-Einheit zur Dolmetscher-Abteilung versetzt worden, zu welcher er sich – auf eine Anfrage hin – gemeldet hatte. Irgendeine militärbürokratische Einzelheit in seinen Papieren hatte ihm dieses erste Kommando eingetragen, dessen Standort für Kriegsverhältnisse recht annehmbar klang. Zwar wäre Ingenerv noch lieber nach Paris gegangen, wo er sich Orts- und Sprachkenntnisse erworben hatte. Aber auch Biarritz übte eine nicht geringe Anziehungskraft auf ihn aus. Süden und Meer, ein herrlicher Badestrand, eine vom Krieg unberührte Provinzstadt, die Nähe Spaniens – die Sterne standen nicht schlecht.
Eine spezielle Aufgabe für sich hatte Ingenerv in den ersten drei Tagen noch nicht entdecken können, aber er war lange genug bei der Wehrmacht, um diesen Terminus nicht mit den Vorstellungen einer zivilen beruflichen Tätigkeit zu verbinden. Man hatte ihm ein hübsches Mansardenzimmer in einer großen Villa zugewiesen, die dem Kompaniestab als Quartier diente, und es versteht sich wohl von selbst, daß requirierende Sieger allenthalben das Beste für gerade noch gut genug halten. Darum verteilten sich die knapp einhundertdreißig Mann fast über die ganze Villenstraße. Nur etwa ein Viertel, das mit der Wartung der Fahrzeuge

und sonstiger technischer Geräte betraut war, sah sich in eine Schule verbannt, die zwei Straßen entfernt lag und deren Schulhof auch als Appellplatz diente.
Es bedarf keiner besonderen Phantasie, sich das Leben und Treiben vorzustellen, das sich unter diesen Umständen und unter diesem Himmel nach zwei Monaten etwa als Norm eingespielt hatte. Auch Feldwebel und Unteroffiziere sind – zumindest unterhalb der Gürtellinie – Menschen, und da Stauninger kein Unmensch war, und seine drei Zugführer sich ebenfalls im besten Mannesalter befanden, gab es außerhalb des Dienstes – zu welchem auch zwei tägliche Badestunden, Kinovorführungen, Erkundungsausflüge zählten – keine nennenswerten Probleme, es sei denn solche gelegentlicher räumlicher bzw. »gesellschaftlicher« Art. Aber da der deutsche Sieger schon von Hause aus auf Rationierung, Organisation und Volksgemeinschaft gedrillt war, wurden auch diese Schwierigkeiten gemeistert. Einer für alle – alle für einen, so lautete die gängige Losung. Warum sollte dann eine tote Sache wie z. B. ein Bett nicht für mehrere da sein? Das einzige, was als selbstverständliche Bedingung (Stauninger sagte: conditio quasinone) binnen kurzem erkannt und akzeptiert wurde, war diskretes und diszipliniertes Verhalten. Als der bayrische Kompaniekoch, der seinen Dienst im Souterrain der Nachbarvilla ausübte, mit seinen zwei Gehilfen und einigen weiblichen Eingeborenen in einer Augustnacht bei offenen Fenstern unter schallendem Gelächter und schrillem Gekicher ein deutsch-französisches Schinkenklopfen veranstaltete, wurde er beim Appell strengstens an die deutsche Ehre erinnert, die durch solche »Kollektiv-Sauereien« Gefahr laufe, besudelt zu werden. Gesetzt den Fall, das »Individium« verspüre die Neigung, liebende Schläge auszuteilen, so sei dagegen nichts einzuwenden, wenn es »unter sich« bliebe. Man wisse allerseits, daß Stauninger kein Unmensch sei. »Aber Volksgemeinschaft gibt es auf dieser Ebene bei uns nicht, und Völkergemeinschaft schon gar nicht.« Als der Kompanie-

chef seine Rede mit der Frage abschloß: »Ist dieser Fall jetzt ein für allemal arschklar?« scholl ein donnerndes »Jawoll, Herr Oberleutnant!« über den Schulhof.
Man darf darüber im Zweifel sein, ob die Aufforderung, die Stauninger an diesem Septemberabend beim Nachtessen aussprach, Ingenerv möchte ihn auf einem kleinen Gang durch das leichtgeschürzte Biarritz begleiten, eine Auszeichnung darstellen oder eine Probe sein sollte, oder ob Stauninger gar die Laune nach einem Abenteuer unter vier Augen, das heißt, ohne standesgemäße Augenzeugen, stand. Vertrauen ehrt nicht nur, es bindet auch; vor allem aber, wenn es sich nach unten wendet.
»Ich muß mir den Betrieb mal wieder ansehen. Man will doch schließlich wissen, in welcher Umgebung man lebt. Sie sind mein Gast heute abend, Ingenerv.«
Sie zogen los: Stauninger rechts, Gefreiter links, der Abstand in der Mitten. Aber schon nach dem ersten Cognac in der Bar zum »Vieux chapeau«, in der, wie Stauninger feststellte, wirklich nur alte Hüte und Ladenhüter zu sehen waren, gab sich der Kompaniechef populärer und erzählte zwei Witze von mittelmäßiger Qualität. Er erheiterte sich dabei selber so angelegentlich, daß Dolmetscher Ingenerv – mehr über den Chef als über dessen Witze – zu einem glaubhaften Gelächter aufplatzte.
»Ingenerv«, sagte Stauninger dankbar und mit einem Anflug von Selbstironie, »Sie werden schon gehört haben, daß ich kein Unmensch bin. Wenn Sie mir die unangenehmen französischen Vokabeln immer in angenehmes Deutsch übersetzen, können Sie es gut bei mir haben.«
Ingenerv versprach, das Beste zu geben. »Ich habe in Paris für die Industrie gearbeitet, Herr Oberleutnant. Da kam es immer darauf an, daß man ankam. Ich werde mir auch in Biarritz als Vertreter der großdeutschen Wehrmacht alle erdenkliche Mühe geben.«
»Die Botschaft höre ich gerne!« zitierte Stauninger unvollständig und falsch, aber aufgeräumt. »Schauen wir uns nach was Besserem um ...«

Sie legten kurz bei der »Charmanten Madeleine« an, die nicht nach Abenteuern aussah, aber einige kleine »Schweinereien« auf Lager hatte, auf die Stauninger »nach diesem langweiligen Kompaniefraß heute abend« Appetit äußerte: Crevetten, Tintenfisch, Muscheln ... Stauninger bekannte, das Meer zu lieben, nicht nur z'wegen der majestätischen Größe und Schönheit, sondern eben auch z'wegen der kloanen Viechereien, die das flache wie auch das gebirgige Land eben doch nicht bieteten, böten ... »suchens Eana als Dolmetscher den richtigen Konjunktiv sölber aus!« – ach, er fräße das Kleinzeug gern. Es mache so animalisch wohl. Ingenerv nutzte die Stunde. Die Natur hatte ihm das Äußere eines Idealisten und die Seele eines Fuchses mitgegeben. Er konnte lächeln wie der heilige Franz und so gut rechnen wie Karl Marx und Adam Riese zusammen – das heißt: seine Überzeugung basierte auf genauester Berechnung. Er sagte so aufrichtig, wie sein Blauauge es nur hergab:
»Wer hätte in Ihnen einen solchen Feinschmecker vermutet, Herr Oberleutnant ...«
»Dolmetscher sollen nicht vermuten, mein Lieber, sondern wissen. Für den Rest des Abends lassen S' den Oberleutnant im Koffer und sagen einfach Chef. Avanti!«
Er zahlte, und sie zogen weiter. Es war ein gutes Einvernehmen zwischen ihnen. Der Gernegroß zahlte für den Größeren, der sich klein machte. Der Schlaue spielte den Demütigen, der Dumme den Großmütigen. Das Lächeln stach den Bierernst aus, und das Glück lächelte dem Klügeren.
Ingenerv war viel zu gewitzt, um seinen »Chef« zu überfordern. Als sie das vierte oder fünfte Mal vor Anker gingen, erbat er sich die Vergünstigung, mit dem neuen Chef eine besonders gute Flasche Wein trinken zu dürfen. Und er durfte. Es kostete ihn fast die gesamte Barschaft, die er bei sich führte. Aber Stauninger als solcher bekannte, ihm das hoch anzurechnen, indem er es zunächst überhaupt ak-

zeptierte (Ausrufezeichen !), dann aber ... eine Handbewegung sprang für die Zukunft ein, die für alle Welt unsicher sein mochte, bis auf diesen speziellen Fall, der den Chef Stauninger und seinen (besitzanzeigendes Fürwort!) Dolmetscher Ingenerv betraf. Sie stießen miteinander an, beim letzten Glas. Es fehlt nicht viel, und der Oberleutnant Hans Otto Stauninger hätte dem Gefreiten Ingenerv ... Aber es unterblieb.

Sie waren fast schon zur Heimkehr in ihr Quartier entschlossen, als ein rotes Licht und ein sanfter Tango die beinahe Willenlosen noch einmal zur Einkehr luden. Sie knobelten unter der Bar-Ampel – zwei gespreizte Finger, flache Hand, Faust; Schere, Papier, Stein – ob sie noch eintreten sollten. Gott, der an diesem Abend Franzose war, wollte es.

Sie gerieten, gelangten – wie immer man es ausdrücken will – an den Tisch zweier Damen, die sich von den meisten ihrer Artgenossinnen dadurch unterschieden, daß man nicht sicher war, ob sie zu denen gehörten, denen man sie gern zugezählt hätte, oder ob sie denen gern zugezählt wären, zu denen sie nicht gehörten.

Schwer zu sagen, ob unsere Herren noch in der Lage waren, die mehr oder weniger feinen Unterschiede zu erkennen, die zwischen einem Gewerbe bestehen, das auf Liebe verzichtet, und einem Liebesverlangen, das auf jedes Gewerbe verzichtet. Auf jeden Fall fühlten die beiden unerwartet ihren Instinkt und ihre Natur angesprochen und verheimlichten es nicht. Keine Frage, daß Stauninger die Damen zu einem Gläschen einlud. Der Umstand, daß diese miteinander berieten, ob sie die Einladung annehmen sollten, konnte nur für sie sprechen.

Sie nahmen an.

Über ein erstes tastendes Gespräch, das fast ausschließlich von Ingenerv geführt wurde, ergab sich, daß die Damen in Biarritz wohnten, genauer, daß die eine hier ein Sommerhaus besaß und die andere, eine Freundin, bei ihr zu Gast war.

Diese solide bürgerliche Basis ermutigte Stauninger sichtlich, der sich nicht nur von Ingenerv wörtlich berichten ließ, sondern auch zwischenhinein durch lebhaftes Kopfnicken und gelegentlich quiekende »Oui's« sein lebhaftes Interesse bekundete. Kein unverbindliches, sondern ein entschiedenes. Es galt unverhohlen der kleineren, zierlicheren, offenbar auch temperamentvolleren Dame, deren Augen einen leicht asiatischen Schnitt hatten und die auch gesellschaftlich der führende Part zu sein schien. Wie sich bei näherer Kontaktnahme herausstellte, war sie die Frau eines Apothekers, der – Gott sei Dank – die Feindseligkeiten heil überstanden hatte und in einem deutschen Gefangenenlager der Freiheit entgegendürstete, um dann wieder – wie früher – hier in Biarritz mit seiner zierlichen Braunen wohlverdiente Ferientage im dafür eigens errichteten Sommerhäuschen zu verbringen.
Stauninger nickte befürwortend – er war ja kein Unmensch – und bestellte eine »Veuve Cliquot«, Ingenerv unauffällig bedeutend, daß er ein wohlgefälliges Auge auf die Apotheker-Strohwitwe geworfen habe und Vollmacht erteilte, entscheidende Schritte einzuleiten, die am Ende dem Sommerhaus des Apothekers zustreben sollten.
Ingenerv sprach freilich nicht immer als Dolmetscher. Er ließ zwar erkennen, daß sein Chef Ambitionen verraten habe, verschwieg jedoch nicht, daß er seinerseits so freimütig sei, seine persönliche Passion nicht zu unterdrücken. Er führte, ohne es allzu fühlbar werden zu lassen, das Wort, während sich der mehr oder minder sprachlose Stauninger auf seinen nur halben Herzens werbenden Fürsprecher angewiesen sah. Doch gerade bei diesem Geschäft dienstlicher Fürsprache entwickelte der junge Gefreite so viel Charme und Geschick, daß er von Minute zu Minute mehr das Herz der Apothekersgattin gewann. Sie lächelte ihm zu, warf erwärmende Blicke und deutete darüber hinaus auch die Möglichkeit einer häuslichen Fortsetzung dieser zufälligen Bekanntschaft an . . .

Daß von der Freundin kaum die Rede war bisher, kann als Beweis dafür gelten, daß sie auf den ersten und zweiten Blick nicht sonderlich animierend oder gar verführerisch erschien. Sie lief sozusagen mit und war zugegen, aber eher wie eine Statistin, deren Rolle sich darin erschöpft, der eigentlichen Actrice und Heldin die Stichworte zu geben. Protagonistin der Szene war Anise, der die Herzen der beiden Herren entgegenschlugen. Aber obwohl die andere – Hélène – das ohne besondere Verstimmung hinzunehmen schien, war es für den harmonischen Fortgang des Abends zweifellos erforderlich, ihr mehr Aufmerksamkeit als bisher zu widmen. Der vielbeschäftigte Ingenerv machte den Oberleutnant darauf aufmerksam.

»Die übernehmen Sie, Ingenerv,« meinte Stauninger, der zu Entscheidungen, auch personellen, drängte. »Sagen Sie ihr, sie sei très charmante, aber ein bißchen zu reserviert. Oui, réservée – pourquoi, mademoiselle? Encore Champagner? Oder peut-être, Madame Anise, entre nous?« Er kreiselte mit dem Zeigefinger die kleine Runde ab und gab damit das Stichwort zum »Tapetenwechsel«, das Madame Anise, die sich amüsiert zeigte, sofort aufgriff. Sie lud – s'il vous plaît – die beiden Herren herzlich in ihr verwaistes Sommerhaus – allerdings: nur zu einer guten Flasche Bordeaux blanc. Und: ein bißchen Musik. Und: un peu de fromage de brie. Et cetera, et cetera ... Sie lächelte gastfreundlich, verheißungsvoll.

»Wir sind eingeladen, Chef«, sagte Ingenerv. »Die Sache ist perfekt, Madame Anise übernimmt das Kommando!«

Er wußte, was er sagte. Als Stauninger, der gezahlt hatte, Madame Anise den Arm bot, erklärte diese, die Straße sei breit genug für vier und dirigierte die Freundin an Staunigers rechte Seite, der sich damit von den Damen flankiert sah. Den Gefreiten Ingenerv nahm sie an ihre Herzseite, griff seine Hand und ließ ihn fühlen, daß sie ihre Wahl bereits getroffen habe.

Der Weg war, so hieß es, nicht weit. Trotzdem versuchte

Stauninger nach der Melodie »Allons, enfants de la patrie . . .« eine Art Gleichschritt herzustellen. Aber die Damen verwiesen ihm diese Melodie rasch und schlugen dafür die »Achtzig Jäger – Quatre-vingt chasseurs« vor. Aber kaum daß der ersehnte Gleichklang erzielt war, sah man sich schon am Ziel. Eine schmucke, kleine Villa, die sich durch eine gut mannshohe Taxushecke gegen die Straße abschirmte, tat sich durch ein winziges Schlüsselchen, das Madame Anise ihrem Handtäschchen entnahm, vor den beiden Herren auf.
Der Chef schnallte den braunledernen Revolvergurt, Gefreiter Ingenerv das schwarze Koppel mit dem Seitengewehr ab. Die Hausherrin öffnete eine Tür, bediente den Lichtschalter, sagte einladend »Bienvenus, messieurs!« und ein einfach möbliertes, aber durch einen kleinen Lüster und zwei Wandleuchten beinah festlich erhelltes Wohnzimmer bot sich den anerkennenden Blicken der beiden Herren dar. Sie wurden in zwei Sessel genötigt; Hélène nahm im dritten Platz, während Anise – da beide Damen sind, genügen die Vornamen – entschwand, um die gute Flasche zu holen und einige Nüsse und Oliven dazu. Damit zurückkehrend, drückte sie Stauninger – »Vous êtes le chef!« – Flasche und Korkenzieher in die Hand und setzte sich – »parce qu'il y a seulement trois chaises« – mit graziösem Schwung auf Ingenervs Schoß, strich ihm übers Blondhaar, behauptete, er sähe aus wie der typische deutsche Jung Siegfried, nannte ihn »mon ennemi très sympatique«, erklärte dem Krieg den Krieg, gedachte auch zwischen Sympathie- und Kriegserklärung kurz des abwesenden Gatten, »mon pauvre mari, que dirait-il . . .«, rief »quel joli Päng-päng!«, als Stauninger endlich den Korken heraus hatte, und hielt ihm ihr und Ingenervs Glas entgegen, auf daß er einschenke. »Hélène«, rief sie übermütig, »s'il vous plaît, musique, musique! Dansons, mes amis. Ah, je déteste cette vie solitaire. Comment vous appellez-vous, mon lieutenant?« fragte sie den ihr eingießenden Stau-

ninger. »Votre nom, s'il vous plaît! George, August, Wilhelm ou peut-être – Adolf?!«
»Hans Otto, madame. Pour vous: Otto. Otto suffit.« Er deutete eine zwischen Huldigung und militärischem Gruß schwankende Geste an.
»Oh, Otto. Vous êtes si actif, si mobile. Vous savez bien danser?« Sie illustrierte ihre Frage durch entsprechende Armbewegungen.
»Ah oui.« Stauninger verbeugte sich entschlossen, da die ersten Takte eines langsamen, wohlakzentuierten Foxtrotts aus dem Grammophon ertönten, und Anise küßte ihrem Jung Siegfried zärtlich die Stirn, verließ seinen Schoß und begab sich in die Arme Otto Staunigers, der nicht ohne Talent und Rhythmik, wenn auch etwas zu raumgreifend, die Französin zu schwenken begann – zwei Schritte vorwärts, halbe Drehung, Zwischenschritt, neuer Anlauf, kurzer Kreisel –, so daß sie amüsiert ausrief:
»Hélène! Regarde, ma chérie. Dansez! Mon lieutenant, comme vous êtes mobile! Je vous appelerai mon Otto-mobil.«
Herr Ingenerv hatte sich indessen zwangsläufig der spröden Hélène bemächtigt und kreuzte mit ihr in etwas gezügelteren, aber wohl rhythmisierten Passagen den nicht eben großen Raum. Er begann gerade, bei aller generellen Beflissenheit, Empfindungen vorzutäuschen und zu wekken, darüber nachzudenken, wie weit militärischer Gehorsam zur Zurückhaltung verpflichte, als er sich am Arm gegriffen fühlte – von Anise, die einen Partnerwechsel erzwang und Hélène belustigt zurief:
»Prends mon Otto-mobil, chère Hélène. C'est un danseur ravissant. Viens, mon ami... comment t'appelles-tu, toi?«
»Eugène, ma chère Anise,« sagte Ingenerv besitzergreifend und fühlte herzliches und lieblich-leibliches Entgegenkommen. Er wiederholte nur für sie hörbar: »Eugène, Anise. Eugène – comme génie.« Sie legte ihre Wange an die seine und dachte für sich: Er ist ganz gewiß kein Genie, vielleicht ein deutscher Filou. Aber was soll ich mit einem abwesen-

den französischen Genie, das mein Charles auch nicht ist. Es ist so schön, nein, es ist hinreißend, seinen kräftigen Arm zu fühlen ...

Da Hans Otto Stauninger gewissermaßen angelaufen war, hatte auch Hélène Anteil an seiner Rasanz. Sie tanzte im Grunde recht gern, hatte aber seit langem kaum noch Gelegenheit gehabt, dieser Neigung nachzugehen. Eine mißglückte Ehe lag hinter ihr – mit einem Mann, der inzwischen vermißt oder gefallen war. Er war nichts, besaß wenig – Anise hatte ihr immer abgeraten, sich diesem Spießer anzuvertrauen, dessen Gewalttätigkeit sie für Leidenschaft und dessen Borniertheit sie für Naivität und Unmittelbarkeit gehalten hatte. Im letzten hatte er doch nichts anderes im Sinn gehabt, als mit dem provinziellen Rang dieser Kapitänstochter aus Bayonne sein schlecht und recht gehendes Elektrogeschäft aufzubessern. Was er freilich wirklich gut konnte, war tanzen. (Gekonnt hatte, muß es wahrscheinlich heißen.) Aber da der Tanz für etwas sprödere oder platonisch gestimmte Seelen eine Art Vorstufe oder Testfall für letztliche körperliche Übereinstimmung darstellt, hatte sie sich von dieser sehr vordergründigen Übereinstimmung eine Lebensharmonie versprochen, die sich schon rasch als Illusion von äußerster Naivität entpuppt hatte. Freilich: *sie* war die Naive gewesen und (Stauninger würde sagen) als solche von ihm entlarvt, ja, bloßgestellt worden.

Schulfreundin Anise hatte einen gesünderen Instinkt bewiesen. Ihr Jean war weder ein guter Tänzer noch ein attraktiver Mann. Aber er war eine solide Qualität. Daß er seine Examina mit Ach und Krach hinter sich gebracht hatte – wer fragte danach? Apotheker – das war ein idealer Beruf. Woran verdient die Welt? An der Dummheit der Menschen – und das macht eine gewisse Presse zur Großmacht, zum immer wachsenden Geschäft. An der Krankheit der Menschen – und da schöpfen die Apotheker und die pharmazeutische Industrie ihren Rahm ab. Und an dem

Wunsch der Menschen, schön zu erscheinen. Und da kochen viele mit: die Mode, die kosmetische (quasi pharmazeutische) Industrie, gewisse Zeitschriften, auch Doktores ... Auf jeden Fall ist der Apotheker einer der klügsten und stillsten Teilhaber am Geschäft mit den menschlichen Gebrechen. Kaum waren Jean und Anise fünf Jahre zusammen gewesen, da fingen sie an, dies Häuschen zu bauen. Und da Anise zwar ganz sicher sehr liebesfähig, aber offenbar unfruchtbar war, gab es in ihrem Leben – außer diesem – keine ernsthaften Probleme. Und weil sie dazu noch eine charmante, lustige und charaktervolle Person war, flogen ihr die Sympathien nur so zu.

Sie saßen längst wieder. Anise hatte es so dirigiert, daß Eugène neben ihr, aber jeder für sich, in einem Sessel saß, während Otto-mobil die langsam auftauende Hélène auf seinem Knie trug.

Es trieben ihn keine allzu ernsthaften Ambitionen. Aber er hatte begriffen, daß Mitspielen hier die erste Regel fürs Gewinnen war. Außerdem hatte er einmal gelesen, stille Wasser seien tief. Und daß Anise eine ausgekochte, imprägnierte Französin war, das schien ihm »arschklar«. Vielleicht stand Hélène in ihrer Zurückhaltung und Problematik möglicherweise dem faustischen Deutschtum um einiges näher ...?

Er wußte es nicht. Aber er legte sich die Karten für das kommende Spiel zurecht. Wenn man einiges getrunken hat, zieht sich die menschliche Natur ohnehin auf allgemeinere Fakten zurück. Sie wird grundsätzlicher, elementarer, genereller. Dieses Luderchen von Anise, die sicher ein happiges Betthäschen war, schien sich tatsächlich für diesen Ingenerv entschieden zu haben. Diese Französinnen ...

»Quel est votre profession, Otto?« wurde er von weiteren ethnischen oder nationalen Schlüssen abgehalten. Die Frage rührte unversehens an den Wurzelgrund seiner Existenz. War er nicht Offizier geworden – Reserveoffizier –, um gewissermaßen diese kleine Vergangenheit endlich hinter sich zu lassen? Und nun fragte ihn diese Französin nach einem Beruf, als wäre der Oberleutnant eben doch nichts als eine Maske ...

Wäre er allein gewesen, hätte er den Berufssoldaten hervorgekehrt, der er nicht war. Aber so, vor diesem Ingenerv als Ohren- und Augenzeugen ... Er sagte, etwas ins Unverbindlich-Bescheidene abgleitend:

»Je suis financier ... comme ça ... fügte er hinzu, etwas abschwächend, weil er den überraschten Ausdruck der vier Damenaugen sah. Und im gleichen Augenblick bereute er auch schon lebhaft, seinem Gaukassenwart-Stand ein so kostbares und verpflichtendes Air verschafft zu haben. Er fügte zweimal abschwächend hinzu »Comme ça, comme ça ...« als ahnte er, daß seine leichtfertige Großsprecherei Folgen haben könnte.

Aber Anise packte den Wunsch (ihren) und Anspruch (seinen) sogleich am Schwanz und übersetzte das comme ça in ein vieldeutiges: »Etcetera, etcetera ...«, als habe Stauninger nicht zu viel, sondern zu wenig gesagt. Sie nickte gedankenvoll und umschlang plötzlich, wie in einer Bewegung grenzenlosen Erbarmens und lebhaftester Anteilnahme am Geschick der Enterbten dieser Erde, Ingenervs Hals und sagte zärtlich:

»Mon pauvre Eugène ...« Und er lächelte und erwiderte ihren Kuß, der sich als Spende der wohlfahrenden Welt für die Sitzengebliebenen tarnte und in Wahrheit die unumstößliche Entscheidung aussprach, die für den Gefreiten Ingenerv gefallen war. Und dieser freute sich ungeniert, ja enthusiasmiert, seiner Armut. Er wußte nichts – noch nichts – Näheres über Hans Otto Stauninger; aber als angehender Industriekaufmann konnte er die Räuber von den Ausgeraubten, die Mächtigen von den Ohnmächtigen doch unterscheiden. Und daß Stauninger ... – das vermochte er nicht zu glauben. Aber daß der Chef sich hier eine Blöße, eine lindenblattgroße Verwundungschance gegeben hatte, deren Folgen und Ausmaße noch nicht abzusehen waren, das stand für ihn fest.

Stauninger hätte seine Autodiagnose instinktiv gerne zurückgenommen. Aber als älterer Kämpfer schien ihm der Ausbruch nach vorn doch die beste Verteidigung.
»Ingenerv«, sagte er, »ich mag das halbsüße Zeugs nicht. Fragen Sie unsere Damen, ob hier in der Gegend noch eine Flasche Schampus aufzutreiben ist. Vielleicht geht die Hélène mit ...«
»Als Dolmetscherin?« Ingenerv fragte mit sanfter Ironie. »Ich kann Ihren Vorschlag weitergeben, natürlich ...« Und er tat es. Aber Madame Anise hielt das Ansinnen für zu kompromittierend. Sie sah auf des trüben Wässerchens Grund, in dem Hans Otto fischen wollte. Nein, nein, da sei in der Nähe eine Bar, sie werde anrufen, daß unerwartet besondere Gäste eingetroffen seien, und erkunden, ob man ... »Une bouteille ou deux, mon lieutenant?«
Finanzmann Stauninger wunderte sich über sich selbst, als ihm ein ganz eindeutiges »Deux!« entfuhr ... und nicht Eugène und Hélène würden gehen, sondern Hélène allein. »Que pensez vous, Otto-mobil. Moi, je suis bien connue ici comme une femme serieuse.«
Hans Otto zückte die Brieftasche und überreichte Hélène einen ausreichend datierten oder dotierten Schein, und da zu jener Zeit noch alles, zumal Trinkbares, reichlich vorhanden war in Frankreich, konnte Hélène nach kurzer telefonischer Rückversicherung aufbrechen, die begehrten Bouteillen zu holen, während Anise bat, sich für die Aufbereitung einiger Käsebrötchen – »très délicieux« – zurückziehen zu dürfen.
»Mein Lieber«, sagte Stauninger, mehr zu sich als zu Ingenerv, »jetzt sind wir im Teich. Jetzt müssen wir schwimmen.« Er blickte sich wohlgefällig um. »Die Spesen sind etwas höher ausgefallen als veranschlagt, aber der Laden gefällt mir. Etwas schwierig scheint mir allerdings, wie ich zu der begehrten Ware komme ...«
»Generell oder speziell, Chef?« Ingenerv stellte sich so arglos, wie seine Miene es hergab.

»Schlawiner...« drohte Stauninger mit elegischem Lächeln. »Sie wissen genau, wie der Wetterhahn steht...« Und er lieferte auch gleich die Argumente für seine Wetterprognose mit. »Sie sind zehn Jahre oder mehr jünger, und blond sind Sie auch, wie Rosenberg sein möchte. Ich bin kein ausgesprochener Schrumpfgermane. Aber es sieht so aus, als ob sich unsere Wirtin dem jüngeren Gegner unterwerfen möchte... Übernehmen Sie also, wenn es denn sein soll, Anise. Ich bin ja kein Unmensch.«
»Ich übernehme natürlich gern, Chef, sehr gern sogar. Aber ich glaube, ich werde übernommen. Wir werden übernommen. In diesem Lebensbereich...«
»Trotzdem! Wir fordern Reims zur Übergabe auf! Kennen Sie das? Schöne Geschichte. Das Spiel bleibt offen – wie bisher. Und fair, mein Lieber! Nicht, daß Sie Ihre Dolmetscherkünste insgeheim gegen Ihren Chef ausspielen. Das wäre gegen den militärischen Auftrag. Bisher ist mir nicht aufgefallen, daß Sie zuviel Privatinazitive entfaltet hätten. Aber gesetzt den Fall... Na, warten wir ab, was Pandora für jeden von uns in der Buxe hat. Haben Sie noch was im Glas? Prost denn! Gleich kommt ein besserer Stoff. Ah, madame Anise! Voilà. Quelle surprise, le fromage de brie! Delikat hat sie das angerichtet. Sagen Sie ihr, sie scheine eine große Hausfrau zu sein. Charmant, Anise. Jetzt noch die Bouteillen. Ingenerv, werden Sie mit der Musikkiste fertig? Ich möchte mit Anise tanzen. Madame Anise, s'il vous plaît. Tango, Ingenerv – wenn's geht. Man kommt sich da rascher näher. Allons enfants...« Aber er stoppte sich selbst. Anise drohte mit dem Finger, öffnete ihre Arme, und Hans Otto begann mit kühnen Schritten, Reims zur Übergabe aufzufordern.
Aber es blieb bei der Aufforderung. Stauninger kam über ein paar Wangenküsse nicht hinaus, und der angestrebte lieblich-leibliche Kontakt wollte durch Anises liebenswürdig-abwehrendes und immer wieder von amüsierten oder bremsenden Ausrufen irritiertes Tanzen nicht zustande kommen.

Sie ist ein Luder, ein entzückendes zwar. Aber ein Luder, dachte Stauninger und beschloß innerlich, nichts mehr an Energie zu investieren. Hier hatte der Kaiser sein Recht verloren. Der Fall lag klar, man brauchte ihn nicht mehr zu setzen.

Es kam auch schon Hélène mit dem Schampus, und der Chef ließ wieder sein »joli Päng-päng« erschallen. Man muß die Länder und Frauen nehmen, die man kriegt und wie sie sind. Personelle Fragen durften hier nicht das Vergnügen trüben oder gar gefährden.

»Paris, du Stadt der Liebe! Haben wir das, Ingenerv? Hélène, s'il vous plaît. La guerre finie. Vive la paix!« Er goß nach und schlürfte das moussierende Naß in genüßlichem Zug in sich hinein. Das Grammophon ertönte.

Hélène lächelte; sie mußte lächeln. Teils weil dieser Mann so unfreiwillig komisch war, teils weil er so echt naiv und unmittelbar erschien – ein wenig ähnelte er in dieser Hinsicht dem Manne ihrer ersten Wahl. Nur schien er harmloser, gutmütiger. Auch im Umgang mit seinem einfachen und – das wußte sie schon – siegreichen Soldaten. Ihr würde dieser Otto verbleiben, der kein Adonis war, aber auch kein Adonai. Anise wußte, was sie wollte, und schließlich war sie ja die Gastgeberin. Sie hatte das Abenteuer angeregt, ein bißchen gegen Hélènes Bedenken. Sich diesen boches hingeben, die auf Europa herumtrampelten? Ach, sie haßte im Grunde diese Allemands mit den plumpen Knobelbechern. Auch ihre einfachen Poilus waren ja keine Elegants. Wo in der Welt gab es hübsch angezogene Soldaten? Ja, die Mariner und die Flieger ... das war eine Klasse für sich. Aber diese »haricots verts« ... da sahen nur die Offiziere adrett aus, wenn sie so gutes Tuch trugen wie dieser Otto-mobil da, mit dem sie fahren würde, so oder so, vielleicht nicht einmal schlecht. Merde! A bas avec tous les soldats! Wie wird man diesen störenden Anblick uniformierter Männer los, noch dazu solcher, die Feinde Frankreichs sind? Man muß sie ausziehen, bis aufs Hemd,

über das Hemd hinaus! Dann werden sie Menschen, endlich, nackt und bloß. Obwohl diese beiden da ja wirklich nicht so übel sind, sondern sogar ganz nette Burschen. Der Junge ist natürlich besser. Aber sein Chef ist auch bekömmlich. Was tut eine Frau, die so einen mistigen Kerl geheiratet hat (was Anise kaum von sich würde sagen können). Je m'en fous. Ich bin zweiunddreißig, und diese Viecher von Deutschen inszenieren einen Krieg, der alle jüngeren Männer in häßliche Uniformen zwingt ... und was wird mit den Frauen!?
Gott sei Dank, daß sie kein Kind hatte. Das war ihr erspart geblieben. Aber sie würde Kinder haben können, das wußte sie. Nur nicht im Krieg, und schon gar nicht von einem Boche. Aber – sie begann zu rechnen und zu zählen – in diesen Tagen könnte eigentlich nichts passieren. Selbst wenn sie diesem Chef ungehemmt ... –
»Hélène! Chérie! Quel triste visage! Qu'est-ce que tu penses? Sois aimable!« Anise legte den Arm um sie und flüsterte ihr etwas zu, was keiner hörte, aber den Chef auf einen neuen Gedanken kommen ließ.
»Ingenerv«, sagte er leise. »Man weiß nicht, was die Weiber da flüstern. Vielleicht sind sie beweglicher und unentschiedener, als wir Naivlinge so denken. Gesetzt den Fall, meine Vermutung würde sich bestätigen, daß also beide Trümpfe stechen und verschiedene Spielchen gespielt werden können – ich nehme Sie beim Ehrenwort: Sind Sie verschwiegen, Ingenerv? Absolut verschwiegen?«
»Herr Oberleutnant ...«
»Chef, bitte! Und kurze, klare Antwort!«
»Chef,« sagte Ingenerv so leise und langsam, daß keine Beichte ernster genommen werden konnte, »ein Grab ist ein Caféhaus gegen mich. Sie würden mich kränken ...«
»Schluß. Akzeptiert.« Und laut und aufgeräumt:
»Musik! Hélène ... Champagner.« Er legte eigenhändig eine Platte auf und bat zum Tanz.
O la la, dachte er. Da tut sich was. Das Weib ist endlich

in ihr erwacht. Und auch in ihm regten sich naturgegebene Kräfte, und ihr Aufstand wiederum weckte auf der anderen Seite die Lust am Unterliegen – das Widerspiel von Regung und Empfindung begann.
O la la, dachte auch sie, soweit diese Artikulation Denken voraussetzt. Ganz gewiß jedoch dachte sie: daß ein Mann ein Mann ist, auch wenn er im Bett sitzt und hustet. Aber dieser hier würde nicht husten, dachte sie, und dafür, daß er nicht still läge, würde sie Sorge tragen. Gott hat den Ärmsten dieser schönen und ebenso elenden Welt die Liebe der Geschlechter zu Trost und Entzückung gegeben. Wie sollte man ihm nicht danken für diese Gelegenheit, sich und alle gehabten Schmerzen in dem Schoß zu begraben, aus dem der Mensch entspringt? Wär da nicht endlich eine Gelegenheit, sich über das Graue, Monotone, Hoffnungslose, die Langeweile dieses nun schon ins zweite Jahr gehenden Krieges zu erheben, dessen Ende noch lange nicht abzusehen war? Hans Otto oder – wie sie ihn dann später, als sie allein waren, nannte – Jean Otto war gar so übel nicht. Hätte sie die deutsche Sprache in ihrer eigentlichen Komik beherrscht – sie würde Stauningers Formel vom nicht seienden Unmenschen akzeptiert haben. Er stand seinen Mann, und da sie keinen hatte, den sie ihren nennen konnte, war sie mit diesem einen Mann einverstanden, notfalls auch zufrieden, ja am Ende gar glücklich. Und wer will denn mehr? Hélène jedenfalls war entschlossen, für eine oder zwei Stunden glücklich zu sein, und Hans Otto Stauninger wurde von diesem Entschluß Hélènes ergriffen. Er war diesmal auf sehr menschliche Weise im Einsatz und riß nun um so entschlossener die Inazitive an sich, als er sicher war, daß in seiner Person ja auch die gute deutsche Sache zum Siege gelangte.
Daß er nicht allein auf dem Vormarsch war – wem müßte das versichert werden? Hätte Hélène als nur schwach bewachtes Fort ihren hinhaltenden Widerstand noch mit dem hinausgezögerten Elan des Angreifers erklären können –

Anise war längst mit fliegenden Fahnen, wenn man es so kontrovers ausdrücken darf, übergelaufen. Die beiden Erwählten waren, auch wenn Ingenerv es mit List und Takt einigermaßen zu tarnen verstand, längst so sehr ein Herz und eine Seele, daß es nur eine Frage der Zeit war, wann sie ein Leib würden. Und sie spielten ihr Spielchen mit der unvergleichlichen Vorfreude, die das vollständige Einverständnis zu entfachen und zu entfalten weiß, Blatt um Blatt, bis die Blüte offen da liegt für den schmachtenden Rüssel von Kapuziner, Pappelschwärmer, Totenkopf, Reiter, Admiral ... alle Rangstufen hinab bis zum Kohlweißling, der auf den seltsamen Namen Ingenerv hört und in Wahrheit – zumindest – ein Schwarz- oder Pfauenauge ist.

Er hatte lange genug verschmäht, als unverstellter Dolmetscher seiner Gefühle tätig zu werden. Nun aber, da er wahrnahm, daß der Chef das kleine Wunder vollbrachte, nicht nur sich, sondern auch die etwas schwerfällige und gehemmte Freundin von Anise »auf Tour« zu bringen, fühlte er sich frei und gleichrangig. Die Küsse, die er mit Anise tauschte, wurden feuriger, anhaltender, intensiver. Und weil er ein guter Tänzer war, dem Rhythmus nicht angelernt war, sondern angeboren schien, kostete er die Fermaten beim Tanzen jetzt genüßlich aus und ließ sich auch durch ein anzügliches »O la la!« des Chefs nicht aus dem Takt und Kontakt bringen.

»Chef,« sagte er plötzlich ungeniert, aber mit genauer Kalkulation, »Sie sind ein feiner Kerl. Wenn ich an die vielen Arschlöcher denke, die mir bisher in Schaftstiefeln begegnet sind, kann ich nur sagen: à la bonne heure! Und das heißt, wenn ich's mal frei übersetzen darf: Ingenerv, du hast Schwein gehabt. Ehe wir die zweite Bouteille öffnen, mußte ich das loswerden, Chef. Sofern es noch mal knallen sollte – ab heute gehe ich für Sie durchs Feuer! Sie respektieren den Menschen!«

Stauninger, Hélène den Arm streichelnd, nickte wohlgefällig.

»Mensch sein ist alles!« sagte er mezza voce. »Wenn ich Ihnen nicht traute, Ingenerv, würde ich mit Beethoven sagen: ›Freunde, nicht diese Töne.‹ Aber Sie haben schon nach drei Tagen begriffen, mit wem Sie es zu tun haben.«
Er sprach so ernst und gewichtig, daß Anise energisch rief: »Tiens, tiens! Pas des discussions métaphysiques! Dansons, mes amis! O la vie – quelle comédie!« Und sie behauptete, seit langem nicht so guter Laune gewesen zu sein. Und das ausgerechnet mit Feinden ihres Vaterlandes.
»Was erzählt sie da? Ingenerv, verstehe ich recht: wir wären ennemis? Quelle erreur! Sie kennt den Führer nicht. Der bringt Freundschaft. Amitié – um jeden Preis! Auch mit Feuer und Schwert! Comme Napoléon.« Er verstummte zwangsläufig, weil Hélène ihm einfach den Mund zuhielt. Sie fühlte, daß er im Begriff stand, durch teutonisches Geschwätz ihr Feuerchen auszulöschen. »Jean Otto!« rief sie. »Tu m'énerves! Ne parlez plus, vous deux! Faites vos jeux!« Sie sprang plötzlich auf und schleuderte ihre Schuhe von den Füßen. »Anise!« rief sie leidenschaftlich, »dansons, dansons!« Sie rannte zum Grammophon, legte einen Charleston auf, lüpfte den Rock über die recht hübschen Knie und begann ein tänzerisches Solo, daß Stauninger das Wundern kam.
»Mädchen«, rief er begeistert, »fabelhaft! Magnifique!« Den Takt klatschend, machte er sogar schüchterne Versuche mitzuhalten. Aber da das nicht glücken wollte, beschränkte er sich auf die Rolle des Claqueurs, die ihm Hélène freilich nach gelungener Exhibition mit unvermutet stürmischer Umarmung lohnte. Als er, nach Luft schnappend, wieder zu sich und seinem Glase gekommen war, sagte er, mit der Linken die auf seinem Schoß sitzende Hélène streichelnd, in beinahe dienstlichem Ton:
»Trotzdem, Ingenerv: die Quartierfrage! Um acht Uhr ist Appell! Vergessen Sie das nicht. Sie haben zwar jetzt das große Los gezogen, und ich bin nur zweiter Sieger. Aber in« – er sah auf die Uhr – »sechs Stunden stehe ich vor mei-

ner Kompanie. Regeln Sie alles Erforderliche, inklusive rechtzeitiges Wecken. Sind Sie sich einig, wo Sie schlafen?!«
»Ich denke, Chef. Aber die Örtlichkeiten wären noch zu erkunden. Soll ich den Stoßtrupp anführen?«
»Stoßtrupp in Front!« rief Jean Otto und klatschte ermunternd in die Hände. »Allons enfants ...«
Es stellte sich heraus, daß es – dem beschränkten Zweck des Hauses entsprechend – nur ein regelrechtes Schlafzimmer gab, mit Doppelbett, auf das Mme. Anise Anspruch hatte. Hélène schlief, solange sie Gast und der Hausherr abwesend war, mit der Freundin in deren Bett, das für diese Nacht freilich dem Erwählten vorbehalten war. Darum mußten Hélène und Jean Otto mit der Mansarde, einer Art Mädchenkammer, vorliebnehmen. Die Redewendung vom Quartiermachen war also überaus euphemistisch, es gab nichts zu requirieren, sondern man lag, wie man sich gebettet sah: Gefreiter Ingenerv genoß den Vorzug, den leider abwesenden Gatten zu vertreten, während der Chef mit Hélène sich auf schmalem Mansardenlager einzurichten hatte, beide vielleicht ein wenig mißmutig zunächst, dann aber entschlossen zu bieten, was sie hatten, und zu nehmen, was sie bekamen.
Es gibt Liebesdurstige auf dieser Welt, die sich mit weitaus kargerem und härterem Lager begnügen müssen, und wahre Leidenschaft schlägt noch aus erbärmlicher Strohschütte dionysische Funken und Flammen. Was sich an verletztem Stolz noch in Stauningers Bewußtsein regen mochte, das beschwichtigte und ertränkte Hélène rasch im Überfluß ihrer so lange angestauten Zärtlichkeit. Einsamer Soldatennächte auf unbedachtem Felde der Ehre eingedenk, nutzte der Chef die gebotene Zweisamkeit. Und wenn es für ein Seite an Seite reichlich knapp bemessen war, das deutsch-französische Liebeslager – wer von der Enge erwachte, konnte sich nach oben oder unten umbetten.

Auch unser Gefreiter, der endlich unbeschränkter Dolmetscher aller seiner Empfindungen und Anliegen sein durfte, konnte sich wider Erwarten nicht unbeengt und unbeschränkt ausbreiten. Anise erwies sich als zierlich gebaut, auch wenn der leicht üppige Busen hinsichtlich der anderen Proportionen kühnere Erwartungen geweckt hatte, als sich bei näherer Behandlung und Ergänzung eröffnen sollten. Sie mußte um Rücksicht beziehungsweise Vorsicht bitten und argumentierte immer wieder mit bedauerndem »très petit« und anderen sprachlichen Wendungen, die unserem Dolmetscher als solchem keine Schwierigkeiten bereitet hätten, würden sich ihnen nicht körperliche Wendungen und Windungen zugesellt haben, die einem so kräftigen und jugendlichen Liebhaber mehr zu schaffen machten, als er sich erhofft hatte.

Nicht, daß er den Überschuß der Kräfte nicht los geworden wäre – es wurde ihm schon Erleichterung zuteil, und Madame sparte auch nicht mit Liebkosungen und Ermutigungen mannigfacher Art. Er durfte sich geliebt fühlen, geradezu angebetet, bekniet. Aber seinem jugendlich kurzangebundenem Temperament wollten Aufwand und Ergebnis nicht in dem gewohnten Verhältnis zueinander stehen. Er hatte lange nicht und äußerst selten in einem so schönen Bett gelegen, auf dessen blaßgelbem Bettuch sich Anises schwarzes Haar und dunkelbraune Augen wie eine große Verheißung abhoben. Aber da er in kaufmännischen Bildern zu denken gewohnt war, mußte er an die schönfarbigen, aber zuweilen ungedeckten Schecks geschäftlicher Partner denken, die auch durch die schönsten und herzlichsten Beteuerungen nichts an Realwert gewinnen. Erst als seine Kräfte bedenklich nachgelassen hatten, was Anise zu den lebhaftesten und interessantesten Bemühungen veranlaßte, und er für seine Verhältnisse mehr als genug getan, erhielt er auch von ihr die Genugtuung einer gemeinsamen Gipfelerstürmung. Von ihren Küssen, in die sich Tränen der Dankbarkeit mischten, bedeckt und sich instinktiv noch eines gebührenden Lakenanteils versichernd, fiel Gefreiter Eugen Ingenerv in einen tiefen, zügellosen Schlaf, kaum noch wahrnehmend, daß Madame Anise sich parallel an den ihr abgewandten deutschen Rücken kuschelte, behutsame Küsse auf die gebräunte Schulter hauchend und müden, abgeblaßten Mundes nie vernommene Worte der Zärtlichkeit formend. Einschlafend hörte sie noch, wie die ersten Vögel im nachbarlichen Garten ihre Kehlen prüften ...

»Mensch, Ingenerv!« Es klopfte heftig an die Tür des Schlafzimmers. »Ihr Chef muß Sie wecken! Ist das Dienstauffassung!? In fünfunddreißig Minuten ist Antreten. Allons enfants ...« Jetzt kannte er keine Hemmungen mehr den französischen Nationalgefühlen gegenüber. Aber die schliefen noch.

»Ich komme, Herr Oberleutnant. Zwei Minuten!«

So fuhr Eugène ums Morgenrot empor aus seinen Träumen und – hurre, hurre, hopp, hopp, hopp – direkt in die Klamotten. Anise, verschreckt, übernächtig, verstrubbelt, sah ihm dabei zu, fassungslos, kopfschüttelnd. Sie hatte sich eben erhoben und in einen violetten Morgenrock gehüllt, gerade noch recht, um einen Kuß zu erzwingen, ein »Merci« und »Chérie« und »joli« und »compris« ... C'est la vie.

Der Chef stand draußen vor der Tür und löste sich gerade aus einer Umarmung Hélènes, als Ingenerv heraustrat, gefolgt von Anise.

Stauninger sah auf die Uhr. »Das schaffen wir noch. Wie weit ist es zu unserem Château?«

Ingenerv nannte den Damen die Straße und erfuhr, daß sie höchstens zehn Minuten zu gehen hätten.

»Dann reicht's sogar noch für einen kurzen Morgenkaffee. Alors, mes dames ...«

Er reichte Anise die Hand, dann Hélène. Aber die hatte noch etwas zu sagen. Sie sagte es ihm ins Ohr, aber Ingenerv glaubte verstanden zu haben.

»Was will sie? Ich verstehe ›gâteau‹. Heißt das nicht Kuchen? Kaffee und Kuchen etwa? Jetzt? Unmöglich! Ausgeschlossen!«

»Cadeau, Herr Oberleutnant, cadeau!«
»Na und? Was heißt das!?«
»Es heißt: Geschenk!«
»Was wollen s' uns denn noch schenken, die beiden Damen? Nix da ...«
»*Wir,* Herr Oberleutnant, – *wir* sollen was schenken. Als Dank, als Entgelt ...«
»Ja, woher nehmen und nicht stehlen. Hamm Sie was parat?!«
»Meine Brieftasche ist ganz leer, Herr Oberleutnant. Die gute Flasche von gestern abend – in drei Tagen gibt's erst Sold.« Stauninger stand und staunte wortlos. Schließlich sagte er leise:
»Ich denk, das wärn Damen, Ingenerv ...«
»Sie müssen leben, die Damen. Sie wissen doch: der Herr Apotheker ...« Anise legte ihre Hand auf Stauningers Arm und sah ihn lächelnd an.
»Lieutenant, grand financier – petit cadeau, cadeau pour l'amour.«
»Hm,« machte Stauninger, und dann knöpfte er drei vier Knöpfe des Uniformrocks auf und zückte zuckend die Brieftasche. Er zog einen Schein und reichte ihn zögernd an Hélène. Die nahm ihn, lächelte »Merci ...« und zeigte auf Anise. Und auch Anise bekam einen Schein. Sie nickte zögernd und sagte leise, ohne Vorwurf, mit leichtem Achselzucken: »Très petit ...«
»Na, so petit ist das nun auch wieder nicht«, raunzte Stauninger. Und dann kam der Unmensch, der er nicht war, zum Zug: ein dritter Schein. Zum Teilen (Handbewegung).
»Und nun: allez hopp!«
»Au revoir, au revoir, messieurs ...« rief es ihnen zweistimmig nach.

Nur ein Buch

Gerhard M., der diese an äußeren Begebenheiten arme Geschichte erlebte und an irgendeinem langweiligen Sonntagnachmittag, den wir rauchend, lesend, plaudernd auf seinem Hotelzimmer in Paris verbrachten, plötzlich erzählte, war in keiner Hinsicht eine außergewöhnliche Erscheinung oder Existenz, wenn man davon absehen will, daß er auf Frauen, und zwar solche unterschiedlichster Art, eine bemerkenswerte Anziehungskraft, ja Faszination ausübte. Damit ist die erste Aussage über ihn bereits wieder in Frage gestellt: die Aussage eines Mannes über einen Mann – in einer ganz bestimmten Hinsicht – ist eben unzuständig, mindestens unvollkommen. Möglicherweise müßte eine Frau über ihn berichten. Eine – oder alle diejenigen, die ihm während des Krieges begegneten, einschließlich derjenigen, von der er damals plötzlich zu erzählen begann.
Er stammte, wenn ich recht erinnere, aus dem Norden Deutschlands, war aber sehr früh nach Brasilien gekommen, gegangen, verschlagen – die Umstände, die dazu geführt hatten, sind hier ohne Belang –, hatte es dort zu einer guten wirtschaftlichen Stellung gebracht, hatte geheiratet, einen Sohn gezeugt ... und war dann plötzlich, als der Krieg von polnischen und sonstigen Zäunen gebrochen worden war, von jener merkwürdigen teutonischen Unruhe ergriffen worden, die deutsche Männer – vielleicht auch solche anderer Nationalität – ohne Zwang und Not veranlassen, auf abenteuerlichsten und gefahrvollsten Wegen, über Kontinente und Weltmeere hinweg, ins Vaterland zu streben.
Vielleicht soll man sie für Patrioten halten? Im Falle M.s würde ich das allerdings abweisen. Er war vom Wesen her

ein Weltbürger, wenn auch ohne moralisch-politischen Akzent, eine Art Pionier und Draufgänger, und wenn er von Südamerika aus auch manches falsch eingeschätzt haben mochte, was Herr Hitler und seine Trabanten in Szene setzten – an Ort und Stelle urteilte er klar und »unpatriotisch«, ganz abgesehen davon, daß ihm die stupide Kriegsmaschinerie mit Rekruten-Ausbildung, Kasernenleben und anderen Begeiterscheinungen den vielleicht vorhandenen Enthusiasmus auf ein Mindestmaß reduziert hatte. Daß er als brasilianischer »Auslandsdeutscher» portugiesisch sprach, hatte ihm dann – glücklicherweise – zu einer gehobeneren und interessanteren Tätigkeit und Dienststellung verholfen: er war als Kriegsberichter für Lateinamerika nach Paris und in den Stand eines Schmalspurleutnants, sprich Sonderführer, versetzt worden. Ehe dies geschah, hatte er freilich während seines gut einjährigen Deutschlandaufenthaltes ein Gretchenherz gebrochen oder vielmehr erobert, und neben einem Sohn in Brasilien wartete nun ein zweiter in Berlin auf ihn – nebst einer Mutter, von der er mit Liebe sprach und die auf ihn, so wollte es scheinen, ebenso viele Ansprüche hatte wie jene in São Paulo zurückgebliebene. Daß man dies am Ende nicht so befremdlich fand wie zunächst, offenbart den besonderen »Fall« dieses Mannes, der ohne jede Anmaßung, ohne jede Selbstherrlichkeit vielleicht den Status des Ur-Mannes repräsentierte. Wenn er durch Schicksalsfügungen nach Nordafrika oder Vorderasien verschlagen worden wäre und dort eine marokkanische oder persische Mutter mit einer von seinen Lenden ausgesäten Leibesfrucht hinterlassen hätte – man hätte es, am Ende, nicht weniger akzeptiert.
Muß man noch sagen, daß M. sich in Paris, wo man seinen Vornamen so viel wohltönender aussprach als in Deutschland und wo seine Tätigkeit meist auf die reine Gegenwart beschränkt blieb, ausgesprochen wohl fühlte und daß er mit Sachverstand und Weltläufigkeit den Gegebenheiten und Versuchungen des Ortes entsprach? Es erübrigt

sich. Nur sollte vielleicht erwähnt werden, daß auch dies unauffällig und wie selbstverständlich geschah. In seinen »Engagements« mischten sich das spielerische und das menschliche Element auf eine sympathische Art und Weise. Und auch sonst gehörte der athletisch gewachsene, mit federndem Schritt einhergehende »lieutenant« zu den erträglichsten Begleiterscheinungen der »occupation«.

Ich habe niemals etwas von seiner Hand Geschriebenes gesehen, das einem Kriegsbericht ähnlich gesehen hätte, und wüßte auch gar nicht, wie es – in den Jahren 1942/43 – hätte ausgesehen haben können, zumal mit dem Blickwinkel auf Lateinamerika oder auch nur Portugal. Daß man gegen Ende des Krieges ihn seine gehobene Untätigkeit in die erniedrigende Aktivität eines Infanteristen einzutauschen zwang, mag weniger mit seinem unzulänglichen Einfluß auf Lateinamerika als vielmehr mit dem Mangel an Wehrfähigen zusammengehangen haben, der gegen Ende des Krieges noch ganz andere Männer an die Front nötigte.

Damals in Paris, auf der Suche nach im Grunde unerfindlichen Beweggründen für diesen Aufbruch, diese Rückkehr nach Deutschland, war ihm die flüchtige, ahnende, unvollkommene und darum wohl für immer unvergeßliche Begegnung mit dieser faszinierenden Frau wieder eingefallen ...

Ich glaube, es war ein Sonntag, als das Schiff auslief: Rio–Lisboa. Es war einer der größeren Ozeandampfer, die weiter draußen vor Anker gehen müssen. Ich stieg in die Barkasse, und mit mir eine Frau, deren Äußeres mir zu verraten schien, daß auch sie auf diesem heißen Kontinent nur Gast gewesen war.

Es hat wenig Sinn, wenn ich sie zu beschreiben versuchen würde. Ich kann nur sagen, daß sie sehr schön war, schön auf eine ganz und gar nicht gewöhnliche Art und Weise. Sie besaß alles, was man einer – schönen Frau zurechnet,

oder ich setzte es wenigstens voraus, nahm es für selbstverständlich. Aber darüber hinaus ging von ihr noch ein schwer bestimmbarer Reiz aus, wie er sich – z. B. – in gewissen Bewegungen ausspricht, Bewegungen, die ebensoviel verbergen, wie sie durchscheinen lassen.
Nun ... Ich saß ihr gegenüber, und da ich niemanden am Kai zurückließ, dem meine Aufmerksamkeit hätte gelten können, war ich ganz von diesem stillen – sagen wir – menschlichen Schauspiel gefangen und bemerkte eigentlich erst, als die Barkasse am Dampfer anlegte, daß sie nicht allein war. Ein großer, kräftiger Mann, an dessen Händen zwei teure Ringe blitzten, kam an ihre Seite. Er war wohl mit der Überwachung seines Gepäcks beschäftigt, etwas später zugestiegen und hatte Platz genommen, wo sich einer fand.
Wir kletterten an Bord, und ich suchte meine Kabine auf, die ich mit einem Brasilianer teilen mußte, der glücklicherweise nicht zu den redseligsten seines Landes zählte. Als ich dann meine Kabine verließ, um mich ein wenig auf dem Schiff umzusehen, begegnete sie mir wieder, als sie aus einer Tür trat, die am Ende meines Kabinenganges lag. Ohne daß ich es gewollt oder darauf angelegt hätte, trafen sich unsere Blicke. Aber – es war ein rein bewegungsmäßiger Vorgang, etwa von der Art, wie er stattfindet, wenn zwei Schiffe unbekannter Nationalität auf hoher See aneinander vorbeifahren. Ich verlangsamte für einen Augenblick meinen Schritt, in der Versuchung, mich von ihr überholen zu lassen, ging aber dann um so rascher, wohl weil ich mir töricht vorkam, an Deck. Die Maschinen liefen gerade an, und das Schiff erzitterte von den stampfenden Kolben, und dieses Zittern wurde sofort erwidert von dem Blut in meinen Adern, das von einer Art Fieber ergriffen war, wie es mich noch bei jeder größeren Reise ergriffen hat. Der Schiffsleib wendete auf die offene See zu, und – meinen Blick seitwärts kehrend – sah ich, unweit von mir, wiederum sie stehen, unter einigen anderen, aber eben: von ihnen verschieden. –

So ein Schiff ist eine kleine schwimmende Stadt. Im Laufe von wenigen Tagen sind eigentlich alle Passagiere einander mehrmals begegnet und kennen sich, wie man so sagt, von Angesicht her. Sie gehören der gleichen Gemeinschaft an, ob man sie nun gern sieht oder nicht. Daß ich, unter den vielen Gleichgültigen, für eine Reihe von Tagen, vielleicht für die Dauer der Reise, nun diese Frau wußte, erfüllte mich plötzlich mit einer seltsamen Freude und Genugtuung. Vielleicht würde ich sie schon in wenigen Stunden wiedersehen. Oder morgen früh. Oder, spätestens, im Laufe des Tages. Sie konnte mir nicht entgehen, ich konnte sie nicht verlieren. Sie wohnte, gleich mir, auf dieser stählernen schwimmenden Insel.

Ich war, von der Anreise nach Rio her, etwas übermüdet und legte mich vor dem Dinner noch ein Stündchen in die Kabine, nicht eigentlich um zu schlafen, sondern um auszuruhen und mich meinen Gedanken hinzugeben, die immer wieder zu ihr zurückkehrten. Ich sprach sie an, redete mit ihr, dachte mir ganze Wendungen aus und geriet darüber ins Träumen und schlief ein. Darum geschah es, daß ich den Speisesaal verhältnismäßig spät aufsuchte und meine Blicke vergebens nach ihr ausschickte. Ich sah sie nicht, aber ich sah – ihn.

Ich sah ihn, als er den Vorraum durchquerte, mit zwei anderen Señores im Gespräch, widerstand der Versuchung nicht, den Beobachter zu spielen, und folgte ihnen in eine der Bars. Ich nahm mir eines der Journale, die dort aushingen, und ließ mir einen Drink bringen. Es gab außer uns keine anderen Gäste im Raum, und die drei redeten auch laut genug. Sie legten sich keinerlei Zurückhaltung auf, sondern sprachen emsig und ungeniert über ihre Geschäfte. Binnen kurzem war deutlich, daß die Katzen, die hier mehr oder weniger zufällig zusammengekommen waren, beim Mausen waren und daß der, dem mein Hauptaugenmerk galt, ganz offensichtlich über ebensoviel Geld wie Macht oder Gewalt über Menschen verfügte. Er schien nicht nur

der an Mitteln und Beziehungen Mächtigste – er war auch der Selbstgefälligste, Anmaßendste von den dreien. Darüber hinaus aber besaß er, wie ich wußte, ja auch sie. Aber wie mir – aus nur zu verständlichen Motiven – scheinen wollte: er verdiente sie nicht nur nicht, sondern schien sich auch über ihren Wert, den Wert für ihn und sein Ansehen, nicht im geringsten klar zu sein. Bitte, ich weiß natürlich nicht, was solche Vermutungen wiegen. Für mich steigerten sie ihren Wert nur. Oder sagen wir bescheidener: mir konnte sie damit nur um so reizvoller und liebenswerter erscheinen.
Das heißt wohl auch, daß er sie – in meinen Augen – nicht verdiente. Da sie erheblich jünger war als er, fragte ich mich, ob ihre Jugend sie hatte vielleicht übersehen lassen, daß dies nicht der Wert war, der dem ihren entsprach. Und ich fragte gleich weiter: ob sie das – dieses Versehen – wohl inzwischen erkannt, möglicherweise vielleicht gar bereut habe, was heißen würde, daß sie unter Umständen gar bereit sein könnte, es zu – korrigieren. Eine Neigung, anscheinend von dem ertötet, dem sie galt, hätte sie erfassen können, könnte sie erfassen und den abgeirrten Stern zurückführen in die große kreisende Bahn, die auf ihn wartete, der da offenbar im Begriff stand, in das Bodenlose eines erkalteten, nicht ausgeschöpften Lebens zu fallen.
Ich drücke mich etwas – astrologisch oder astronomisch aus, vermutlich weil Logik allein da nicht genügend überzeugt. Vielleicht auch, weil ... ja weil es so wenig Handgreifliches, Gegenständliches zu berichten gibt und weil ich im Grunde Verläßliches, ja eigentlich überhaupt nichts über diese Frau erfuhr, die mich ebenso im Schach hielt, wie sie mich anzog ...
Wir haben auf der sieben Tage währenden Überfahrt nämlich kein einziges Wort miteinander gewechselt. Wir haben uns oft gesehen und – ich bin sicher – es gewünscht, einander zu sehen, es begünstigt. Jede dieser Begegnungen ist mir unauslöschlich gegenwärtig. Aber es braucht keine Beschreibung, und es bedurfte auch, so meine ich, keiner be-

sonderen Bestätigung, Beglaubigung, Dokumentation unserer unausgesprochenen, ich möchte fast sagen: konspirativen Gemeinsamkeit. Wir hätten uns doch nur sagen können, was wir bald wußten. Eben weil, so will mir heute scheinen, die Übereinstimmung eines unbezweifelbaren Gefühls vorhanden war, brauchte es keiner verhehlenden oder verschlüsselnden Worte.

Natürlich habe ich mir etliche Male überlegt, ob ich über irgendeinen konventionellen Schachzug die Bekanntschaft mit den beiden herbeiführen sollte. Aber die Neigung dazu, die Lust daran fehlten so völlig – es war, als ob damit das eigentliche Spiel verletzt, abgebrochen werden würde. Geschwätz, Gerede, vielleicht Mißtrauen, Eifersucht – wozu denn ... Dieses Wild war nur in der Seele zu treffen, und dieses (sagen wir) Einvernehmen war um so tiefer und besitzergreifender, je weniger es ruchbar, sichtbar, hörbar wurde. Ja, als sich Worte geradezu anboten, die Gelegenheit sie geradezu herausforderte, hütete jeder dieses Schweigen, als sei es die tödliche Bedingung eines Gottes. Ich denke da an ein ähnliches, ein klassisches Verdikt: An Orpheus und Eurydike, ohne damit ... aber das muß ich hier nicht betonen.

Ich saß eines Tages in der Sonne an Deck. Es war windig und wohl deshalb waren nur wenige Stühle besetzt. Sie kam mit ihm, und vielleicht, weil er im Grunde ein Herdenmensch war, steuerte er zielsicher in meine Nähe, und es fügte sich, daß sie den Platz neben mir erhielt. Ich sah, daß wir zwei verschiedene Bücher ein und desselben Schriftstellers, eines Portugiesen, lasen, die ähnlich eingebunden waren. Wir verschmähten es, einer den anderen so nahe wissend, eine fesselnde Lektüre vorzutäuschen. Ich legte mein Buch auf den Boden neben mich, und sie folgte mir darin bald, und zwar so, daß die beiden Bücher wie Freunde nebeneinander lagen. Ich sah es und nahm nach einer Weile wortlos das ihre an mich. Bald danach sagte er auf portugiesisch: »Es ist doch zu kühl. Laß uns wieder hinunter gehen.« Sie griff neben sich und hielt mein Buch in den Händen. Ich sah nicht ihr Gesicht. Aber ich sah an diesen Händen, an der Art, wie sie mein Buch in Besitz nahm, daß sie es wahrgenommen hatte.

In gewissen Sekunden unseres Lebens kann eine Hand, die ein Staubkorn entfernt oder einen Mantel umlegt, ein totales Bekenntnis ausdrücken. Die Zärtlichkeit des Griffes, mit der dieses Buch angenommen wurde, ist im wahrsten Sinne unbeschreiblich. Ich habe das Buch gelesen und aufbewahrt. Ich habe es retten können, obwohl am Tage darauf nicht nur unsere Gemeinsamkeit auf der schwimmenden Insel durch eine Laune des Schicksals endete, sondern auch mein Weg – für die Zeit wenigstens bis zum deutschen Sieg über Frankreich – in gänzlich unvorhersehbare Zonen und Verhältnisse führte:

Unser Schiff – muß ich einfügen – fuhr mit Öl und sollte an einer der Kapverdischen Inseln bunkern. Aber es gab kein Öl, und der Kapitän erhielt Weisung, in Dakar Öl aufzunehmen. Es waren vier Deutsche, drei Männer und eine Frau an Bord, die kaum voneinander wußten. In den Stunden vor Dakar fanden wir zueinander. Als das Schiff französisches Hoheitsgewässer anfuhr, wurde es von einem Kanonenboot erwartet, und eine achtköpfige Kontrolle kam an Bord. Wir zerstreuten uns, jeder in der Hoffnung, dem Schicksal irgendwie entgehen zu können. Aber es war eine törichte Hoffnung. Unsere Nationalität war in der Schiffsliste gewissenhaft verzeichnet, und wir befanden uns in der feindlichen Zone.

Ich sah sie am Heck stehen, als das Boot anlegte, und suchte noch einmal ihre Nähe.

Als sie mich sah, schien sie plötzlich zu begreifen, daß ich in einer unabwendbaren Gefahr schwebte.

Es gibt Veränderungen, die ohne Bewegung und Geräusch vor sich gehen und doch alles, was im Augenblick noch galt, in Frage stellen. Ich weiß nicht, wie ich die Veränderung, die ich an ihr wahrnahm, deutlich machen könnte. Vielleicht, indem ich an eine Stadt erinnere, die plötzlich, von elektrischen Energien abgeschnitten, lautlos ins Dunkel versinkt. Die schmerzliche Entdeckung, die sich ihr mitteilte, ließ sie völlig leblos erscheinen. Es war, als ob alles Leben in diesen schlagenden Schmerz eingetaucht sei und nichts hinterlasse als diesen stummen Schrei. Es war der erste Schrei des Krieges, in dessen gewalttätigen Zirkel ich gestoßen wurde, den ich da vernahm. Wir standen einander auf geringe Entfernung gegenüber und wußten, daß ein unsichtbares Messer die unsichtbaren Fäden des Gewebes aus Liebe, Schicksal, Opfer und Schweigen getrennt hatte. Ich, der Mann, der dies ansah, glühte vor Liebe und Hingabe, vor Haß und Verachtung wie Feuer. Sie, die ahnungslos Überfallene, zur Hinnahme und zum Mitleid Verurteilte, erstarrte in tödlichem Schrecken zu Eis.

M. brach mit diesem Vergleich, dem ein etwas verlegenes, beinahe um Entschuldigung bittendes Achselzucken folgte, seinen Bericht ab, und wir schwiegen eine Weile darüber oder redeten von anderen Dingen, die auf die Trennung gefolgt waren: die kurze französische Internierung, die Freilassung, seine Einziehung zur Wehrmacht. Und so weiter.

Aber sein Bericht ging mir nach, nicht weil er so sensationell faktenreich, sondern im Gegenteil: weil er so sensationell faktenarm – zumal für M.s Temperament und sonstiges Leben – gewesen war. Was hatte ihm dieses »Gefühl« so denkwürdig gemacht und so denkwürdig kostbar? Daß er es erwidert glaubte oder sah, ohne es durch Handeln anzugreifen?Durch jenes Handeln, das – irrigerweise – den Bestand eines starken, unabweisbaren Gefühls erst dokumentieren, ja sogar mehren soll. Warum war diese »unglückliche« und unerfüllte Liebe auf die Dauer so lebendig, auf die Dauer so »glücklich«? Weil sie seine Sinne überlebt hatte? Weil das Unerfüllte immer zu erfüllen bleibt und wir an ihm nicht versagt haben? (Weil wir an ihm nicht versagen konnten.) Hat nicht jeder von uns irgendwann einmal ein solches Gefühl, nachdem es ihn ergriffen hatte, genährt und war unglücklich, es nicht aufzehren zu können? Er hat Pläne gemacht, die er nie scheitern sah, Hoffnungen erweckt oder gehegt, die nie enttäuscht wurden, Vorsätze gehabt, die er nie auszuführen brauchte. Er glaubte sich zu allem fähig und war begierig, Außergewöhnliches zu leisten. Er wollte vielleicht bei wütendem Sturm einen über Bord Gestürzten retten, um sich die Neigung der von ihm Geliebten zu verdienen. Er hatte Gelegenheiten ersonnen, sich hervortun zu können, in einer Begegnung, beim Spiel, beim Tanz, beim Gespräch. Sie sind nicht gekommen, oder doch ganz anders, als sie erwartet oder erträumt waren. Alles an uns möchte sich aufbieten, unseren Wert zu beweisen, und es betrübt uns, daß es nicht dazu kommt. Aber diese Betrübnis verkehrt sich in letzte und überwältigende, beinahe demütige Seligkeit, wenn unser Gefühl erwidert wird, ohne daß man dies alles von uns fordert. Es wird erwidert aus dem gleichen mächtigen Gefühl heraus, das uns ergriffen hat. Ist es verwunderlich, daß dieser Fall selten eintritt in dieser auf grobe Berechnung und äußeren Reiz abzielenden Welt?

M. hatte diesen seltenen Fall gespürt, der in seinem Leben ohne Nachwirkungen weiterwirkte. Es ist ja ein Irrtum zu glauben, daß das Ereignis eines solchen Gefühls an aufregenden Begebenheiten, an Verführung, Abenteuer, Treuebruch oder sonst Gegenständliches gebunden sei. Große Leidenschaften brauchen oft nur ein kleines Gefühl, und kleine Gefühle bedürfen allzuoft der Leidenschaften, um vor uns das Ansehen einer tiefen Empfindung zu erwecken ...

Gerhard M. ist im Frühjahr 1945 noch gezwungen worden, mit der Waffe in der Hand ein längst zum Untergang verdammtes Regime zu verteidigen, und sein Schicksal schlug ihn zu den Opfern des Zweiten Weltkrieges: in den letzten Apriltagen ist er auf süddeutschem Boden gefallen, nunmehr zwei deutsche Söhne, einen deutsch-brasilianischen, und ihre beiden Mütter als Waisen und Witwen hinterlassend.

Niemand weiß, wohin sein letzter Gedanke ging in dem Augenblick, da er, tödlich erschreckt, im Feuerüberfall zu Eis erstarrte.

Madame Beaufort

Als der Leutnant Michael Salzmann in X. den Zug nach Paris bestieg, war das Abteil, das er wählte, noch halbleer, und er fand ohne Mühe den begehrten Fensterplatz, wenn auch nur den, der ihn mit dem Rücken zur Fahrtrichtung sitzen ließ.

Die Mitreisenden – Zivilisten – waren reiferen Alters, farblos. Und weil Salzmann zwei Tage lang mit teutonischer Beflissenheit die renommierten Schlösser der Loire besichtigt hatte und vom Gehen, Sehen und Begutachten ehrlich müde war, machte er sich's in seiner Polsterecke bequem, schmeckte mit verdämmerndem Blick noch diese und jene Einzelheit nach und war bald – in der gesunden Reaktion seiner dreißig Jahre – eingeschlafen. Mit aufgeknöpftem Kragen, die Beine ausgestreckt, den eher empfindsamen als entschlossenen Mund leicht geöffnet, bot er keineswegs das Bild eines Feindes. Man schrieb das Jahr 1942, und wenn an diesem Sommertag irgendwelche Entscheidungen auf dem Schlachtfeld erzwungen worden sein sollten, so gewiß nicht in Frankreich.

Auch wer nicht schlief, konnte den Krieg vergessen. La douce France ist keine leere Redensart, und die Loire ist nicht umsonst mit schönen Schlössern garniert. Salzmann hatte sich aus guten Gründen für den ersten Sonntagsurlaub diese Landschaft erwählt: er war Ingenieur, Bauingenieur, beinahe Architekt, und eine freundliche Fügung hatte ihm in der Jugend das Buch Mereschkowskis über Leonardo da Vinci in die Hände gespielt, dessen Gestalt für ihn, den in einem konsequent areligiösen Haus Erzogenen, so etwas wie ein Ersatz-Heiliger, ein Schutz- und Berufspatron geworden war. Zu ihm war er eigentlich gewallfahrtet. Mochten Hölderlin oder Schiller oder mindere Größen in Mode stehen – er hatte sein eigenes Idol. Auf dessen Spur war er »gewandelt«. Um seinetwillen ist ihm dieser Schlaf gegönnt ...

Als Salzmann wieder erwachte, sah er das Abteil gefüllt. Und weil er ein gesunder und lebensfroher Zweibeiner war, spürte er sofort, daß sich das Klima, die Atmosphäre in seinem Abteil entscheidend verändert hatten:

Diagonal zu ihm, also auf dem Platz an der Tür, saß eine Frau, eine Frau in der Klangfülle des Wortes, vollkommene Dame dabei, ja, Madonna und Mutter dazu – denn neben ihr schlief, offenen Mundes, eine etwa zwölfjährige Tochter, in holdseliger Tolpatschigkeit die Glieder von sich streckend, und ihr gegenüber lehnte mit mühsam erduldeter Jungfräulichkeit eine knapp Sechzehnjährige den hübschen, noch unvollendeten Kopf gegen das schäbige Wagenpolster. Kleidung, Haltung, Plazierung und Ähnlichkeit der Profile machten den Verdacht zur Gewißheit: daß hier Geschlecht und Blut eins waren.

Salzmann erfaßte das nicht auf einen Blick. Aber auf den ersten hin ahnte er schon, daß es weiterer Blicke lohnen würde. Freilich keiner gaffenden und Maulaffen feilhaltenden, sondern eher jener verhaltenen, abschätzenden, zielenden ... – auch die Jäger schließen ja das zielende Auge bis auf einen Lidspalt, der das anvisierte Opfer ergreift. Das in diesem Fall, jägerisch gesprochen, das Muttertier war.

Allerdings ... die Situation wäre zu einseitig dargestellt, würde sie nur aus den Lidspalten des Leutnants gesehen; denn der sich allein beobachtend Wähnende wurde gleichfalls und gleich angelegentlich gemustert: von der Gemusterten selbst, die nicht ohne sträfliches Wohlgefallen den in gutes Tuch gekleideten jungen Offizier durch den Lidspalt ihrer graublauen Augen betrachtete. Sie liebte sorgfältige Kleidung, und wenn sie auch die in ihren Knobelbechern über die Champs-Elysées trottenden »haricots verts«, die sich seit zwei Jahren im besetzten Teil Frankreichs eingerichtet und in nicht wenigen Fällen eingenistet hatten, als deplaciert empfand – sie wußte zu unterscheiden zwischen den groben und den feinen Tuchen, ihren Farbnuancen und Macharten, und da sie selbst ritt, erkannte sie auch die Qualität der offenbar noch wenig getragenen geschmeidigen Langschäfter und vermochte aus ihren Linien und Falten auf das zu schließen, was sie bedeckten. Die kräftigen, wohlgegliederten Hände ließen Schlüsse zu, die sich eine Frau von achtunddreißig Jahren nicht verwehren läßt, um so weniger, wenn ein nachlässiger oder gar treuloser Gatte den Sinn – oder auch die Sinne – für solche Empfindsamkeit und spielerische Phantasie wiederbelebt.

Marie Josée Beaufort wußte nichts Näheres und nichts Genaues über die Wege oder Abwege ihres um ein gutes Dutzend Jahre älteren Ehemannes und wollte im letzten auch nichts darüber wissen. Daß er sie auch diesmal wieder allein mit den beiden Töchtern übers Wochenende auf den kleinen Landsitz zu seiner Mutter hatte reisen lassen, hatte sie nicht einmal mehr befremdet. Eine Frau, die intelligent ist, liest das bedeckte und sich abkühlende Wetter ihrer Ehe nicht erst an solchen Unterlassungen ab. Auch der nicht übertriebene, aber doch gerade jetzt sehr wohltuende Luxus, der sie umgab oder mit dem sie umgeben wurde, konnte über die Abnützung von Gefühlen und sie fördernden Tätlichkeiten nicht hinwegtäuschen, wenn er auch mildern und ablenken mochte. In Paris verflüchtigen sich zudem Leidenschaften wie Kümmernisse rascher als anderswo, Freuden blühen nie ohne leichte Frivolität, und der Schmerz leidet nicht ohne Charme. Wir wüßten weniger von der Welt und gar nichts vom Paradies, wenn wir nur liebten, ohne zu leiden.

Vielleicht war es dieser feine Zug erster Enttäuschung, ein Anflug wehmütiger Vorahnungen, welche gemeinsam die Miene der Französin so verschönten, daß ein empfindsamer Betrachter sich auf jene Art angezogen fühlte, in die sich schon leise Ergriffenheit mischte. Und selbst wenn Salzmann diese übersehen hätte – er übersah es nicht –, waren das die beiden jungen Mädchen, die im Begriff standen, an die Welt zu verschwenden, was sie ihrer Mutter mit jedem zuwachsenden Jahr unmerklich nahmen. Eine Frau, die mit Kindern reist, ist ja ohnedies gegen den Verdacht der Abenteuerlust gefeit. Sie schützt und ist geschützt – außer vor sich selbst.

Denn während sich Marie Josée räumlich mit jedem Achsenstoß dem Gatten und ihrer Pariser Häuslichkeit näherte, entfernte sie sich wesentlich von ihm und ihr und genoß immer unverhohlener Huldigung, die aus den kaum mehr als halbgeöffneten Augen des jungen Mannes in ihre sich mehr und mehr auftuenden überfloß. Sie sah mit dankbarer Zärtlichkeit auf die schlafenden Töchter, die ihr dieses Wechselspiel der Augen-Blicke gönnten, das sie um so mehr erwärmte und erregte, je diskreter und den anderen verborgen es geübt wurde.

Hier muß niemand idealisiert werden. Aber daß jeder auf Ebenbürtigkeit rechnen durfte, schien schon nach den ersten tastenden Augen-Fragen und -Antworten erwiesen, die zunächst spielerisch gestellt und gegeben wurden. Sie drückten Wohlgefallen aus, Anerkennung und Bewunderung, Aufmerksamkeit bis zur Teilnahme, Neugier und Sympathie, Erwartung bis zur Hoffnung, Geständnis, Ermutigung, Herausforderung, schließlich zögernde Annahme, halbe Gewährung ... es war ein unglaublich fesselndes Spiel, das die beiden in aller Stummheit spielten, und es steht außer Zweifel, daß beide es mit wachsender Lust am Spiel selbst trieben, hingerissen von sich, zu sich selbst, verführt vom anderen, der da unversehens in den Alltag einbrach, deus ex machina, Nike der Sehnsucht ... Du gefällst mir, ich begehre dich, du gehst mir nicht aus, will ich denn ... sie redeten in einer Sprache mit den Augen, und erst als die Jungen Zwiesprache halten wollten, wurden sie sich wieder ihrer zwei Sprachen bewußt.

Marie Josée war aufgestanden und in den Gang getreten, einige Meter seitab von der Tür. Es kostete den Leutnant Mühe, einige Minuten verstreichen zu lassen, um dieses Entgegenkommen der Französin nicht abzuwerten. Schließlich erhob er sich, verließ das Abteil nach der anderen Seite, stand eine Minute am heruntergelassenen Fenster, nicht ohne durch einen lächelnden Seitenblick einen Vorboten entlassen zu haben, und trat endlich selbst neben die Französin, grüßte sie höflich und begann ein Gespräch, das vermutlich um einige Grade banaler und zurückhaltender ausfiel, als das mit den Augen geführte, wenn auch nicht so kunstlos, wie die in gemeinsamer Sprache geführten. Wer das Seil einer Fremdsprache betritt, darf mit Nachsicht und Sympathie zugleich rechnen. Auf jeden Fall klingt ein zurückhaltendes »Ich sehe Sie mit großem Vergnügen« weitaus überzeugender als ein komödiantisches Je vous adore, madame. Und welches Wort – in welcher Sprache immer – könnte ein dankbares Lächeln übertreffen, dem ein ungekünsteltes Merci, monsieur! die verlorene Unverbindlichkeit zurückgibt?
Sie sahen einander an, tauschten ein paar Floskeln über das Woher, verrieten beide, daß sie in Paris so oder so »zu Haus« waren, und nachdem sie einen unbemessenen und unbeobachteten Augen-Blick lang auf den Grund ihrer Augen getaucht waren, sprach er den Wunsch aus, sie wiederzusehen ... Das heißt, er verriet seinen Wunsch und fragte, ob sie eine Möglichkeit sehe, ihn zu erfüllen.
Sie fragte, ob er am kommenden Mittwochnachmittag frei sei, und nannte, als er bejahte, eine Metro-Station, an deren Ausgang er sie um eine bestimmte Stunde erwarten könne. Jetzt hätte er beinahe gesagt, daß er glücklich wäre, sie wiederzusehen. Aber sie ging schon zurück ins Abteil, lächelnd, und wenn er recht gehört haben sollte, hatte sie an das »Au revoir« ein leises, aber um so verheißenderes »mon ami« angeschlossen.
Als der Zug etwa zwanzig Minuten später auf der Gare

d'Austerlitz die Reisenden entließ, ging er in geringem Abstand hinter dem familiären Trio her, das ein elegant gekleideter, aber unbedeutend aussehender Frischfünfziger mit routinierter Herzlichkeit empfing. Er gedachte seiner jungen Frau und seiner beiden kleinen Töchter daheim und fragte sich, wie sein Leben in fünfzehn Jahren aussehen werde, sofern ...

Aber über das so ferne »sofern« kam ihm der so nahe Mittwoch wieder in den Sinn. Und obwohl der Sommerabend nicht nach Krieg und Tod schmeckte, vergegenwärtigte sich Salzmann die verschiedenen Lose, die er noch ziehen konnte, und atmete tief durch und auf bei dem Gedanken an sein erstes mögliches Abenteuer in Paris.

Mon ami ...

Sie kam, wenige Minuten nachdem er den U-Bahnschacht verlassen und sich möglichst unauffällig am Ausgang postiert hatte, in ein hellgraues Kostüm gekleidet, langsam die Steinstufen herauf, hielt auf ihn zu, für Bruchteile einer Sekunde an, um ein deutliches »Suivez-moi!« zu sagen, ging weiter und über den kleinen Platz, um in eine verhältnismäßig schmale Straße einzubiegen, deren Namen er nicht kannte, las und gleich wieder vergaß.

Sie schritt flott aus, und er folgte, teils belustigt, teils gespannt – er hatte keinerlei Vorstellung, welchem Ziel sie zustreben könnte. Nun, da sie allein ging, sah er sie genauer und ganz für sich. Er nahm ihren federnden Gang wahr, ihre harmonische Figur ... Einmal wendete sie sich um nach ihm, wohl um sich zu vergewissern, ob er sie auch verstanden habe. Aber schon bog sie in einen Hauseingang ein, an dem er nach zehn Schritten auf sie stieß. Er sah, daß es ein Hoteleingang war.

Sie lächelte nervös, bat, er möge sie reden lassen, und ging voran – er hatte Mühe, noch mit der Hand die zurückschlagende Tür aufzufangen, und stand, die Mütze abnehmend, wie ein mitgenommener Schulbube vor einem Rundtisch, hinter dem ein Portier sachlich einen Schlüssel aushändigte, den sie ihm zureichte. Etwas verlegen fragte sie, ob er auch eine Flasche Champagner wünsche, und obwohl es erst vier Uhr nachmittags war, wünschte er, und sie reichte seinen Wunsch weiter. Dann übernahm sie wieder die Führung und stieg voraus in das erste Stockwerk, wo sie die Zimmerschilder studierte und schließlich mit einem erlösten »Voilà!« auf das Schlüsselloch wies, in das er den ihm übergebenen Schlüssel bugsierte.

Sie traten in ein geräumiges Schlafzimmer, an dessen Fensterseite sich ein kleiner erhöhter Erker befand, dem zwei Sessel und ein kleines Tischchen einen Hauch von Wohnlichkeit verliehen.

Marie Josée entledigte sich ihrer Kostümjacke, wobei sie ihm unauffällig den Rücken zukehrte, damit er es leichter habe, höflich zu sein.

»Setzen wir uns ...« sagte sie leise. »Der Champagner wird gleich kommen.«

Er löste das kleine Säbelchen, plazierte es neben die abgelegte Kostümjacke, griff es jedoch wieder und legte es mit einer Geste, die halb Schutzversprechen, halb Besitzergreifung war, nun auf das Kleidungsstück und setzte sich ebenfalls. Sie sahen einander an und lächelten.

»Bien ...« sagte sie etwas verlegen, mit leiser Selbstironie.

»Bien venue!« sagte er herzlich und streckte seine Hand aus, in die sie ihre legte. Er drückte sie leicht, und sie erwiderte, hielt sie aber zugleich auf Distanz.

Es klopfte. Sie rief »Entrez!« und stand auf und machte sich nebenbei vor dem großen Frisierspiegel an ihrem Haar zu schaffen, während der Kellner das Getränk abstellte und schweigend kassierte. Die Rechnung war nicht bescheiden. Aber sie enthielt, was er beinahe übersehen hätte, auch den Preis für das Zimmer. Diskretion ist einiges wert, dachte er ergeben und geizte nicht mit dem Trinkgeld.

Dann waren sie allein. Sie kam zurück an den Tisch, er stand auf, griff ihre Schultern, und sie sahen sich lange an.

»Du hast gefährliche Augen...« flüsterte sie, schloß die ihren und wartete auf seinen Kuß, der nicht auf sich warten ließ. Er zog sie an sich. Sie zuckte einige Male, wie von einem Krampf geschüttelt in seinen Armen. Dann war sie ganz still.
»Ah, c'est bien!« stieß sie atemlos hervor, als er sie losließ. »Dieser Durst, dieser Durst...« Sie lehnte sich wie willenlos an ihn und überließ sich seinen streichelnden Händen. Aber wie in plötzlichem Entschluß löste sie sich wieder von ihm, sah ihn bittend an und sagte gepreßt: »Seien wir vernünftig... für ein paar Minuten!« fügte sie fast entschuldigend an und wies auf den Champagner. Sie nahmen in den kleinen Sesseln Platz. Er goß ein.
Sie rauchten eine Zigarette und fragten einander ein wenig aus. Vor allem sie wollte einiges wissen: ob er verheiratet sei, Kinder habe, welchen Beruf er ausübe und wo, ob er schon länger in Paris sei, ob er Paris liebe... Auch seine Frauen?! Oder...
Sie hielt bei diesem »oder« inne – sie hoffte wohl auf eine freundliche Lüge.
Aber er log nicht einmal, als er gestand, daß dies – abgesehen von einer Visite im Militär-Bordell – sein erstes Abenteuer mit einer Pariserin sei. »Avec une dame...« fügte er hinzu und lächelte. (Vielleicht weil die Situation dieses Kompliment relativierte.)
Aber sie zeigte sich gerührt, ja bewegt davon. In ihre Augen trat eine große Zärtlichkeit. Ob das wirklich wahr sei?
Er bejahte und zuckte dabei jungenhaft die Achseln, als müsse er sich für unmännliche Abstinenz entschuldigen.
»Ça me touche, ça me fait superbe«, sagte sie warm und legte ihre Hand auf die seine. Ob er ihr glauben werde, wenn sie ihm sage, daß er der erste Deutsche sei, mit dem sie...?
Er nickte, gerührt auch er. Eine Sekunde lang dachte er an seine junge Frau und daß sie ihm diesen Fehltritt verzeihen würde, verzeihen müßte, der so viel Menschliches zutage förderte.

Aber die Arme, die sich um seinen Hals legten, lenkten ihn wieder in die Gegenwart. Sie saß auf seinem Schoß, hielt sein Gesicht, küßte ihm Mund, Wangen und Augen und legte ihr Gesicht warm an seines. Und plötzlich lachte sie leise in sich hinein, zog sein Ohr an ihren Mund und flüsterte:

»Mon Michel allemand. C'est juste: main doitschär Michäll?«

Sie lachten beide. Aber als er sie küssen wollte, sprang sie auf und rief entfesselt:

»Viens, mon ami! Ne parlons plus ... J'ai soif à toi. J'ai soif ...«

In wenigen Augenblicken hatte sie sich entkleidet, noch während er in den Kampf mit Knöpfen und Schnallen verstrickt war, kam sie ihm mit warmer, duftender Haut entgegen, stellte sich auf die nun lächerlich anmutenden Langschäfter, um den Größenunterschied auszugleichen, und traktierte ihn mit zärtlichen Bissen. Er mußte sich setzen, und sie kniete nieder und half kichernd beim Ausziehen der Reitstiefel.

Aber so zeitraubend und lästig auch gewisse durch Überhasten eher verzögerte als beschleunigte Enthüllungen sind, – sie pressen wohl erst die letzte Süße in die vor Ungeduld berstenden Trauben, die alle Zeit so hoch hängen, daß die Philister dieser Welt sie noch immer sauer schelten und mit Unterhosen- und Langschäfter-Tabus vor der Wärme des Lichtes in Schutz nehmen.

Es war Augustnachmittag. Durch irgendeine Lücke der Straßen-Architektur schickte die sinkende Sonne in das Erkerfenster einen breiten Strahl, der schließlich die fiebernden, zuckenden Menschenleiber durch ein Lichtband in eins bündelte und aneinanderband. Der Deutsche hielt la douce France umschlungen; die Französin hielt ihren Michel. Beide hatten durch Zärtlichkeit gesiegt, waren von Liebenswürdigkeit überwältigt.

Es gehört zu den Spielen der Liebenden, daß sie nach Stillung des ersten groben Durstes ihr Auge auch für gewisse feinere und neutrale Details der jeweiligen Anatomie öffnen, über die dann wiederum neue Empfindungen und Gefühle für das Ganze geweckt werden. Eine Kriegsverwundung fordert ebenso zur Liebkosung auf wie die Narbe einer Blinddarmoperation, und ein Muttermal unterm Herzen steht nicht viel höher im Kurs als ein Leberfleck in der Armbeuge. Jugendlichkeit ist allezeit ein hinreißendes Erotikon, und wenn Frauen herber Schönheit welken, lappen sie nicht müde aus wie manche Rosen, sondern verwittern und verfärben sich wie standhafte Zinnien. Sie rühmte seine muskulöse Schlankheit, ihn rührten die ersten feinen Fältchen. Sie war stolz, einen so jungen Liebhaber gefunden zu haben; er kostete den Ruhm, einer erfahrenen Frau Beweise ungekannter Leidenschaftlichkeit zu entlocken. Daß sie älter war als er, potenzierte den Gegensatz der Geschlechter. Daß sie »Feinde« waren, trieb ihn in die dritte und vierte Potenz. Beide hungerten und dürsteten seit geraumer Zeit. Was Wunder, wenn die Wogen über ihnen zusammenschlugen und der Schlaf sie in das Nichtwissen aller Kreatur entführte ...

Das Telefon schreckte sie auf. Ein Stundenhotel sucht Liebende und keine Schläfer. Es ergab sich die Alternative, das Zimmer zu räumen oder eine neue Rechnung zu bezahlen und »Stundung« zu erkaufen. Aber weil wahre Liebe auch an den materiellen Vorteil des Partners denkt und Marie Josée ohnedies schon als Mutter und Gattin säumig geworden war, gab es einen eiligen Aufbruch, dem Müdigkeit einerseits und Pflichtenkreis andererseits den Stachel des Schmerzes nahmen. Es gab Telefon-Nummern und bestimmte günstige »Sprechstunden«. Es gab auf seiten Marie Josées kleine Gewohnheiten – ein Teestündchen zweimal in einem Café an den Champs-Elysées –, und es gab vor allem das unabweisbare Verlangen, einander wiederzusehen, das im Augenblick zwar durch die Umstände ge-

dämpft erscheinen mochte, aber schon morgen früh mit der Zuverlässigkeit des Tagesgestirns wiederkehren würde. Über alle Eventualitäten hinweg aber gab es den Mittwoch als eine Art jour fix. Und daß er das nächste Mal im Zivilanzug erscheinen würde, war schon verabredet.
Er folgte ihr über die Gasse und den kleinen Platz bis zur Metrostation, wo sie sich – es dunkelte schon – noch einmal lächelnd umwendete nach ihm, um dann, wie Eurydike, in den Hades unterzutauchen.

Diesem Mittwoch folgte ein zweiter, dem zweiten ein dritter. Salzmanns Dienststellung – er war bautechnischer Berater beim Oberbefehlshaber West – gewährte ihm Freiheiten, die normale Truppenoffiziere kaum genießen, auch wenn er der Rangniederste in dem kleinen Büro war, das in einem von den Deutschen beschlagnahmten Pariser Hotels als ein Appendix des Führungsstabes untergebracht war. Ein Oberstleutnant war sein Vorgesetzter, ein ostpreußischer Landadeliger, der es im Krieg 1914/18 zu Orden und Beförderungen bei der Pioniertruppe und im Frieden als Pferdezüchter zu Ruf und Vermögen gebracht hatte. Ein rüstiger Fünfziger, noch gut im Sattel und auch sonst mit kräftigen Schenkeln ausgestattet, ein später Adonis jedenfalls gegen den semmelblonden, dicklichen und ewig schwitzenden Hauptmann, der ihm gleichfalls assistierte und doppelt so viele Kilogramm mehr auf seinem Leibe trug als der Oberstleutnant Jahre. Was freilich weit weniger störte als sein Überhang an »Weltanschauung« bzw. patriotischem Engagement, der allerdings auch materiell fundiert war; denn Bosse hatten als Bauunternehmer an der Aufrüstung ebenso gut verdient, wie er nun an der Zerstörung partizipierte und später dann aus dem Wiederaufbau seinen Gewinn ziehen würde. Vorerst setzte er freilich noch auf den Endsieg seines Führers und der von ihm geschmiedeten Waffen.
Salzmann hatte ein gutes Verhältnis zum Chef, aber den

Hauptmann tolerierte er nur mühsam, und auch dieser hielt mit Sympathiebeweisen zurück. Man kann sich seine Vorgesetzten am wenigsten in Kriegszeiten und unter einer Diktatur auswählen. Da aber der Oberstleutnant ein Glücksfall war, ließ sich die Nebenfigur Bosse verkraften, und dies um so leichter, als der Militärdienst in Paris für einen jungen Mann seines Standes und seiner Interessen ohnedies ein Geschenk war, dessen Köstlichkeit durch den Eintritt Marie Josées in sein Leben ins Unabschätzbare gesteigert schien.

Und weil diese Liebe auf dem gärenden Grunde eines schlechten Gewissens sproß und auch sonst allerlei mutmaßlichen oder tatsächlichen Gefährdungen ausgesetzt war, lebte er in der Euphorie eines Spielers, der das Glück in der Gestalt einer extravaganten Frau neben sich weiß. Er wußte, daß diese »Glückssträhne« nicht ewig dauern würde, dauern konnte. Eben darum genoß er sie mit dem lächelnden Hunger von Todgeweihten, wie sie in Sanatorien von einer Leidenschaft ergriffen werden, die in ihren Möglichkeiten und Wünschen so unirdisch ist, daß sie denjenigen überirdisch anmuten darf, der an ihr sterbend Genesung erhofft.

Oft saß er, in unbeobachteten Minuten, in seinem Büro und betrachtete die Bilder seiner Frau und der Kinder, die er liebte – und dann wählte er die Nummer Marie Josées, um durch ihre Stimme in diesen Zustand ebenso unerträglicher wie wollüstiger Spannung versetzt zu werden. Er wußte zutiefst, daß er ein bürgerlicher, bei allen Schwächen gewissenhafter Mensch war, der selbst im Chaos und in der Sittenlosigkeit des Krieges das Richtmaß nicht verlieren würde. Aber um so leidenschaftlicher erlitt er seine Abhängigkeit, seine Lossprechung von dieser bangend-verlangenden Stimme, die so viel näher, so viel »menschlicher«, bedrohter, bedürftiger schien als die, die so sicher auf ihn rechnen durfte.

Er wußte, daß der Krieg eine schreckliche Sache war, nicht

nur der Toten wegen, die man zählte, sondern vor allem derentwegen, die man nie und nirgends zählt: die Enterbten, Verstümmelten, Getäuschten, Betrogenen, Verratenen, Übervorteilten ... Davon waren die Sieger gleichermaßen betroffen wie die Besiegten, und nur ein Narr konnte glauben, daß bei diesem Geschäft irgend etwas Bleibendes herausspringen würde. Aber eben weil dieses ungeheure Geschäft der Lüge und der Gewalt, der Selbsttäuschung und des Masochismus alle persönlichen Rechte und Instinkte so mit Füßen trat, durfte diese Stimme nicht überhört werden. Wer auf dem Festland lebt, soll sich nicht brüsten. Aber die da auf den Wogen treiben, müssen einander helfen ...

Ach, er wußte so schöne Entschuldigungen für diese ihn beflügelnde und ihm schmeichelnde Amour mit einer »Dame« der französischen Gesellschaft (sofern es diese noch gab) – er hätte ein besseres Gewissen haben dürfen, als er hatte, wenn es mit rechten Dingen zugegangen wäre. Aber es ging nicht mit rechten Dingen zu. Weder in diesem noch in anderen nicht zur Debatte stehenden Fällen im Ablauf des Krieges.

Marie Josée war glücklich. Sie glaubte allen Ernstes, noch nie so glücklich gewesen zu sein, und diesen Irrtum teilte sie mit allen, die außer Plan und Gesetz lieben. Es gab Freundinnen und Neider, die ihr dieses Glück an der schönen Miene, an einem willigeren Lächeln, am helleren Schein der Augen, an einer frischeren Haut ablesen wollten. Selbst der träge und wenig aufmerksame Gatte verbarg sein Erstaunen nicht über die vorteilhafte Verwandlung der vernachlässigten Gattin – er sah sie verjüngt und sich selbst in fast schon vergessener Wahl noch bestätigt ...

Aber auch ihren Liebhaber trug es vorwärts und aufwärts. Es genügte ihm nicht, sie in Heimlichkeit zu treffen, zu besitzen und wieder abzutreten – an anonyme oder auch namhafte, aber im Grunde längst ihrer moralischen Rechte entkleidete Bevorrechtigte, die sich selbst ins Unrecht gesetzt hatten. Er wollte sich – wenn auch mit Takt – zu ihr bekennen, sie zumindest nicht verleugnen, um so weniger, als sie ja wirklich nicht dazu gemacht schien, unter den Scheffel gestellt zu werden.

Als er sich das erste Mal – in Uniform – mit ihr in dem Café an den Champs-Elysées traf, das heißt, als er sich zu ihr setzte, die da unauffällig im Hintergrund des Raumes saß, wußte er nicht, daß das aparte zweirädrige Kütschchen mit dem weißbraunen Pony, dessen Zügel um einen der Bäume gebunden waren, ihr gehörte. Er nahm es erst wahr, als sie nach kurzem, verhaltenem Gespräch sich verabschiedete und ihn sitzen zu bleiben bat. Ebenso überrascht wie amüsiert sah er sie das Tier losbinden und in das Gefährt steigen, hörte ihr Allez hopp! und wie sie in seine Richtung, aber ohne sich umzuwenden, einen hellen Peitschenknall entsandte, dann auf den Arc de Triomphe wendete und davonrollte. In einer der Straßen, die strahlenförmig von dem pompösen steinernen Manifest der grande nation ausliefen, wohnte sie.

Ganz gewiß verstand sie sich auf kleine Effekte, welche die Zuneigung mit Bewunderung durchtränken und aus dem Liebhaber einen echten Geliebten machen. Ein ganzer Rennstall hätte nicht den Enthusiasmus wecken können, den dieses zierliche Gefährt in ihm entzündete. Entgegen seinem Versprechen, sich nicht in der Nähe ihrer Wohnung sehen zu lassen, ging er zu Fuß in ihre Straße, freilich auf die gegenüberliegende Seite zurückbiegend, nachdem er der Hausnummer sicher war, und sah, daß sie in einem schönen Haus wohnte, das auf Reichtum und Geschmack schließen ließ. Nur zu gern hätte er das Innere gesehen, vor allem ihr Zimmer, in dem sie sich seit einem Jahr ein ganz eigenes Retiro gerichtet hatte, von dem aus sie ihn anrief, sooft sich die Gelegenheit dazu bot.

Liebte er sie?

Wenn sie ihn danach fragte, nickte er lächelnd und fand nun, daß »je t'adore« eine glücklichere Formel sei, die

cheinbar den geforderten Preis überbot, aber ihm auch
ene kleine reservatio mentalis erlaubte, in der er das un-
ingeschränkte Geständnis der Liebe seiner jungen Frau
vorbehielt. Aber wenn er an seinen demnächst fälligen
Jrlaub dachte, wurde ihm doch bewußt, daß durch solche
Wortklaubereien kein Treuebruch nichtig oder auch nur
gemildert würde. Und weil er zu wissen glaubte, daß diese
Amour um der Liebe willen ein absehbares Ende werde
inden müssen, liebte er Marie Josée um so schwärmerischer
ınd begehrlicher – er nötigte ihr einen zweiten jour fix ab,
verführte sie, mit ihm – in Zivil natürlich – in ein Cabaret
zu gehen, in welchem hinter einem Vorhang getanzt wer-
len konnte (was freilich strengstens untersagt war von der
Militärbehörde), fuhr einmal in ein etwas entlegenes Spei-
erestaurant zweiter Kategorie, um mit ihr zu tun, was
lle Freunde und Liebenden selbstverständlich finden dür-
en.

Sie tat ihm bald alles zuliebe, was er ihr vorschlug, wenn
uch mit größter Vorsicht: sie schminkte sich dann über-
rieben, um sich, wie sie meinte, unkenntlich zu machen für
len Fall, daß doch Freunde oder Bekannte ihre Wege kreu-
zen sollten. Ja, sie willigte schließlich sogar ein, daß er
eines Vormittags, als ihr Mann auf einer Geschäftsreise
ınd die Töchter in der Schule waren, an der Haustür er-
chien und dem Mädchen eröffnete, daß er leider ein Ver-
ıör im Auftrag der Militärbehörde durchführen müsse
ınd den Hausherrn zu sprechen wünsche. Da nur Madame
nwesend war, bat er diese um eine Unterredung, ließ aber
ler Hausherrin so viel Zeit, daß sie das Mädchen beschwor,
cheinbar zu Einkäufen das Haus zu verlassen, in Wahr-
ıeit aber mit einem Taxi zu einer am anderen Ende von
Paris wohnenden Freundin zu fahren und mit dieser sofort
zurückzukehren, damit sie ihr, die ja auf den Schutz des
verreisten Gatten verzichten müßte, in dieser Situation
beistehen könne, falls sich wirklich ärgerliche Konsequen-
zen aus diesem unerwarteten Besuch des Boche ergeben
sollten.

Das Mädchen weinte, denn Madame zitterte an allen Gliedern in echter Erregung, und machte sich auf den Weg. Da jedermann wußte, daß die Telefone abgehört wurden, war nichts Auffälliges an diesen Maßnahmen.
Zurückgekehrt brach sie in seinen Armen fast zusammen, so groß war ihre Verwirrung. Aber seine Küsse belebten sie wieder, und sie gab sich ihm hin – sie waren zur Liebe wie zum Tod verurteilt. Er füllte seine Sinne mit den Düften und Eindrücken ihres Zimmers, äußerte Eifersucht auf die Luft und den Raum, die das Recht hatten, sie ständig zu umgeben, bewunderte den Geschmack, mit dem sie das Mobiliar ausgewählt hatte, und mußte geradezu vertrieben werden von ihr, so sicher und leichtsinnig schien er in seiner bübischen List – er hatte seine Pistole bei sich und hätte sie auf jeden gerichtet, der sich ihm in den Weg gestellt hätte.
Als er gegangen war, mußte sie sich legen und immer wieder die andrängenden Tränen bekämpfen, und so aufgelöst fand sie auch die herbeigerufene Freundin, eine erbarmende und verläßliche Zeugin für diesen aufregenden und am Ende folgenlosen Zwischenfall, die bei ihr blieb, bis Jean Philippe – der Gatte – zurückgekommen war. Da sich der Offizier – sie sprach von einem SS-Führer – korrekt und höflich benommen und sich am Schluß herausgestellt habe, daß er wohl auf eine falsche Spur geschickt sei, ließ man alles auf sich beruhen. Es gab zudem genug warnende Beispiele für das heimlich-unheimliche Wirken dieser politischen Spezialtruppe, die sich durch die Wahllosigkeit ihrer Mittel erheblich von der Militärbehörde unterschied und diese in gewissen Bereichen längst an die Wand gespielt hatte. Als sich sechsunddreißig Stunden nach dem ungebetenen Besuch sogar ein Blumengruß für Madame einfand mit einer Karte, die um Entschuldigung für die Störung bat und wissen ließ, daß das Ganze einer Verwechselung zuzuschreiben sei, beruhigte sich alles wieder.
Jean Philippe wollte die Rosen – es waren auch noch rote –

n einer Anwandlung von Unmut aus dem Fenster werfen. Aber einmal stach er sich beim überhasteten Zugriff, und zum zweiten entwaffnete ihn Marie Josée mit der vorwurfsvollen Frage: »Was können diese schönen französischen Blumen dafür, daß es dumme Deutsche gibt?«

»Wieso dumme Deutsche ...?«

»Nun«, sagte Marie Josée, »erst irren sie sich, und dann geben sie es auch noch zu. Sie müssen diesen Krieg verieren.« Diese Aussicht gab Monsieur so viel Trost, daß er Daumen lutschend meinte:

»Ich werde dich mit Rosen überschütten, wenn deine Prophezeiung eintrifft. Tröste dich also für heute abend mit diesem Strauß. Ich habe eine wichtige geschäftliche Besprechung im Tour d'Argent. Es kann spät werden ...«

»Dann werde ich mich mit einem Liebesfilm trösten müssen. Es stehen mindestens drei zur Wahl.«

Sie war so froh, daß alles so gut ausgegangen war, und steckte, wieder allein, ihre Nase tief in die deutsch-französischen Rosen. So viel Aufregung sie ihrem Michel auch zu verdanken hatte – über diesen Gruß war sie über jedes gewohnte Maß entzückt. Er ist frech, dachte sie; ich bin fast stolz darauf, daß er meinem verlogenen Jean Philippe auch noch die Hörner mit Rosen bekränzt. Ich werde ihn belohnen dafür. Sie rief ihn an und fragte, ob er nicht mit ihr essen wolle, sie hätte ein reizendes kleines Restaurant entdeckt, deuxième categorie, gar nicht sehr weit vom Arc, in einer Nebenstraße – er dürfe jedoch kein Wort deutsch sprechen. Es sei ein Geheimtip.

In der Vorfreude auf den nächsten Tag – mercredi – trafen sie sich im Restaurant. Das Tischchen war für Monsieur Michaux reserviert. Er hatte gerade erfahren, daß er in der kommenden Woche Urlaub haben könne, aber er sprach nicht davon, um ihre strahlende Laune nicht zu verdüstern.

Sie aßen in einem Winkel für sich, wo sie ihre Vorfreude auf den nächsten Tag nicht allzusehr zügeln mußten. Es

gab einen guten Burgunder, der ihren Sinnen schmeichelte, und auch das überstandene Abenteuer wollte gefeiert sein. Sie hatte eine seiner Rosen in das freizügige schwarze Kleid gesteckt und versprach, ihn für seine Frechheit zu belohnen – er werde schon sehen, was sie sich ausgedacht habe.
Nach dem Essen gingen sie für eine halbe Stunde in ein nahe gelegenes Kino, in dem einer der drei »zur Wahl stehenden Liebesfilme« lief, damit Marie Josée ihr Alibi bereit hätte, falls sie dessen bedürfte, verließen es jedoch bald wieder, um am alten Platz noch einen Kaffee zu nehmen. Und dann führte sie ihn in den kleinen Hof des Restaurants, wo er sich plötzlich ihrem Pony gegenüber sah. Sie wisse einen Weg durch Nebenstraßen bis dicht an sein Hotel, und sie werde ihn dorthin kutschieren.
Sie stieg voran – es war nicht sehr viel Platz für zwei Menschen in der einachsigen, nach allen Seiten offenen Karosse. Also rollten sie, eng aneinander gedrängt, lautlos hinter dem trappelnden Rößlein durch das Halbdunkel der nächtlichen Straßen, mal rechts, mal links einbiegend, hin und wieder die Wangen aneinander lehnend, kindlich vergnügt und in ihre Verliebtheit verliebt. Nur einmal mußten sie eine der großen Straßen überqueren – wobei Marie Josée mit erhobenem Peitschchen die wenigen Autos zähmte, die noch fuhren – dann tauchten sie wieder in die kleinen Häuserschluchten, bis sie, hundert Meter etwa von seinem Hotel entfernt, anhielt. Sie küßten sich, ohne sich durch das Aufblenden einer Taschenlampe und die amüsiert-anzüglichen Zurufe einiger passierender »haricots verts« stören zu lassen – er war ja in Zivil. Sie hatten beide nur einen Abschiedsgruß: »A demain!«
Dennoch stand er und lauschte, bis der letzte Hufschlag, der sie davontrug, in der Nacht verhallt war, als gelte es einen schwindenden Traum zu halten. Er schien zu ahnen, daß diese Unbeschwertheit nicht wiederkehren würde und daß der morgige Tag – er dachte den Gedanken nicht zu Ende, ließ sich seinen Zimmerschlüssel von dem stets

freundlichen Fernand aushändigen und ging rasch an einer kleinen Gruppe von Offizieren vorbei, ohne ihr Aufmerksamkeit zu schenken.
So sah er nicht, daß Hauptmann Bosse auf seinen Gruß wartete und daß er eine Taschenlampe in der Hand hielt.

Als er eine Woche später in den Urlaubszug stieg, den Koffer voller Mitbringsel für seine drei Weiberchen daheim, war ihm anders zumute als beim Antritt früherer Urlaubsreisen.
Er freute sich – daran war kein Zweifel – wie immer auf die bescheidene, aber liebenswürdige Häuslichkeit im Taunus, die er den Schwiegereltern verdankte. Er freute sich auf Gertrud, das gemeinsame Musizieren, auf die beiden Kleinen, die sich in jedem Urlaub als neue Persönlichkeiten entpuppten, auf die Woche, die er mit Gertrud allein auf dem frühherbstlichen Wangerooge verbringen wollte (während die Kinder bei den Schwiegereltern blieben) – da waren hundert Gründe für eine solide Vorfreude, aber ein einziger Anlaß, sie zu dämpfen: er würde sein »Abenteuer« gestehen, er mußte es gestehen, und dabei erfahren, ob es nachsichtig, großzügig, verständnisvoll (wie konnte man es noch ausdrücken?) aufgenommen würde, traurig lächelnd oder doch wehmütig lächelnd vielleicht, aber doch nicht zornig und vorwurfsvoll oder gar ausfallend. Das lag wohl nicht im Bereich der Wahrscheinlichkeiten, im Bereich ihres Temperamentes. Sie liebten sich ja, und die Kriegsjahre – Jahre der Trennung – hatten das Bündnis eher gefestigt als gelockert. Auch dieser kleiner Sündenfall würde daran nichts ändern. Je weiter ihn der Zug von Paris wegtrug, desto sicherer war er, daß Marie Josée eine Episode bleiben würde in seinem Leben. Welcher Mann würde, *könnte* ein so entzückendes Abenteuer ausschlagen, in solcher Situation und Umgebung? Paris! Die Metropole des Charmes, des leichten Lebens, der amourösen Grazie! Nein, auf dieses Erlebnis wollte er nicht verzichtet haben. Dazu

hatte es ihm zu viele unvergeßliche Eindrücke, Sinnesfreuden, im reinsten Sinn menschliche Stunden geschenkt. Er hatte nichts gemein mit jenen Soldaten und Offizieren, die sich auf jede Frau stürzten und die erzwungene Ehelosigkeit als Freibrief benützten für bedenkenlose Zügellosigkeit. Er bedauerte die Kaste der Damen, die da zwischen der Madeleine und dem Café de la Paix auf und ab flanierten, und deren Beruf es war, faire l'amour. Dies war keine Verführung für ihn, ganz abgesehen davon, daß er einen Horror vor gewissen Kavalierskrankheiten hatte, die manchen seiner Kameraden zu schaffen machten oder den Urlaub verdarben.

Nein, das würde er nie leugnen, daß Marie Josée sein Lebensgefühl bereichert, seine Sensibilität vertieft, seine Künste als Liebhaber geschult hatte. Hatte? Dachte er schon im Plusquamperfekt? Wurde der Raum, der sich zwischen ihn und seine Amour legte, schon zur erweiterten und nie wiederkehrenden Vergangenheit? Ach, es tat gut, ein wenig zu schlafen. Man lebte doch, allerseits, in geordneten Verhältnissen. Marie Josée hatte ihren Mann, ihre Kinder; er hatte seine Gertrud und die beiden kleinen Mädchen. Es war Krieg. Es herrschte Ausnahmezustand. Er war, wenigstens im Vergleich zu anderen, ein Ausnahmemensch. Marie Josée war eine Ausnahme. Da war es wohl an der Ordnung, auch was ihn und Marie Josée betraf, eine Ausnahme zu machen.

Er machte es sich bequem in seiner Ecke. –

Erst daheim sollte er erfahren, was alle Psychologen, Richter und Staatsanwälte hinlänglich wissen: wieviel Selbstüberwindung es kostet, ein Geständnis abzulegen, zumal eines, das nicht gefordert wird und sich eventuell sogar umgehen ließe. Mit dem gleichen Entzücken, mit dem er die gereifte Liebeskunst Marie Josées erfahren hatte, genoß er nun die herzliche und spontane Sinnenfreude seiner jugendlichen Frau und lobte sich ihre natürliche Wärme, ihr

Temperament, ihre mitreißende Selbstvergessenheit. Sie war liebenswerter denn je, so wollte ihm scheinen, und Marie Josée hatte ihren Anteil an dieser gesteigerten Wertschätzung. Wie, so fragte er sich in der Sophistik aller Schuldigen, hätte ich das je so erfahren können, so schätzen gelernt, wenn mir nicht die Möglichkeit des Vergleiches geboten wäre, wenn ich sie nicht ergriffen hätte? Verhalf sein Sündenfall nicht seiner Gertrud zu dieser »Erhöhung«? Den letzten Salto dieser Logik schlug er freilich nicht: daß er eigentlich Dank verdiene für dieses Gertrud so vorteilhaft kleidende Abenteuer. Aber daß diese seine Erfahrungen sich auch im Buch seiner Ehe niederschlugen, das stand wohl außer Zweifel ...

Es war am zweiten Abend ihrer kleinen kinderlosen Seereise, daß er – im Schutze der Nacht – von seinem »Abenteuer« berichtete. »Ja, ich muß dir noch etwas erzählen, mein Liebes. Vielleicht ist die Stunde günstig. (Hoffentlich!) Etwas, was ich nicht unterschlagen will, weil wir uns doch lieben. Ich spüre es ja stündlich. Und da soll nichts zwischen uns sein, was dunkel und unbesprochen bliebe. Du hast solches Vertrauen zu mir ... ich liebe dich für dein Vertrauen und möchte es nicht enttäuschen. Es ist so großzügig, daß du mich nicht fragst, nicht aushorchst ... Du weißt ja nicht, was im Krieg alles alltäglich wird, alltäglich werden kann. Es kann einen ekeln zuweilen, auch wenn man sich sagen muß: führe die Menschen in Versuchung, und sie sind schon verführt. Ach, du weißt wohl, daß ich kein Philister bin, kein Stubenhocker und Spielverderber. Ich will auch nicht richten. (Richtet nicht, auf daß ihr nicht gerichtet werdet!) Aber ich bin schließlich ein Mann von Fleisch und Blut, der ...« Es wurde ein langer Relativsatz, und sie hörte ihn an, ohne zu unterbrechen. Sie lag in seinem Arm, still, nicht abweisend, aber bewegungslos und hörte die Geschichte seines Sündenfalles, eine sehr menschliche und verständliche, auch anmutige Geschichte von der liebenswerten Frau mit den liebenswürdigen beiden Töchtern und dem unliebenswürdigen Gatten (das »treulos« verschluckte er gerade noch). Und Leonardo kam darin vor, das wußte sie ja, was der ihm bedeutete, und Mona Lisa kam nun auch vor, das war Marie Josée, und sie hatte so eine Art zu lächeln ... man mußte es geradezu erwidern, und es kann so viel daraus erwachsen, ein Gespräch, ein harmloses, eine Verabredung, und man spielt doch mit, wenn man kein ausgesprochener Spielverderber ist, man ist auch neugierig, man ist ein Mann und kein Schlappschwanz, und will doch wissen – suivez-moi! – wohin es geht und wo es endet, dieses abenteuerliche Spiel ...

Hörst du?

Ach, du mußt nicht traurig sein, Gertrud, und es zu ernst nehmen, dieses Spiel. Natürlich wird es ernster als man zunächst gemeint hat. Aber dann hätte man nicht folgen dürfen (suivez-moi!), von Anfang an ... Aber wer, in solcher Situation ...!? Ein Abenteurer folgt, und ein Soldat (das ist natürlich scherzhaft gemeint!) muß sowieso folgen, wenn befohlen wird ...

Er sprach, und sie lag in seinem Arm, der auf einmal ganz naß war – und er hatte noch längst nicht alles gestanden.

»Du weinst ...?«

Natürlich weinte sie lautlos, und es kam auch sonst kein Wort, keine Frage über ihre Lippen, keine Klage und kein Vorwurf. Er spürte ihre Liebe, die nicht empört, nicht verletzt und gekränkt war, sondern nur traurig. Auch die Trauer war noch Liebe ...

Sie sprach nicht, zog ihn an sich, umarmte ihn verzweifelt, wie eine Ertrinkende – er war überwältigt von ihrer Zuneigung und Leidenschaft. Er sagte ihr, daß es ein Abenteuer gewesen sei und bleiben werde. Sie verlangte und erbat nichts. Aber er gelobte ihr, diese Frau nie wiederzusehen. Und er wußte, daß er dieses Versprechen halten würde, und fühlte, daß sie ihm glaubte.

Es wurden wunderschöne Tage, für beide. Es gab keine

Vergangenheit, kein Paris, keinen Krieg. Und wenn das Schicksal es wollte, würde es eine Zukunft geben für sie. Aber eine Zukunft ohne Marie Josée. Das mußte nicht mehr ausgesprochen werden. Ihr beiderseitiges Schweigen besiegelte das Ende dieses Abenteuers.

Als Michael Salzmann nach zwanzig Tagen Urlaub wieder in seiner Dienststelle eintraf, erwarteten ihn einige Neuigkeiten. Die erste trat ihm in Person eines neuen Mitarbeiters entgegen, eines jüngeren Oberleutnants, der in Rußland schwer verwundet worden und nun – nach fast vier Monate währendem Lazarett-Aufenthalt – auf diesen ruhigen Posten versetzt war, um sich für eine mögliche spätere Kriegsverwendung zu erholen und bereitzuhalten. Er war im Zivilberuf technischer Zeichner, aber als Infanterist eingezogen, hatte den Polen- und Frankreich-Feldzug mitgemacht und war auch beim Überfall auf die Sowjetunion in vorderster Front eingesetzt worden.
Salzmann vermißte Bosse (soweit dieses Wort angebracht ist) und glaubte zunächst, daß der Oberleutnant, der von Ablösung oder Vertretung sprach, den seit gestern in Urlaub befindlichen Bosse ersetzen solle. Aber als zwei Stunden nach seinem Dienstantritt der Oberstleutnant ihn zu einem Gespräch unter vier Augen bat, entdeckte sich die Lage unmißverständlich.
Es wurde ein zunächst dienstlich-trockenes und etwas einseitiges Gespräch, in welchem der Oberstleutnant Salzmann mitteilte, daß ein Versetzungsbefehl für ihn vorliege, der freilich keine ganz normale Versetzung ausspreche, sondern eine wegen angeblich dienstwidrigen Verhaltens und – dementsprechend – zu einer Feldeinheit an der Ostfront.
Salzmann schüttelte verständnislos den Kopf und bat um detaillierte Aufklärung. Der Oberstleutnant gestand, vor 14 Tagen um ein dienstliches Zeugnis angegangen worden zu sein, das allerdings positiv gegeben worden sei von ihm: »Ich wüßte auch nicht, was dienstlich gegen Sie einzuwen-

den wäre, und habe das auch bei einer telefonischen Nachfrage wiederholt. Aber man wußte mehr als ich. Sie können sich nicht denken, welcher Anlaß ...?«
Salzmann dachte an Marie Josée. Auch an den Streich mit der »Haussuchung« dachte er. Aber da er über alle Einzelheiten des Nachhinein unterrichtet war, konnte da eigentlich kein Hündchen begraben liegen. Er zuckte mit den Achseln.
»Hatten Sie einen Zusammenstoß oder eine Auseinandersetzung mit einer Streife? Unter Alkohol vielleicht?«
Nichts dergleichen. Nichts.
»Es soll eine Anzeige vorliegen. Vielleicht auch eine Denunziation. Kameraden-Dienst. Sie verstehen. Man will Sie einige Male in voller Kriegsbemalung in einem Kütschchen mit Pony im Zentrum von Paris bei Spazierfahrten mit einer französischen Dame beobachtet haben.« Der Oberstleutnant lächelte, kostete aber die stirnrunzelnde Unsicherheit Salzmanns nicht aus. »Als Pferdezüchter und Liebhaber – im Sinne des Amateurs – anziehender Damen habe ich für vieles Verständnis, und Ihr Fall würde sich durch eine gewisse – Kaprice auszeichnen. Aber ich halte Sie einer so sinnlosen Provokation eigentlich nicht für fähig. Und worin läge auch das Vergnügen, sich in dieser Art öffentlich zu amüsieren ... Können Sie mir zu diesen Vorwürfen Erhellendes mitteilen?«
Salzmann nahm Haltung an. »Es handelt sich um eine schändliche Übertreibung, Herr Oberstleutnant. In der Sache, genaugenommen, um eine Verleumdung. Wenngleich sich in der faustdicken Lüge ein winziger Kern Wahrheit verbirgt. Ich müßte da einiges ausführlicher werden, um den Fall zu klären.«
Eine Handbewegung nötigte ihn zum Sitzen. Vielleicht lasse sich doch einiges aufklären, obwohl sich an den Verfügungen der Militärbehörde wohl nichts ändern lasse. Vermutlich sei dies also das letzte Gespräch, das zwischen ihnen möglich sei. Der Oberstleutnant reichte ihm den Ver-

setzungsbefehl, auf dem freilich die Daten noch einzutragen waren. »Vielleicht kann ich noch etwas Außermilitärisches für Sie tun«, sagte er freundlich. »Wenn Sie rasch fahren, können noch zwei Tage herausspringen. Ich bedauere, daß ich Sie ziehen lassen muß. Bosse wird es weniger bedauern, fürchte ich. Er sorgt sich sehr um den Endsieg seines geliebten Führers, der seine Plage hat mit den hinterfotzigen Bolschewiken, die uns in den Rücken fallen wollten. Die Ostfront braucht junges Blut. In Paris haben wir ausgesiegt . . .«

Ein telefonischer Anruf unterbrach den maliziös Lächelnden, er winkte Salzmann, der sich entfernen wollte, zu bleiben, erledigte das Dienstgespräch, das um irgendwelche Ladungen nach St. Nazaire ging, und meinte aufgeräumt: »Wenn Sie nicht zu einer Kutschfahrt oder sonstigen Unternehmungen verabredet sind, können wir in einer Stunde zusammen essen. Vielleicht wollen Sie einiges richten inzwischen. Ja, und wann fahren Sie?«

Salzmann dachte einige Sekunden nach. Dann sagte er entschlossen: »Ich fahre noch heute abend.«

Er ging auf sein Hotelzimmer und schrieb einen kurzen Brief an Marie Josée, einen anderen allerdings, als er ursprünglich hatte schreiben wollen. War nicht durch diese Versetzung mit einem Schlage eine neue Situation eingetreten, welche es eigentlich überflüssig machte, eine Wahrheit zu sagen, die vermutlich mehr schmerzen würde als dieser stumpfsinnige Überfall des Schicksals aus irgendeinem schmutzigen Hinterhalt?

Aber dann entschloß er sich doch zu schreiben, daß Fügung und Entschluß sich zu einem unüberwindlichen Hindernis vereint hätten und daß er Marie Josée bitte, seiner ohne Bitterkeit zu gedenken. Er überlegte lange, wie er unterzeichnen sollte. Schließlich schrieb er: »Ton Michel allemand«.

Er steckte den Brief in einen unbeschriebenen Umschlag und nahm ihn mit sich in das Dienstzimmer, wo ihn der

Oberstleutnant erwartete, und sie fuhren in eines der indochinesischen Restaurants, nahe beim Jardin du Luxembourg, wo man gut und aller Wahrscheinlichkeit ohne deutsche Kameraden speisen werde.
Es waren nur wenige Tische besetzt, und an diesen sprach man französisch und vietnamesisch. So waren sie wie unter vier Augen.

»Dies ist kein Verhör, und ich sitze hier nicht als Ihr Vorgesetzter, lieber Salzmann«, sagte der Oberstleutnant. »Sie sollen auch die Versetzung nicht überbewerten – sie mußte früher oder später ohnedies kommen. Das Schicksal hat es bisher ausnehmend gut mit Ihnen gemeint. Auch zu Fuß kann es eine Heimkehr geben, wenn Gott will. Wir werden auch hier nicht ewig sitzen ...«
Und so kam das Gespräch in Gang, das den Oberstleutnant von Madame Beaufort und ihrer Amour mit einem deutschen Michel unterrichtete, wobei der intimeren Stationen freilich weit weniger Erwähnung getan wurde als des zierlichen Einspänners, der ja schließlich das auslösende Element gewesen war. Dazu anderer mehr für das Bühnenbild als für den Gang der Handlung bezeichnender Fakten. Auch der Hausbesuch entfiel natürlich. Es blieb also das Fragezeichen, was die Anzeige betraf. Vor allem aber blieb wohl das Bild einer charmanten und im exakten Sinn des Wortes liebenswerten Frau – der geschulte Kavalier bedauerte aufrichtig, daß die gleiche Fügung, die ihm die Existenz dieser reizenden Französin zu Bewußtsein bringe, ihn nun der Möglichkeit beraube, ihre Bekanntschaft zu machen. Immerhin – vielleicht begegne sie ihm einmal mit ihrem Kütschchen und dem Pony. Er wolle die Augen offen halten.
Salzmann lächelte abwesend. Das Herz war ihm beim Reden von Marie Josée warm geworden, und der gute Wein stimmte ihn unternehmend. Warum hatte er sich selbst diesen hastigen Aufbruch verschrieben? War er seiner

nicht sicher gewesen? War er seiner überhaupt sicher!? Wer, an seiner Stelle, würde sich ...

»Sie haben meinen Marschbefehl schon ausgeführt, Herr Oberstleutnant?«

Der Gefragte knöpfte die Uniformjacke auf und holte das Papier aus der Brusttasche.

»Hier. Mit Kurierauftrag. Sechsunddreißig Stunden Unterbrechung – für die Lieben.«

Salzmann sah verwirrt auf. Er hätte sich fast verhört. Natürlich: die Lieben. Plural. Es sollte alles so sein. Es war gut so. Er durfte nicht rückfällig werden. Auch wenn dieser Rückfall ... Er steckte das Papier in die Brusttasche und stieß dabei auf seinen Brief an Marie Josée.

Er legte ihn vor sich auf den Tisch und blickte den Oberstleutnant prüfend an. Ihn beschäftigte plötzlich die Frage: ob Marie Josée an ihm Gefallen finden könnte. Könnte oder würde. Würde oder wird ... Er sah den unverhofften Rivalen beinahe wohlgefällig, ohne das militärische Kostüm. Ein wenig größer und stämmiger war der Junker schon. Aber nicht nur die Epheben entzücken ein Frauenherz. Wenn man – im Sinne des Körperlichen – das Martialische mit dem Gott des Krieges verbinden wollte, so war in diesem speziellen Fall eine solche Assoziation nicht abwegig. Es war wie bei allen anderen Uniformen: wenn der Kerl, der darin steckte, ein Kerl war, ließen sie es durchscheinen. Und hier gab es einiges »darunter«, das durchschien.

»Ich möchte auf Ihr Wohl trinken dürfen, Herr Oberstleutnant. Und mich bedanken für dieses Gespräch und dieses – letzte Essen in Paris. Und: wenn ich eine Bitte äußern dürfte ...?«

»Aber warum denn nicht, lieber Salzmann ... Immer heraus mit der Sprache!«

Und darum – und warum denn nicht – saß der Oberstleutnant gut vierundzwanzig Stunden später in jenem Café an den Champs-Elysées, in dem Marie Josée (sofern es mit rechten Dingen zugehen sollte, und warum sollte es denn nicht) ihren Tee einnehmen würde, so zwischen fünf und sechs, und war aufs äußerste gespannt, ob diejenige – mit oder ohne Einspännerchen – eintreffen würde, für die er einen Brief in der Brusttasche seines mausgrauen Flanellanzugs trug.

Sie kam um so sicherer, als sie den Schreiber des Briefes endlich zu treffen hoffte. Er hätte sich schon eher in Erinnerung oder besser zur Wahrnehmung bringen können. Aber – so schnell auch die Preußen schießen, so rasch gab es bei diesen Militaristen Veränderungen, Umdispositionen ... Marie Josée war drei Wochen in unmenschlicher Geduld geschult worden – sie würde auch diese Verzögerung mit Haltung tragen.

Der Oberstleutnant sah das Wägelchen vorfahren – es war fast auf die Minute um fünf – und beobachtete Gesten oder Handgriffe, mit denen Pferdeliebhaber oder auch Kutscher ihre Tiere und Gefährten arrangieren. Er repetierte dabei den kurzen französischen Sermon, mit dem er die Übergabe des Salzmannschen Briefes einzuleiten gedachte.

Als sie den rückwärtigen Raum betrat, vertiefte er sich in eine Nummer des »Paris soir«, mit der Linken spielerisch eine Schachtel Gaulloise hin und her wendend. Er war sehr stolz darauf, daß sie sich ohne Zögern an seinen Nebentisch setzte und mit einer Handbewegung die gewohnte Bestellung aufgab.

Als sie sich zum ersten Mal ihm zuwandte, verbeugte er sich aufmerksam und respektvoll und förderte den Brief zutage, den er ihr mit einer Entschuldigung – ich bin gebeten worden – hinüberreichte. Dann wandte er sich wieder seiner französischen Zeitung zu und wartete des nun Folgenden.

Aber er wartete lange, und nichts regte sich. Er hatte das Öffnen des Umschlags, das Rascheln des entfalteten Briefbogens wahrgenommen und spannte auf irgendein Geräusch, das lautlose Bewegung, innerste Erregung verlaut-

baren würde. Nichts jedoch wurde hörbar, was ihn berechtigt haben würde, seine kleine Konversation – er hatte drei Varianten parat – vom Stapel zu lassen.
Draußen lief, wie hinter einer durchsichtigen, aber undurchlässigen Wand, der Verkehr. Draußen stand, geduldig, aber gelegentlich mit dem Kopf schüttelnd oder den Huf aufschlagend, das hübsche Zwergpferd am Baum, bewegten sich, offen und ungeniert, die uninteressantesten Passanten. Hier drinnen saß, zwei Meter nur entfernt, neben ihm, eine Frau, die eine verzweifelte oder heroische oder resignierende oder fatale Schlacht schlug mit irgendwelchen zu Schatten und zu Vergangenheit gewordenen Gliedern, Umarmungen, Empfindungen, Gewißheiten, Gegenwärtigkeiten ... und er, was hatte er hier zu tun, was wollte er von diesem zur Zeit vielleicht einsamsten Menschen in Paris? Freilich, er war ein Bote, ein Postillon d'amour, postillon de la mort, postillon de la mort de l'amour – es wohnt alles dicht nebeneinander, miteinander verwoben, verwachsen, immer schon, und jetzt noch viel mehr; man nahm es an diesem Ort nicht mehr so wahr; oder nur eine Seite der Münze, die hier so geputzt, poliert zur Schau gestellt wurde: l'amour.
Nein, er wird sich nicht umsehen nach ihr. Kein Sprüchlein sagen – jede Variante ist banal, indiskret. Vielleicht ist es ein langer Brief und ein nachlassender Schmerz. Vielleicht ein kurzer Brief und ein um so heftigerer Schmerz, einer der ertauben ... macht, tränenlos weinen ... er kam sich deplaciert vor. Aber konnte er jetzt aufstehen, ohne nach ihr zu sehen, sie anzusehen? Und diese alberne Zeitung ... Kann man Zeitung lesen, während ein anderer sich vielleicht windet im Schmerz? »Schwere deutsche Verteidigungsschlacht im Osten – Bedeutende Verluste der Sowjets.« Gute Reise, deutscher Michel, lebe wohl ... Leb wohl oder stirb! Für die Toten ist es nicht mehr wichtig, ob ein Krieg gewonnen oder verloren wird. Und da dieser verloren sein wird, mit Pauken und Trompeten, Schimpf und Schande, ist es schade

um jeden, der daran glaubte und daran glauben muß, und um jeden, der noch ins sogenannte Gras beißen wird. Und wenn da ein Funke überspringt, der nicht zerstört und vernichtet, sondern wärmt und erhellt, so wird das seinen Sinn haben, weil alles, was sich so herrschsüchtig fordernd, rechthaberisch, mörderisch in Szene setzt, keinen Sinn hat, blutiger Unsinn ist ...

Er vernimmt ein Geräusch, wagt aber nicht, sich umzuwenden nach ihm. Oder nach ihr.

Aber nun fühlt er, wie sie neben ihm steht oder, an ihm vorübergehend, ganz kurz verhalten hat – es ist schon vorbei, da er es wahrnimmt. Er hat das Gesicht kaum gesehen, aber das »Merci, monsieur!« hat er deutlich gehört, obwohl es ganz leise gesprochen war. Auch die kleine Pause dazwischen hat er wahrgenommen. Die Pausen sind manchmal das Wichtigste ...

Er sieht sie hinausgehen. Zweifellos eine anziehende Person. Immer wenn er »Person« sagt oder denkt, ist das eine Anerkennung.

Draußen ist sie jetzt – so meint er – unsicherer als zuvor. Jetzt brauchte sie eine Karosse. Oder einen Leichenwagen. Eigentlich müßte sie wohl im Schritt neben dem Wägelchen hergehen, in dem sie die Nachtfahrt mit Salzmann ... aber da sitzt sie schon droben und schwingt das Peitschchen.

Es sieht so aus, als ob sie ihm damit winken wollte.

Ausflug nach Beograd

Natürlich war der Ausflug des Oberrates Kurt Steppke, im Zivilberuf Anwalt in Weimar, rein dienstlicher Natur, und nur mit einiger Spitzfindigkeit ließe sich, leicht kalauernd, seine Anreise – er war mit einer Luftwaffen-Maschine aus der Reichshauptstadt ausgeflogen – schon jetzt als Ausflug klassifizieren.

Es wartete seiner eine arbeitsreiche Woche in der Stadt an Donau und Save, die er vor anderthalb Jahrzehnten einmal mit seiner Frau auf einem Schiff der Donau-Dampfschiffahrtsgesellschaft von Wien aus besucht hatte und die nun seit dem gelungenen Blitzfeldzug als weitere Metropole besetzter Länder in den Aufgabenbereich der großdeutschen Militärverwaltung fiel.

Eigentlich hatte er einen Zug benutzen sollen, um auf der Anreise auch das kroatische Zagreb aufzusuchen. Aber dann ergab sich plötzlich die Gelegenheit des bequemeren und damals noch ungefährlichen Luftsprungs, und der Besuch Zagrebs und Laibachs wurde nun für die Rückreise eingeplant.

Der serbo-kroatisch-slowenische Staat, genannt Jugoslawien, litt noch immer unter den Nachwehen der zerbrochenen Donaumonarchie und war ein Viel- oder doch Mehrvölkerstaat geblieben mit Rivalitäten, Provinzialismen, Eigenbrötelei und Korruption, die der starken deutschen Hand (um nicht zu sagen Faust) dringend bedurften. Man hatte Freunde des Reichs hier, und man hatte Feinde. Das Übergewicht dieser oder jener Seite hing, wie immer in Kriegszeiten, vom Übergewicht der militärischen Kräfte ab. Daneben aber hatte die jeweilige Militärverwaltung einen nicht zu unterschätzenden Einfluß auf den Fortgang

der Dinge. Wurden auf diesem zumeist technisch-wirtschaftlichen, somit friedlichen Feld, schwere Fehler begangen, so konnte das Blutzoll kosten, also wiederum die militärische Lage nachteilig beeinflussen. Steppke, der als Vermögensverwalter, Justitiar und Rechtsbeistand seine Meriten hatte und im ersten Weltkrieg schon als Oberzahlmeister und Berater beim Oberkommando tätig gewesen war, schien auch dem Dritten Reich unentbehrlich zu sein.
Als Oberrat einberufen, stand er im Sold eines Obersten, aber nicht im Rang und Ansehen eines solchen. Er hatte die geflochtenen Schulterstücke mit zwei Sternen und war auch von den soldärmeren Offiziersgraden zu grüßen. Aber jeder Oberleutnant oder Hauptmann der Reserve hielt sich für einen besseren Soldaten als diesen Oberrat, auch wenn er nur in der Etappe Ortskommandant oder Bahnhofsoffizier war. Obwohl das preußische Beamtentum seit des Alten Fritzen Zeiten legendären Ruf genoß – die neuen Reichs- oder Großdeutschen wollten lieber schlechte Helden als gute Beamte sein. Selbst ein KZ-Wächter im SS-Sturmführer-Rang sah mit Verachtung auf diese falschen Raupenschlepper herab, die bestenfalls Tinte, aber kein Blut an ihren Händen hatten.
Steppke wußte das, und es ärgerte ihn gelegentlich, aber nicht, weil er – mit fünfundfünfzig Jahren – noch die Ambition gehabt hätte, für einen Helden gehalten zu werden. Nein, um die Wahrheit zu sagen: ihn kotzten die neuen Gernegroße an, an deren Wesen nun wieder die Welt genesen sollte. Er tat seine Pflicht als Wehrmachtsbeamter; und da er Jurist war, hieß das vor allem, daß man, wo immer es möglich war, dem Rechtsstandpunkt zur Geltung verhalf. Die Basis dafür war schmal genug geworden; aber in manchen Bezirken gab es sie noch. Als Vermögensverwalter und Rechtsbeistand hatte er z. B. nach besten Kräften jüdischen Klienten beigestanden, dieses oder jenes Schäfchen noch ins trockene Ausland zu bringen, ohne sich deshalb gleich als Widerständler zu empfinden. Er dachte

in rechtlichen Kategorien, und der ganze Pfuschkram mit indoktrinierten Parteigesetzen, volksempfindlichen Argumenten, Sondermaßnahmen zum Schutze von Führer und Reich, war ihm ein Greuel. Wenn er im Zusammenhang mit der Rechtsprechung das Wort »gesund« hörte, wurde ihm speiübel.
Bei seinen Vorgesetzten in Berlin genoß Steppke den Ruf eines vertrauenswürdigen und sachverständigen Mannes, der ohne Ambitionen und Wichtigtuerei seine Pflicht tat. Immer dann jedenfalls, wenn es Probleme zu lösen gab, die weniger Auftrumpfen als Geschick und Arrangement erforderten, entsann man sich des nur ein Meter achtundsechzig großen, gut durchwachsenen Oberrates Kurt Steppke. Er war am Militärflughafen abgeholt und in sein Hotel eingewiesen worden. Zwei Herren von der Militärverwaltung und ein junger Oberleutnant mit guten Manieren – Jurist natürlich – hatten mit ihm im Hotel zu Abend gegessen, ein paar unerwartet würzige und gute Flaschen Wein mit ihm getrunken und es verstanden, ihn in eine angenehme Stimmung zu versetzen, die nicht zuletzt auch dem Umstand zuzuschreiben war, daß das Hotel – es hieß »Fruska Gora« – nur zu einem Teil von der Wehrmacht beschlagnahmt war und sowohl als Rast- wie als Gasthaus internationalen Ruf genoß, was zu diesem Zeitpunkt freilich nur die Achsenmächte und ein paar Neutrale meinte. Aber da die neuen Herren erst kurze Zeit regierten, war vieles noch im Fluß oder in der Schwebe. Das Bild war gemischt: ein Drittel Militär, zwei Drittel etwa – darunter bemannte oder allein segelnde Weiblichkeit – Zivilisten.

Die serbische oder jugoslawische Metropole war schon immer eine der lebendigsten und elegantesten Städte des Balkans gewesen, sie ließ sich auch von diesen deutschen Siegesprotzen nicht so ohne weiteres ins Bockshorn jagen. Mancher Kollaborateur war ein geschworener Feind, mancher Feind ein potentieller Kollaborateur. Und was in keinem

Land zu keiner Zeit unter gar keinen Umständen entbehrlich wird, das war die – mehr oder weniger – holde Weiblichkeit. Noch die erbärmlichsten Schergen wollen streicheln und küssen, et cetera, et cetera, und was faire l'amour heißt, wußten selbst die dümmsten Goldfasane. Es soll der Natur oder der Schöpfung nicht als Verdienst, sondern als List erster Ordnung angerechnet werden, daß sie die fürchterlichsten und hassenswertesten Männer dort am radikalsten entmannt, wo sie ihre Männlichkeit oder Mannbarkeit zu beweisen trachten. Wer wäscht dem Führer die Unterhosen? Ist Hermann Göring ein Eunuch oder ein Kapaun? Sind die Ameisen arisch? War Jesus wirklich ein Semit? Ist Joseph Goebbels ein Schrumpfgermane oder ein jesuitisch erzogener Judenlümmel? Alle haben sie ihre Eva, Martha und Maria, Magda und Emmy. Männer, die Geschichte machen, Völker erdrosseln, Landschaften verwüsten – nachdem sie Quadratmeilen zu Hunderten und Tausenden und ganze Weltmeere umgepflügt haben, kapitulieren sie vor diesen wenigen Zentimetern Fleischeslust, ohne Grazie, ohne Selbstironie, Selbstbejahung ... monumentale Bettnässer, Päderasten und Onanisten.
Tausend Jahre wollten sie einleiten, die Eintagsfliegen, ewige Herrschaft über das minderwertige Slawentum errichten,

... und nun sitzt er da und schnoppert,
was ihr unterm Dünntuch boppert ...

Ein paar SS-Häuptlinge vergaßen ihr Ahnenerbe im Getechtel und Gemechtel mit zwei rassigen, offensichtlich zigeunerisch versippten, leidlich deutsch radebrechenden Damen aus Neusatz und trieben Volkskunde mit unerlaubten Zugriffen. Zwei Leutnants der Panzerwaffe, schwarz wie die SS, jieperten mit ihren Rohren nach erreichbaren Zielen. Steppkes wie du und ich, dachte Steppke. Aber sie geben an wie zwanzig nackte Wilde, nur weil sie zwanzig oder achtzehn Jahre jünger sind.

Noch saß der nette Oberleutnant neben ihm. Steppke war beinahe gerührt, daß der ihn immer mit Herr Oberrat anredete. Und noch gerührter war er, als der junge Jurist einen Kameraden an den Tisch bat, der ebenfalls – Steuerrecht! – von der gleichen Fakultät kam.
Man war unter sich. Der ungebildete Offizierspöbel, der sich sozusagen hochgerobbt hatte, ohne das Alphabet zu beherrschen, konnte ihm gestohlen bleiben. Steppke ließ eine weitere Flasche kommen. Nach zwölf Jahren wieder in Belgrad! Das wußte keiner, wie glücklich er damals gewesen war und wie kümmerlich das alles geendet hatte ... Gott ist mit den Starken und Schlanken.
Drei Töchter hatte er aufziehen, einkleiden, mit Aussteuer versehen dürfen, – aber nun war er allein. Wer wäscht Steppke die Unterhosen? Mit irgendeinem Idioten – Wirtschaftsjurist natürlich – war sie nach siebenundzwanzig Jahren davongegangen, neun Jahre jünger, auch finanziell von Haus aus gut gepolstert ... Vielleicht war dies der eigentliche Anlaß gewesen, denn sonst hatte auch sie keine Bäume ausgerissen oder Berge versetzt. Gott mißachtet die Kurzen und Dicken; die Untersetzten. Er stellt ihnen Fallen.
Wie dem auch sei ... Er war in Belgrad, und irgendwie machte sich die Vergangenheit bemerkbar: anregend, beflügelnd. Auch Melancholie kam mit ins Spiel.
»Herr Oberrat«, sagte der juristische Kollege, der hinzugekommen war, »Sie tragen schwer an Ihrer Mission. Sie werden scheitern, wenn sie den Balkan zu ernst nehmen.«
»Meine Mission ...« sagte Steppke und lächelte. »Übertreiben Sie nicht ein wenig? Ich versuche lediglich, ein paar Weichen zu stellen. Wie dann die Züge und Lokführer fahren – das darf mir nicht angelastet werden. Da wirken auch anders eingefärbte Herren mit. Wahrscheinlich ist es ein Fehler, diese Leute hier zu besiegen und beherrschen zu wollen. Man sollte sie gern haben und mit ihnen Handel treiben: Weine, Gemüse, Trauben, Paprika ...«

»Apropos Paprika ... Ich will nicht verführen. Aber da sehe ich gerade die Rada aufkreuzen mit einer Freundin. Der Dienst ist zu Ende. Sie arbeitet im Haus. Viel verdienen die Mädchen ohnedies nicht. Ich übernehme die nächste Flasche.«

Steppke spreizte beide Hände – was etwa sagen sollte: Ich bin der letzte, der nein sagt. Oder: mit mir können sie die bekannten Pferde stehlen. Nur dürfen Sie nicht meinen, ich hätte kein Geld eingesteckt. Steppke winkte dem Kellner; der junge Kollege winkte der – im weitesten Sinne – Dame des Hauses. Sie kam mit der Freundin, die weniger üppig und attraktiv aussah, aber sehr seelenvolle Augen hatte.

Das sind im Grunde arme Luder, dachte Steppke in der Weisheit seiner fünfundfünfzig Jahre. Aber er machte sich nichts vor: die kleine dralle Schwarze sprach ihn an. Oder auch: er sprach auf sie an. Sie radebrechte ein Deutsch, das sie zweifellos im Umgang mit etlichen Exemplaren der Besatzungsmacht erlernt hatte, und äußerte Appetit auf Champagner.

»Ach Gott«, sagte Steppke, »wie rührend. Immer dieser kindliche Durst auf Sekt. Immer das gleiche. Hat man denn so etwas in diesen Landen überhaupt?«

Er mußte sich belehren lassen, daß es auch hier Champagner gab, unter Umständen eigens hergestellt für die Wünsche solcher Damen und ihre Anlieger. Steppke sagte: »Es ist Sonnabend und morgen dienstfrei. Ich komme vom Nabel der Welt. Ein kleiner Ausflug nach Belgrad. Ich bitte um das Gewünschte!«

Da sich die schlanke »Kollegin« für eine Weile entfernte, um anderswo präsent zu sein, empfand die handliche Rada diese Flasche als persönliche Huldigung und widmete Steppke anerkennende Worte und einen warmen Händedruck, der mehr als alles Visible, Hörbare und Sagbare unseren Oberrat beeindruckte. Gegen Eindrücke, Worte, Laute, Anspielungen war er ziemlich gefeit. Berührungen konnten ihn jedoch umwerfen. Diese warme schmeichelnde

Hand eines – wie man sagt oder meint – Kindes aus dem Volke verwirrte ihn. Gab es das noch: daß ein Mensch für ihn, Steppke, etwas empfand, das im Bereich der Zuneigung, Annäherung, ja vielleicht gar Zärtlichkeit lag?
Er erkundigte sich zurückhaltend.
Ja, dies war ein Kind aus dem Volke, auf jeden Fall keine Dirne. Zumindest vorerst noch nicht. Sie machte die Zimmer sauber – jeder kannte sie. Ein beschriebenes Blatt. Der Krieg gab ihr gewisse Rechte oder Chancen, die sie in Friedenszeiten kaum hätte wahrnehmen können. Die Frage blieb, ob es wirklich Rechte und Chancen waren.
Steppke hielt sich nicht für einen Adonis. Aber das gab es wohl doch: daß jüngere Mädchen plötzlich Sympathie, Vertrauen, manchmal sogar eine Leidenschaft für einen reiferen Mann empfanden. Er hielt ganz unauffällig mit der Linken ihre Hand. Eine gute, warme, ehrliche Hand. Und dahinter und danach setzte sich einiges fort. Äpfel können so sein. Pfirsiche vielleicht. Vielleicht könnte man auf diesen Brüsten Flöhe knacken. Steppke verspürte große Lust, es zu versuchen, und seine Lust teilte sich den beiden jüngeren Kollegen mit, die meinten: es sei jetzt vielleicht an der Zeit, ihn seinen eigenen Schlüssen und Entschlüssen zu überlassen. Sie hätten auch noch eine Verabredung. Falls die Rada ... Besseres könne man dem Oberrat eigentlich als Einführung in den Balkan nicht wünschen. Und da alles bezahlt war, baten sie, nicht weiter stören zu dürfen. Sie lächelten ohne Anzüglichkeit. Nette, sachliche Menschen. Juristen. Sicher wußten sie, was sie dem Kollegen und Oberrat Steppke oder wem sie diesen anvertrauten.
Und der saß da und hielt Händchen, lächelte Rada zu, und sie lächelte zurück. Er umfaßte zögernd ihre Taille, und sie lehnte sich an Steppkes Schulter. Anlehnung – welch vielsagendes Wort, wenn man es – aus jahrelanger Einsamkeit heraus – wirklich auszuschöpfen sucht. Wer weiß denn, ob so ein Zimmermädchen, das natürlich mit diesem oder jenem – daran zweifelte Steppke ja nicht – nicht einmal mit dem Instinkt der Unverbildeten die Lage erkennt ...

Steppke mußte lächeln über seine Lage-Betrachtung. Mach dir nichts vor, Kurt, sagte er insgeheim zu sich selber. Und um Gottes willen: werde nicht sentimental. Es ist vielleicht schön, wenn dahinter ein warmer individueller Mensch steht, und sie ist so jung und steht so saftig im Fleisch; sie würde mich älteren Knaben noch mal auf Touren bringen – da bin ich ganz sicher. Er entsann sich, einmal vor vielen Jahren gelesen zu haben, wie man dem alten König David schöne junge Mädchen zuführte, auf daß sie ihn erwärmten und seine Männlichkeit neu erweckten. Diese hier hätte auch den alten David noch ...
Plötzlich fiel ihm ein, zu erkunden, ob denn das einfache Mädchen Rada, da sie als Zimmermädchen wohl sehr bescheiden verdiente, vielleicht auch finanzielle Erwartungen hege.
Aber da winkte sie mit verweisendem Finger ab. Nein, nein. Oh ... zu dieser Kategorie gehöre sie nicht. Ja, Einladung zum Trinken, auch zum Essen ... aber sonst; sie schüttelte den Kopf.
Also eine Kleinigkeit zu essen vielleicht?
Nein. Sie hatte gegessen. Aber noch was zu trinken. Ja.
Sie ist anständig, sagte Steppke zu sich. Nicht mal Rasniči oder Čevapčiči. Oder Käse vielleicht?
Nein. Aber er möchte. Er ließ sich eine kleine Käseplatte kommen. Und trinken?
Champagner.
Ach, dachte er, dieses künstliche, fade Zeug. Da haben sie diese wirklich ansprechenden Weine, und immer müssen sie Sekt haben. Pipi-Mädchen, dachte er leicht verstimmt. Ihm schmeckte das Zeug nicht, und trinken sollte er es auch nicht, nach des Leibarztes Rat. Ein leichter Altersdiabetes riet davon ab. Ein ganz leichter. Zwei kleine Spritzen täglich nahm er, und der Zuckerspiegel war in Ordnung. Er plädierte für einen guten Wein. Aber ihr Herz hing an Champagner. »Ich Champagner, du Wein. Freundin hilft bißchen mit trinken.«

Also gut. Er bestellte einen Traminac – einen slowenischen, und das Kribbelzeug. Sie strahlte. Dobre, dobre ... Giveli, giveli. Er bekam einen Kuß auf die Wange.
Der Traminac war gut und stark, wahrscheinlich vierzehn, fünfzehn Grad und eine Art Spätlese dazu. Es war nicht vermerkt. Aber Steppke hatte eine geübte Zunge. Auf alle Fälle schluckte er unauffällig eine kleine Tablette. Die kochen hier ja auch ganz schön fett. Wenngleich das gegrillte Fleisch zum Abendessen geradezu vorschriftsmäßig gewesen war.
Er hätte gern mit ihr getanzt. Die Musik spielte. Aber blöderweise war Tanzen verboten für Offiziere und Soldaten. Ob er sich rasch umziehen sollte? Würde es lohnen? Er war ja kein sehr flotter Tänzer. Aber beim Tanzen kommt man sich näher. Man nimmt die Tänzerin in den Arm. Ob er sich umziehen sollte? Gleich jetzt?
Aber das hätte wenig Sinn. Sie durfte sich zum Essen und Trinken einladen lassen. Aber tanzen dürfe sie nicht. Als Zimmermädchen. Aber Zivil sei schon gut, wenn sie hernach in ein anderes Restaurant oder Hotel gehen würden.
Aber das hatte Steppke weiß Gott nicht mehr vor. Um ein Tänzchen die Tapete wechseln, wo Rada doch hier im Hause wohne und man alles so einfach habe? Sein Zimmer lag günstig, im Parterre, unweit der öffentlichen Toilette. Kein Mensch würde bemerken, wenn sie ... Aber sie winkte ab. Unmöglich. Streng verboten! Sie verlöre ihre Stellung. Ganz unmöglich hier Liebe im Hotel!
Kurt Steppke war ehrlich enttäuscht. Da wohnte man, wenn auch durch fünf oder sechs Stockwerke getrennt, unter einem Dach – und dann dieses Theater. Der Oberrat blickte mißmutig. Aber Rada verstand ihn nicht. Sie wußte ein Hotel, ein ganz bestimmtes, interessantes, wo sich Nachtleben abspielte, am Stadtrand, Attraktion – dobre, dobre! Beograd bei Nacht! Sie schmeichelte. Auch die Freundin gehe dort hin. Nix Kontroll. Nix Soldat. Rada schien ihren zögernden Verehrer nicht mehr zu begreifen. Sie blickte sehr enttäuscht.

Steppke dachte nach. Das mit der Freundin interessierte ihn nicht. Das war kein Argument und kein Anreiz. Aber die kleine Stramme, Hübsche und offenbar auch Anständige – die hatte es ihm angetan, und der Gedanke, sich dieses Geschenk der Natur entgehen zu lassen, war fast peinigend. Die Sache mit dem Nachtleben interessierte ihn kaum. Er würde ein bißchen tanzen, als Introduktion quasi. Na ja, man würde dann sehen, ob es sich wirklich lohnte, noch etwas aufzubleiben. Morgen war Sonntag. Warum eigentlich nicht? Steppke goß sich ein. Er goß ihr ein, zeigte auf seine an sich sehr gute und gut geschneiderte Uniform und sagte:
»Ich zivil! Dobre?«
Na und ob! Dieses Samtpfötchen! Er dachte: Sei kein Spielverderber. Belgrad ist Belgrad. Wer weiß, was uns der Krieg noch bringt ... und laut sagte er: »Ich gehe mit!«
Es gab noch eine kurze Verständigung über die Art des Aufbruchs. Sie würde in zehn Minuten gehen und draußen vor der Hoteltür auf ihn warten. Das Hotel sollte nicht sehen, daß sie mit ihm ... Resumies?
Ja, das verstand er. Vielleicht war es gut so ...
Er beglich den Rest der Rechnung und ging auf sein Zimmer. Da stand ein schönes Bett. Ruhig war es hier, nach hinten hinaus. Mucksmäuschenstill. Er stieß auf. Es hallte. Muß ich? dachte er. Er legte den Uniformrock ab, die Hosen und stieg ins Zivil.
Dieser Umstand! dachte er. Er spürte plötzlich eine gewisse Reisemüdigkeit, Unlust, Unentschlossenheit. Diese Weine hier haben es in sich, und den schlechten Champagner hätte er überhaupt nicht trinken sollen ... Das Hemd wollte er eigentlich anbehalten. Aber es paßte überhaupt nicht zum Anzug und zur Krawatte. Er mußte auch das Hemd wechseln.
Als das getan war, setzte er sich vor diesen komischen Frisierspiegel, der darauf schließen ließ – ein Blick auf die Liegestatt –, daß dies auch als Doppelzimmer durchgehen

konnte. Soll wohl französisch sein, dachte er und bedauerte wieder, daß die Kleine nicht den Schneid aufbrachte, sich durchzumogeln. Es war doch so einfach. Er hatte keinen Menschen getroffen auf dem Weg hierher. Ob die Kleine ihn nicht doch an der Nase herumführte und die Pflichtbewußte spielte, um ihn um so sicherer hereinzulegen?
Oberrat Steppke legte die Krawatte ein und bekam sich dabei voll zu Gesicht. Er kreuzte die Krawatte, aber er knotete sie nicht. Kurt, du bist auf dem Wege, eine Dummheit zu begehen. Laß das Mädchen warten und sausen. Wenn sie wirklich will, dann weiß sie deine Zimmernummer und kommt.
Das schien ihm eine treffliche Idee. Eine Feuerprobe sozusagen. Dann würde sich wirklich zeigen ...
Aber da fiel ihm ein: wenn sie hinausgegangen war, mußte sie an der Rezeption vorbei – und wieder zurückgehen. Und das mußte wohl Verdacht wecken. Es war auch – im Grunde – etwas unfein und gegen Steppkes Natur, wortbrüchig zu werden. Er geriet ins Grübeln.
Die beiden Steppkes begannen miteinander zu ringen. Der eine sagte unverblümt:
Du bist ein alter Esel! Was kann dich schon erwarten? Leg dich ins Bett!
Steppke sah auf die Uhr. Die zeigte dreiundzwanzig Uhr. Also noch eine menschliche Zeit ... Du kneifst, Steppke!
Steppke II meinte dazu sachlich:
Man könnte auch sagen: ich lasse mich nicht hereinlegen. Es kommt auf den Standpunkt an.
Steppke I dagegen:
Das müßte einem anderen geboten werden: Nachtleben in einer balkanischen Metropole, in einem besonderen Hotel mit so einem Mädchen; hier waren die Türken lange ...
Steppke II darauf:
Also einen Türken bauen? Den wilden Mann spielen und dabei auf die Nase fallen? Sag, was du willst: Ich bin dabei, eine Dummheit zu begehen.

Er ging auf die Toilette, ließ Wasser und fühlte sich verjüngt danach. Seine Krawatte hing noch immer ungebunden vor seiner Brust mit den zwei mannhaft ringenden Seelen. Er setzte sich wieder und band sie. Ich gehe, dachte er entschlossen. Ich bin doch kein Armleuchter, der sich vor ein bißchen Abenteuer fürchtet. Kurt! Man zählt auf dich! Wer weiß, was es zu sehen gibt!

An der Tür verhielt er noch einmal und machte die Augen zu. Er stellte sich die Rada vor, wie er sie in Erinnerung hatte, diesen festen, wollüstigen Griff ihrer Hand, die Kirschaugen, das stramme, muskulöse, ausgearbeitete Fleisch der Arme, die beiden unverschämt kecken und strapazierfähigen Paradiesäpfel, die er so warm und drängend an seiner Schulter gespürt hatte. Wieso Äpfel ... fragte er sich. Dummer Schwatz! Immer diese Schiller-Poesie. Wonneklöße! Melonen! Und dann ...

Oberrat Steppke fühlte, wie das Thermometer stieg, um so höher stieg, je tiefer gelegenen Regionen sich seine Vorstellungskraft zuwandte. Und das gab den Ausschlag. Er hatte den Oberrat abgelegt. Jetzt meldete sich der Mann zu Wort. –

Draußen warteten die beiden Damen, bescheiden, geduldig – wie Kinder des Volkes auf einen Oberrat warten.

Eigentlich störte es Steppke, daß es zwei waren. Er hatte die zweite weder bestellt noch geladen. Aber vielleicht wollte sie das Taxi sparen. Oder sie waren wirklich Freundinnen ... – das gibt es ja, gerade unter den Töchtern des einfachen Volkes, daß zwei oder drei wie Pech und Schwefel zusammenhalten. Sie kommen wie die Lurche aus dem Sumpf und haben sich einander Treue geschworen, Brüderschaft, Schwesternschaft, teilen das Butterbrot, das Taschengeld, das Bett, und wenn's denn sein mußte, vielleicht sogar den Mann. Weil Steppke so gar nichts an der mageren Seelenvollen finden konnte, hielt er sie für besonders bemitleidenswert und freundschaftswürdig. Er dachte voller Verachtung an den Futterneid, die Eifersucht der wohlhaben-

den Freundinnen, ihren Falsch, ihr verlogenes, scheinheiliges Getue. Diese hier machten nicht viele Worte. Aber sie standen füreinander ein.
Als das Taxi anhielt, griff Steppke in einer Anwandlung von herzlicher Höflichkeit den Arm der mageren Seelenvollen. Es war eine karitative Kavaliersgeste, und Steppke erntete einen dankbaren Händedruck.
Es sind arme Luder ... dachte er, sich vor sich selbst entschuldigend, und setzte sich zu dem Fahrer, der von Rada seine Weisungen erhielt. Daß er so rasch erfaßte, worum und wohin es ging, deutete wohl darauf, daß das Ziel außer Zweifel stand. Und auch der Umstand, daß man dem sogenannten Weichbild Belgrads entwich, ließ vielleicht auf Besonderes schließen. Jedenfalls war Steppke zu Erwartungen gewillt. Er hatte die Münze des Siegers und noch einen sicherlich nicht geringen Betrag an Dinaren in der Brusttasche. Es machte ihn nicht stutzig, sondern eher neugierig, daß man am Stadtrand schließlich vor einem größeren (quasi) Landhaus anhielt, das ziemlich verschlossen, verschwiegen und verdunkelt dalag.
Daß die beiden Damen vorausgingen, hatte durchaus seine Ordnung. Aber als Steppke, ihnen nachfolgend, in ein schwach erleuchtetes, gänzlich unromantisches Hotelfoyer eintrat, das sich – im Verhältnis zu den Versprechungen und Erwartungen, die eine belebte Lasterhöhle vermuten ließen – wie eine ländliche Pension ausnahm, verlor er für einige Augenblicke völlig die Orientierung. Er machte instinktiv auf dem Absatz kehrt – und sah gerade noch das Taxi abfahren.
Er kehrte, zögernd und ratlos, wieder um und sah sich von einem breitschultrigen Hünen um seinen Paß gebeten.
Paß?! Natürlich hatte er einen Paß. Aber wo denn? Hier – es war nur das Soldbuch. Hatte er sich vergriffen? Wurscht! Des Oberrats Paß ist sein Soldbuch. Hier! Er zeigte es. Das bin ich: Oberrat Kurt Steppke, geboren ...
Der Hüne betrachtete das Dokument, seinen Inhaber, das

Foto, verglich, lächelte, sagte in tiefem Baß »Dobre, dobre« und – legte es zuoberst in ein Schubfach seines Tisches. »Dobre!« sagte er noch einmal und fragte dann etwas in der Landessprache. Aber das betraf schon die beiden Damen.
Steppke dachte: Ein Hotel ist das schon, und Ordnung scheint hier auch zu herrschen. Aber wo ist das Nachtleben? Wo könnte es sich abspielen? Still ist es. Verschwiegen fast ... nun ja, wie gewisse Dinge sich im Verschwiegenen abspielen mögen. Gewisse Dinge. Aber doch nicht Tanz und Gesang und ... und so weiter.
Es war tatsächlich still wie in einem Beerdigungsinstitut. Oder einer bürgerlichen Pension eben, in der die Gäste auf äußerste Ruhe halten.
Er hörte nur mit halbem Ohr die Unterhaltung, die Rada mit dem Hünen führte. Aber soviel verstand er schon, daß sie wieder Champanskoje bestellte.
Ich trinke nichts mehr! schwor er sich. Aber daß er hier etwas zahlen mußte – was auch immer – daran zweifelte er nicht. Er studierte den Wisch, der ihm übergeben wurde, entzifferte den Champagnerposten, der etwas unter dem des »Fruska Gora« lag, fühlte sich am Ärmel gezupft, sah auf und in das fragende Gesicht der Rada, prüfte die Gesamtsumme, die auf geradezu frappierende Weise mit seinem landeseigenen Barbestand übereinstimmte, beziehungsweise so darunter lag, daß der Rest als honoriges Trinkgeld gelten mußte ...
Und zahlte, was da zu zahlen war.
Er vernahm das tiefe, zufriedene »Chvala« das wie aus einer Puppe, die man auf den Bauch drückt, aus dem sich verbeugenden Portier heraustönte, und folgte automatisch den beiden Landestöchtern.
Beim Hinaufsteigen in den ersten Stock gedachte er noch einmal flüchtig des Soldbuches und der Radaschen Versicherung: Nix Kontroll! und folgte weiter seinen Führerinnen über einen langen und schwach beleuchteten Gang, an dessen Ende sich eine Tür öffnete beziehungsweise geöffnet

wurde, an der verheißungsvoll lächelnd Rada stand, die seinen Arm nahm, ihn hereinzog und leise schloß.

Es waren vielleicht Bruchteile einer Sekunde, in denen sich Steppke seinem nun schon leicht verblaßten Wunschtraum nahe wähnte. Aber noch ehe sich das letzte Zehntel zur vollen Sekunde rundete, nahm er die Freundin wahr und fragte sich erbittert, wo sie denn auch hätte versinken, verduften, verwesen können auf dem Wege hierher, in dieses reichlich schmale, popelige Zimmer mit einem Nachttischchen, das – durch ein Läuferchen verlängert – zwei Betten voneinander trennte, die weder nach »Nachtleben« aussahen, noch für drei Menschen gedacht sein konnten.

»Unglaublich«, entfuhr es Steppke – es war wie der Anfang einer ungeheueren Explosion, einer hemmungslosen Kadenz. Aber im gleichen Augenblick klopfte es an die Tür und der Hüne trat ein, mit einer Serviette über dem Arm, einen Kübel tragend, der den bestellten Sekt enthielt. Nichts sonst – außer dem Wasser. Keinen einzigen Eiswürfel. Steppke brauchte nicht nachzusehen. Er wußte es.

Der Hüne servierte, entkorkte, goß ein – Steppke mußte sich auf das zweite Bett setzen, damit alles geschehen konnte – und zog sich diskret zurück. Und weil Steppke saß, nahm er das ihm nächste Glas, klingelte mit Rada und ihrer Freundin, die ihn nichts anging, erwiderte ihr albernes Lachen mit einem noch alberneren und warf in einem Ausbruch urplötzlicher Wut und Verlegenheit sein Glas gegen die Wand.

»Scheiße«, wollte er schreien. Aber es blieb bei einem leisen, besänftigenden, beruhigenden, gutmütigen »Schschsch . . .« mit dem man sonst Babys einzusummen pflegt.

Keine Frage, daß er sich schämte – bei aller Berechtigung seines Ausbruchs: Steppke entsann sich solcher Ausbrüche nicht – das hatte es noch nie gegeben. Aber ebenso sicher war, daß seine Affekthandlung steilste Bewunderung bei Rada und deren Freundin wachgerufen hatte. Wer – außer russischen Großfürsten – hat Sektgläser gegen die Wand

geworfen? Steppke begriff weder, was er getan hatte, noch
wie ihm geschah. Er fühlte sich umarmt, abgeküßt, von Gelächter und Gekicher bekränzt. Er hörte sich beim Namen
gerufen, mußte (was er nicht wollte) Sekt trinken aus Rada
Glas, aus Mares Glas ...

Wer war Mare? Ach so, die Freundin hieß so. »Was will die
hier?« fragte er plötzlich hart und böse. Er wies auf die
zwei Betten und die drei anwesenden Personen. Es ging
wie bei einem Abzählvers zu.

Ich und du
Müllers Kuh
Müllers Esel ...

»Das bin ich ...«, sagte er elegisch zu sich selbst, entledigte
sich des Jacketts, ließ sich zurücksinken und schloß erschöpft
und ratlos die Augen.

Kurt, sprach er in der lautlosen Sprache der Gewissens
würmer zu sich, Kurt, da hast du einen schrecklichen Tür
ken gebaut! Lägst du nur in deinem Hotelbett! Allein ..
Er hätte es schreien mögen ... Mäuschen? Ratten! – In der
Falle. Nachtleben? Lächerlich! Scheintot fühlte er sich. Le
bensmüde. Gänzlich fehl am Platz.

Sind die Socken sauber ... dachte er, als sie ihm die Schuhe
auszogen. Er richtete sich mühsam auf. Aber sie stießen ihn
wieder sanft zurück. Es war, als ob sie ihn seines Willens
beraubten. Er fragte sich im Erdämmern des Bewußtseins
wie ein Mädchen – Rada! – so dumm sein konnte, sich um
das Beste, Ehrlichste zu betrügen, das er gegeben hätte
wenn nicht diese blasse, magere Freundin ... Er begriff
nichts, verstand nicht, wie dies möglich gewesen war, daß
er hier, in diesem kümmerlichen Zweibett-Zimmer, wie ein
gehörnter Trottel um seine Beute betrogen werden sollte
Wofür hielt man ihn? Welches Mißverständnis! Waren die
so dumm? Oder gar so abgefeimt?!

Sinnlos, sinnlos ... dachte Steppke. Es ist alles sinnlos
Schlafen will ich. Keinen Sekt mehr trinken. Ach, und diese
elende schmale Pritsche. Ich muß mich ausziehen. Licht
aus!

Er riß an einer Schnur und hatte den Rest in der Hand. Aber es war dunkel. Und die Hose – das wäre doch gelacht – zog er sich selber aus. Das Hemd ... Er fühlte, daß die Seelenvolle sich zurückzog auf das andere Bett. Es wäre ja auch noch schöner ...

Er streckte sich, fühlte plötzlich seinen Körper wieder, der liegend sicher ansehnlicher wirkte als stehend, ganz abgesehen davon, daß er Rada noch um etliche Zentimeter überragte. Aber plötzlich stieß er sich an der Wand am Ellenbogen – es war eng, wie in einer Jugendherberge ...

Seiner fünfundfünfzig Jahre eingedenk mußte er plötzlich lachen: Jugendherberge! Er fühlte die dralle Rada, wie sich ihr muskulöser Leib herankuschelte, der durchgearbeitete Körper eines Zimmermädchens, und eine entfernte Ahnung seiner verklungenen, geschändeten Begehrlichkeit streifte ihn. Nie hatte er – wieso auch – in seinem Leben, wenn er sonst mit einer Frau zu schlafen begehrte, sich mit Zweien zu Bett begeben.

Vielleicht war er ein Banause und Simpel und wußte zu wenig von den versteckten Freuden dieses Daseins. Aber wieso mußte er jetzt noch lernen, wonach zu wissen nie sein Sinn stand?!

Er nahm sich vor, diese zweite Person, diese absolut überflüssige, nach besten Kräften zu vergessen, zu verdrängen. Es mußte doch seinen Sinn haben, daß er in dieses alberne Vorstadt-Hotel – in Zivil! – »umgezogen« war, um die Freuden des Lebens noch einmal zu genießen. Er wollte ja leben lassen. Aber diese blasse, rachitische, körperarme Muse sollte sich unsichtbar, unhörbar, unfühlbar machen – sie war im Wege! Fühlte sie das denn nicht?! Steppke war schrecklich müde, auch verstimmt, auch abgelenkt. Aber er wußte doch noch, was ihn vor zwei Stunden so erwärmt hatte, und begriff, daß dieses Kind, Wesen, Mädchen des Volkes jetzt neben ihm lag, abwartend, warm zur Liebe gewillt ... Er wußte, daß man nicht sah, wie er seinen Arm um diese festen, prallen Hüften legte. Wie alt mochte sie sein ... Vierundzwanzig, vielleicht fünfundzwanzig. Vielleicht auch weniger. Er war sicher, daß er sie lieben könnte, längst geliebt hätte, noch lieben würde, wenn diese Seelenziege, die er – Atem anhalten! – ganz deutlich im Dunkeln wahrnahm, die neugierig war, lüstern, eine Schnorrerin, nicht wäre! Ach wie konnte diese Rada ... Das war doch eine ungeheuere Geschmacksverirrung!

Steppke fühlte sich verraten, verkauft, gänzlich mißverstanden. Und indem er diese Mängel beklagte, wurde er Opfer der eigenen Mängel: sein Zweifel und seine Kritik schlugen sich nieder, schlugen nieder. Er war eigentlich nicht böse, sondern dankbar, als plötzlich das Licht anging und die Seelenziege teilnehmend die Lage abschätzte.

»Nein!« sagte er nachdrücklich. »Nein!« Und drehte sich auf die Seite und blieb dort auch, als das Licht wieder erlosch. Und ob es nun der getrunkene Champagner bewirkt oder die beider- oder dreiseitige Enttäuschung – die Betten schienen plötzlich zum Schlafen bestimmt. Es ist grotesk, es ist grotesk, dachte Steppke im Eindämmern. Aber was soll's ... Ich zahle zwei Betten und habe nur ein halbes. Er hätte gern verzichtet jetzt, obwohl er die nachbarliche Wärme nicht ungern empfand. Auch die Weiber sind müde. Schlaf, Kurt. Schlafen, schlafen, sagt Hamlet. Kommt Schlaf, kommt Rat! Wer weiß. Man kann sich das aufheben. Ach–ch–ch–ch–ch–

Er wußte nicht, wie lange er geschlafen hatte. Er wurde wach, weil er etwas sein Geschlecht Erregendes geträumt hatte, und begriff, daß Traum und Wirklichkeit sich hier durchdrangen: die kleine, feste, dabei ungemein zärtliche und sanfte Hand, die ihn streichelte, gehörte der lebendigen Rada, die ganz schlafwarm neben ihm lag, ein kleiner Backofen, eine aufgeladene Batterie, ein pralles junges heißes Tier, das das Mannstier neben sich spürte und es wissen wollte ... Sie ging ganz behutsam zu Werke. Es war, als wüßte sie gar nicht, was sie tat; als täte sie's im Traum. Zwei Träume, zwei Wirklichkeiten – es war schön, zum

ersten Mal in diesem verflucht engen Bett, das auch noch ächzte, wenn man sich umwandte. Aber jetzt wandte er sich leise, ganz leise zu, und es ächzte nicht. Er tat auch, als bewege er sich nichtsahnend im Schlaf. Vielleicht sollte er sogar etwas schnarchen dabei, eine kleine andere Monotonie vortäuschen? Unruhig träumen? Das gab es doch, daß gerade die Stille verdächtig machte und aufweckte ...
Er wagte es nicht zu glauben, aber er wollte es glauben – trotz allem, was an Widersinn und Idiotie sich in den letzten – wieviel? – na, vielleicht drei oder vier Stunden abgespielt hatte, seit sie das angeblich zu nichts verpflichtende gemeinsame Taxi bestiegen hatten.
Er lauschte.
Er glaubte, ruhige Atemzüge zu vernehmen, und lauschte lieber nach innen, wo sein Blut anfing zu singen, leise im Auf und Ab; Wiegen schaukeln wohl so. Und da hatte er auch seinerseits, was ihn entzückte, die Rosenknospen ... wie ein warmes Stück Quarz fühlte sich das an, eine Brombeere. Und was eine Fingerkuppe so alles sagen kann! Alles war warm und rund und fest, auch der atmende Mund, der sich jetzt seinem zuwandte. Aber der Strom, der da von einem zum anderen überging, der floß über die Kuppen. Natürlich nicht nur diese da, die sie ins Spiel brachten – da waren ja längst andere Kuppen angeschlossen. Aber hier schloß sich doch der Stromkreis. Hier floß seine Zärtlichkeit in die ihre zurück.
Kurt Steppke begann wieder an sich zu glauben. Wenn sie jetzt allein wären, in dem französischen Bett der »Fruska Gora« – nicht auszudenken! Er würde Licht anmachen, um sie zu sehen: diese nackte serbische Demeter. Die platzte aus den Nähten vor Gesundheit und Fleischeslust. Daß ihm das noch einmal über den Weg lief! Sie könnte seine Tochter sein (oder wenigstens sein Dienstmädchen)!
Aber da war eben kein Gedanke an Licht machen. An seinem Bett war ohnehin die Schnur gerissen, und er wollte froh sein, wenn sich nichts rührte. Wenigstens nicht vor-

zeitig! Hernach sollte es Wurscht sein. Das wichtigste war, daß das Dringlichste geschah, das nicht mehr Aufschiebbare, und daß es ohne allzu ...

Aber sie enthob ihn der Entscheidung; sie war ja auch behender. Ein bißchen zu leichtsinnig und unbekümmert freilich. Sie mußte doch wissen ...

Steppke schloß sofort die Augen, als das Licht anging, als könnte er es damit löschen oder das Dunkel zurückholen. Das Dunkel und den Strom. Den Strom! Den er entweichen fühlte, der ihn verließ. »Scheiße«, sagte er nun doch, zischend und giftig, öffnete die Augen und wendete den Kopf nach der Seite, von der der Sabotageakt kam.

Und da saß sie, die Seelenziege, auf dem Bettrand, zum Mitspielen bereit, und lockte mit diesen unglaublich dummen, sich selbst überschätzenden Augen, für die es einfach keine Entschuldigung gab, bot sich an, lächelte wie eine, die ihre Stunde nun endlich gekommen glaubt, vorfreudig, verheißend – nein, es war nicht zu fassen ...

Steppke, auf den Status eines Neutrums zurückgeschleudert, sah über sich die halb verwirrte, halb noch hoffende Rada, die auch lächelte, aber ganz unsicher, verlegen, wie um Nachsicht bittend – mit diesen lammfellfarbenen Kokosnüssen, die ganze Sippen stillen konnten, und – wieder zum nachbarlichen Bett ... und nahm erst jetzt die schlaffe, kümmerliche Hungerbüste wahr, die da mitspielen wollte, ein rachitisches Rotzgör neben der Mutter der Gracchen, Serben, Slowenen, Kroaten, der ganzen balkanischen Völkerfamilie.

Er stutzte plötzlich. Sollte dies, dieser Kontrast, für manche, die sich für Feinschmecker halten, ein attraktives Für und Wider oder Nun und Wieder sein? Heiß und kalt, drall und mager? Nein, mit diesen Feinschmeckern ging er nicht durch dick und dünn. Das war gegen seine Natur (er fühlte es), seinen Geschmack. Das ging über sein Vermögen.

Ah – ihm ging ein Licht auf: War das das Laster, das er vermißte!? Er versuchte in das Gesicht von Rada zu sehen, die wohl witterte (wenn sie es nicht gefühlt hätte), daß der Parforce-Ritt abgeblasen war. Sie stieg auch schon aus dem Sattel, ein wenig traurig und mißmutig – sie flüsterte irgendeinen Fluch, der wohl auch an die Adresse von Mare gerichtet war.

»Licht aus!« forderte Steppke und wies auf die Schnur über Mares Bett. »Licht aus!« wiederholte er lauter, als sein Befehl nicht sofort ausgeführt wurde. Und dann ließ er es widerstandslos geschehen, daß Rada über ihn hinwegrobbte. Irgendwo, ganz da unten im Unterbewußtsein fühlte er ein Stück von Wehmut, als die Brombeeren an seiner Stirn entlangstreiften. Dann tappten ihre Füße kurz auf, sie kroch zu der verhinderten Partnerin ins Bett, wortlos. Erst vermeinte er, ein unterdrücktes Schluchzen zu vernehmen. Er wünschte es sich wohl. Aber er täuschte sich. Es blieb ganz still. Mit einem Anflug von Rachegefühl reckelte und streckte sich Steppke in dem Bett, das ihm nun ganz gehörte. Jetzt hatte er Raum. Jetzt wollte er schlafen. Jetzt *konnte* er schlafen. Was hätte er sonst tun können ...

Als er wieder erwachte, war heller, aber noch früher Morgen. Die Mädchen schliefen. Er sah die Bühne seiner verhinderten Leidenschaften – es fröstelte ihn. Das war ihm noch nicht passiert. Und das würde ihm nicht wieder geschehen: daß er gegen seinen Instinkt abenteuerlich zu leben versuchte. Er begriff noch immer nicht, wie es zu dieser seltsamen Dreiung gekommen war, die die ersehnte Paarung zunichte gemacht hatte. Irgendwo hatte er nicht aufgepaßt, war er zu zögernd, zu gutmütig, zu dumm gewesen.

Aber lohnte es jetzt noch, Gedanken an Gewesenes zu verschwenden? Es gab nur eine Losung jetzt: Raus hier!

Steppke erhob sich, erstaunlich geräuschlos, und glitt in seine Kleider. So schnell hatte er sich lange nicht angekleidet. Und so leise nicht. Nur als er in den zweiten Schuh stieg und in den Stand ging, knarrten die Dielen, und aus den Kissen reckte sich ein Gesicht. Radas Gesicht.

Sie blinzelte. Dann richtete sie sich plötzlich auf und streckte die Arme nach Steppke aus.
»Nein«, bat sie. »Nein ...«
Aber Steppke, mit der Linken eine Andeutung von Kußhand versuchend, hatte mit der Rechten schon die Türklinke gefaßt, drückte sie nieder und war draußen.
Den Gang entlang! Das wußte er noch. Dann die runde Treppe. Am Tisch vorbei! Da war die Tür. Verschlossen? Aber nur verriegelt! Er drückte nach links, der Riegel wich. Er war draußen im Freien.
Morgenluft. Vogelstimmen. Sonntag. Der Tag des Herrn. Wie entsühnt man sich? Obwohl da gar nichts zu entsühnen war. Er würde ein Bad im Hotel nehmen. Eine Schlaftablette. Sein Zimmer war ruhig. Das mußte vergessen werden. Das war überhaupt nicht gewesen!
»Esel!« sagte er leise. »Du alter Esel ...«
Er ging die Straße entlang, eine typische Vorstadtstraße. Am Ende mündete sie auf eine größere, senkrecht auflaufende. Kleingärten. Ein paar Holzhäuschen. Aber die Stadtrichtung war unverkennbar. Und da sah er auch schon die ersten Menschen: einen älteren Mann, eine jüngere Frau. Sie standen am Straßenrand und warteten. Als er näher kam, sah er, worauf. Dies war eine Bus-Haltestelle.
Er nickte grüßend, stellte sich dazu. Der ältere Mann, beinahe ein Herr, sagte etwas. Aber Steppke konnte nicht antworten. Sollte er sein Geheimnis lüften? Er tat es. So freundlich und bescheiden wie eben möglich, sagte er entschuldigend:
»Nemečki.«
Der Mann (von jetzt ab Herr) zog die Luft ein und lächelte. Aber nicht ironisch oder gar abträglich. Er sagte langsam, mit fremdem Akzent, aber fast fehlerfrei:
»Ich habbe lange nicht deutsch gesprochen.«
Ach, Steppke war fast gerührt. Er fühlte sich wie der verlorene und heimgekehrte Sohn. Die gute alte Donaumonarchie, dachte er dankbar. Man soll nicht spotten. Es hat noch immer Folgen.

Er sollte recht behalten; denn als der Bus kam und der Schaffner Steppke ein Billett reichte, stellte dieser fest, daß er nicht bezahlen konnte. Reichsmark hatte er genug, aber keine einzige Münze in Dinaren.
Der alte Herr half aus. Sicher hatte er nur eine schmale Pension. Steppke bat, ihm die Haltestelle der »Fruska Gora« zu sagen, und wenn es dem Gospodin nichts ausmachte oder er zufällig ... Steppke wollte seine kleine Schuld begleichen. Aber der nette alte Herr winkte ab. Er fahre etwas weiter als »Fruska Gora«. Keine Sorge. Und wegen der paar Münzen.
Die Armen sind reich ... sagte Steppke zu sich und entsann sich der gesalzenen Champagnerpreise. Die Rechnung von gestern abend ... Er hatte sie noch irgendwo stecken. Aber es hatte keinen Sinn mehr, darüber Betrachtungen anzustellen. Er würde nie mehr dorthin zurückkehren. Nie mehr.
Aber kaum hatte er dieses zweite »nie mehr« gedacht, da durchfuhr es ihn wie ein starker elektrischer Schlag.
Sein Soldbuch!
Er hatte den Ort seiner fehlgegangenen Ausschweifung verlassen, ohne dessen Namen zu wissen, und vergessen, sein Soldbuch wieder an sich zu nehmen. Zu übereilt war er geflohen. Jetzt *mußte* er zurückkehren.
Ein Soldat ohne Soldbuch ist wie ein Mensch ohne Kopf, ein Gewehr ohne Munition. Mehr – oder noch weniger! Der Oberrat Steppke war in diesem Augenblick – kriminell. Nur wußte es noch niemand. Er hatte seinen Dienst- und Existenzausweis leichtfertig aus der Hand gegeben, verspielt, verwirkt.
Welch ein Segen, daß es die Donaumonarchie gegeben hatte ...
Steppkes Stimme bekam etwas Mitleiderregendes, Unausweichliches, als er dem erstaunten alten Herrn klarzumachen versuchte, daß er zurückkehren müsse an die Ausgangsstelle ihrer Begegnung, das heißt an die Haltestelle.

Etwas Schreckliches sei passiert. Er habe seinen Paß liegen gelasssen.
Aber wo?
Ja. Das fiel nun einigermaßen schwer zu erläutern. Wenn er, Steppke, an die Haltestelle zurückkehren würde, werde er das Hotel finden, wo er – genächtigt habe. Er *müsse* es finden. Er bat inständig darum, daß der alte Herr ihn ins Hotel »Fruska Gora« begleite, wo er Geld umwechseln werde, um dann mit ihm in einem Taxi an die Haltestelle zu fahren oder wenigstens dem Fahrer – Steppke sah des alten Herren nachdenkliche Miene – eines Taxis, seines Taxis, die bestimmte Haltestelle zu nennen, damit er fände, was unentbehrlich sei für seinen Aufenthalt in Beograd, seine Rückkehr nach Deutschland, ja für sein Fortleben überhaupt.
Steppke hatte das todsichere Gefühl, daß diese radikale Selbstentäußerung sein Ansehen in den Augen des alten Herrn bedenklich herabgemindert habe. Aber das war ihm jetzt gleichgültig, mußte gleichgültig sein. Er hätte den Mann mit vorgehaltener Pistole in ein Taxi genötigt, wenn ... Aber solche Maßnahmen waren hier weder am Platze noch erforderlich.
»Es gibt Situationen – – –«, sagte der alte Serbe. »Ich war auch einmal Offizier.« Er lächelte, und Steppke lächelte zurück. Nicht nur, daß dieser Mann Verständnis zeigte. Er erkannte in einem fehlgegangenen, mißachteten, in akute Bedrängnis geratenen Oberrat noch den Offizier.
Sie gingen ins Hotel »Fruska Gora« und Steppke wechselte einen Hundertmarkschein.
»Wenn es genügt«, sagte der alte Herr freundlich, »werde ich einen guten Taxifahrer unterrichten. Ich wollte in einen bestimmten Gottesdienst. Noch käme ich zur rechten Zeit ...«
Offizier Steppke sah sich auf seine Ehre angesprochen. Er sagte: »Danke, danke. Es wird genügen. Ich schreibe mir die Haltestelle noch auf. Hier, bitte; vielleicht schreiben Sie es auf?«

Als Steppke dem Taxi am ersehnten und sofort wiedererkannten Ort entstieg – er wollte nun keine Zeugen mehr –, wußte er, daß nun eigentlich nichts mehr schiefgehen konnte. Dennoch zitterte er etwas, als er die »Lasterhöhle« auftauchen sah.
Aber es war alles ganz einfach. Die Tür war noch unverschlossen, kein Portier – es war kurz vor sieben Uhr – war zu sehen. Er sah den Tisch, der das ersehnte Dokument barg, hielt den Atem an, zog die Schublade auf, leise, vorsichtig – beinahe wie ein Dieb –, und sah zuoberst sein Soldbuch liegen.
Er nahm es, schob die Lade sacht wieder zu und verließ, das Soldbuch in der Hand, das schlafende Haus.
Er war lange nicht mit solchem Vergnügen in einen Omnibus gestiegen.

Der Treue

Sie nannten ihn, wie er hieß: Christian Barneck, zuweilen auch Krischan, weil er von sich selbst manchmal in der dritten Person sprach: Das könnt ihr mit dem Krischan nicht machen – oder: da kennt ihr euren Krischan aber schlecht. Aber wenn sie in Abwesenheit von ihm redeten, sprachen sie auch manchmal vom Josef oder vom keuschen Josef, denn darauf spielten sie an: daß er schon seit mehr als einem Jahr als Sonderführer Z (für landwirtschaftliche Fragen) nach Paris kommandiert war, ohne daß irgendeiner der Kameraden ihn auf Abwegen oder bei einem Fehltritt erwischt oder auch nur in der leisesten Gefahr fehlzutreten beobachtet hätte. Zwar hielten ihn seine dienstlichen Aufgaben oft drei, vier Tage von der französischen Hauptstadt fern. Aber da er dann immer in der Provinz, in kleinen Städten oder Dörfern zu tun hatte, um mit untergeordneten Dienststellen, mit bäuerlichen Genossenschaften oder auch Großagrariern zu konferieren, zu besichtigen, zu prüfen ... war kaum anzunehmen, daß er Gelegenheit gesucht oder gefunden hätte, in Portier, Le Mans, Rennes oder La Baule gerade das zu tun, was er in Paris beharrlich und, wie man ihm glauben durfte, aus Überzeugung mied.
»Krischan ist treu«, sagte er einmal, als in einem Dreiergespräch die Rede auf seine Enthaltsamkeit kam. »Das ist alles. Und er wäre es vielleicht nicht, wenn er nicht eine so entzückende junge Frau hätte. Was denkt ihr, weshalb ich so konstant meinen Burgunder trinke? Der schlägt nieder und macht wunderbar müde. Bin ich ein Spielverderber? Also ...«
Nein, ein Spielverderber war er wirklich nicht. Er machte alles mit, war ein guter Unterhalter, sprach vorzüglich

französisch, küßte, mit Auswahl, sogar galant Frauenhände. Und wenn er mit seinem Offiziersumhang, den er mit Vorliebe trug, mit leicht wiegendem Gang über die Boulevards schritt, hätte keine Französin unter diesem Mantel ein so musterhaftes Beispiel deutscher Treue vermutet.
Er hatte spät geheiratet, erst mit vierunddreißig, und obwohl er selbst aus wohlhabendem (und wie man gern sagt) gutem Hause kam, war seine Wahl auf ein ärmeres und namenloses Mädchen gefallen, die Tochter eines Eisenbahners aus dem Westfälischen, eines Lokomotivführers. Aber wenn Bilder etwas aussagen können, so mußte Paulinchen ein ausnehmend hübsches und herziges Mädchen sein, um das man Barneck schon beneiden durfte. Der glückliche Ehemann verschwieg nicht, daß es Widerstände in seinem Elternhaus gegeben hätte, als er die Absicht geäußert hatte, ein so »einfaches Mädchen« zu heiraten. Aber Paulinchen hatte durch ihr zauberhaftes Wesen und ihre ungekünstelte Anmut alle Widerstände besiegt. Christian war stolz auf seine Wahl, seine Frau, seine einsichtige Familie, die sich damit zugleich im Sinne der Zeit – entgegen gewissen Vorurteilen in Parteikreisen – als unerwartet »volksverbunden« erwiesen hatte. Zum Glück wohnten die elterlichen Familien so weit voneinander entfernt, daß so etwas wie gesellschaftlicher Verkehr ganz und gar entfiel. Der Lokomotivführer war auch keineswegs reisefreudig in den karg bemessenen Urlaubswochen, sondern mit Fleiß darauf bedacht, seinen kleinen Schrebergarten zu pflegen. Was sollte er auf den Ländereien der Barnecks herumstiefeln, wo ihn kein Kohlkopf, kein Stachelbeerstrauch etwas angingen. Er hatte nur zu gern die Hochzeit an die Familie des Bräutigams abgetreten, und als sich seine gute Martha vier Tage vor der Hochzeit beim Einkochen den Arm verbrühte, hatte er tröstend gesagt: »Das erspart uns den vornehmen Zirkus, Martha. Dafür reisen wir nächsten Sommer mit KdF nach Madeira. Das lohn ich dir!« Die Hauptsache war doch, daß die Jun-

gen zusammenkommen konnten. Und das war ja doch der Fall.
Jetzt saß Paulinchen in Westfalen, weil sie ohne ihren Christian lieber dort leben mochte. Die Zeit zum Einleben im Bremischen war zu kurz gewesen. Nach drei Monaten war schon der Krieg gekommen und nach vier Monaten mußte Christian schon nach der »polnischen Wirtschaft« sehen, um die man sich auch noch kümmern mußte – von Staats oder Reichs oder Gouvernements wegen.

Man war sich zwar so auch nicht entscheidend näher, weil es ja nur zweimal im Jahr Urlaub gab. Aber vielleicht war irgendwann wieder einmal eine Dienstreise nach Berlin fällig (eine hatte schon stattgefunden), und da lag als nächste Großstadt Solingen fast am Wege, Bremen fast aus der Welt. So hübsch es Paulinchen im eigenen Heim hatte – jetzt wo der Winter nahte, saß sie lieber nahe am verschneiten Wald als an der nebeligen Küste, zumal sie als einzige Tochter nirgends mehr Wärme und Liebe erfuhr als im Elternhaus.
»Krischan, saach ich manchmal zu mir, die ist fast noch ein Kind. Du könntest ja fast ihr Vater sein.«
Aber das war nun wirklich übertrieben. Die Kameraden nahmen Barneck jedenfalls in den Verdacht, daß er auch mit dreizehn Jahren kein sexueller Schwerenöter gewesen war. Und den Burgunder als Antierotikon hatte er auch erst in Frankreich entdeckt. Vielleicht war da gar nicht so schrecklich viel »niederzuschlagen«, und sein Paulinchen war wirklich in mancher Hinsicht »fast noch ein Kind.«

Wie dem auch sein mochte – an diesem Abend gab es weder Burgunder zu trinken, noch schien es opportun, den Väterlichen hervorzukehren: der knapp dreißigjährige Hauptmann Jäger, der aus Berlin gekommen war, um die Richtlinien für die künftige Agrarproduktion Frankreichs mit einigen Mitarbeitern und Dienststellen zu besprechen, hatte schon während des Essens zu verstehen gegeben, daß er von seinen »Bärenführern« einiges erwarte und gewillt sei, eine gehörige Prise Paris zu nehmen, ehe er seine Nase in französische Kuhställe zu stecken gedenke. Er gab der Hoffnung Ausdruck, daß die Herren Kameraden, bei aller notwendigen Pflichtauffassung, sich des besonderen Standortes würdig zeigten, gegen den Berlin – zumal jetzt in Kriegszeiten – doch ein Lausenest sei, und ließ erkennen, daß er sich »aus der Kriegskasse« entsprechend versorgt habe für diese längst fällige Dienstreise.

Es ergab sich, daß Barneck, der diese Dienstreise in einem weiteren Verlauf zu programmieren hatte, wegen einiger Telefonate den Tisch verlassen mußte, gerade als der beutelüsterne Jäger nach Vorschlägen für den weiteren Verlauf des Abends fragte. Ein listiger Hinweis auf die eventuelle Begrenzung dieses Programmes durch die Eigenart des keuschen Josef – hier in guter Berechnung als Spitznamen placiert – brachte Jäger auf die Idee, den weiteren Abend als eine konsequente »Versuchung des keuschen Josef« anzulegen.

»Deutsche Treue in allen Ehren«, meinte er sarkastisch, »aber in Paris so stur praktiziert – das läßt auf Verklemmung oder Webfehler schließen. Ich untersuche den Fall. Spielen Sie nur tüchtig mit! Vielleicht verschafft uns das noch zusätzlichen Spaß!«

Als Barneck bald darauf an den Tisch zurückkam und auf seine Meinung, auf eventuelle Vorschläge und Empfehlungen angesprochen wurde und mit dem Besuch eines harmlosen Cabarets, wo es eine ebenso gute klassische Chansonette zu hören wie eine wunderbare »Bouteille« schweren Burgunders zu trinken gebe und das auch ganz nahe am Hotel des Herrn Hauptmanns liege, den Abend zu beschließen vorschlug, sagte Jäger erstaunt:

»Habe ich mich so schlecht ausgedrückt, lieber Barneck, oder halten Sie mich für eine – sagen wir – solche Bouteille, daß Sie mich auf dem kürzesten Weg in mein Hotel ab-

schieben wollen? Haben Sie noch etwas Spezielleres vor, von dem Sie mich ausschließen möchten?! Da lernt man doch seine Schwerenöter kennen ...« Und alle anderen Kameraden fielen in das Gelächter ein, das er anstimmte.
Barneck hatte Mühe, seine Wertschätzung glaubhaft an den Mann zu bringen und den Irrtum aufzuklären. Er sei eben ein stiller Genießer und denke ...
»Genießer?« unterbrach Jäger stirnrunzelnd. »Was genießen Sie außer Ihrer Bouteille Burgunder denn besonders Genießenswertes? Oder hat das Genießen damit sein Bewenden? Ich beginne zu zweifeln, ob Sie hier auf dem richtigen Kriegsschauplatz eingesetzt sind. Hoffentlich setzen sie mich hier nicht auf ausgesprochene Fasten-Ration! Das würde meines Vaters Sohn ganz und gar nicht entzücken.«
Ach, Krischan, was hast du dir da eingebrockt ... redete sich Barneck insgeheim an. Laut aber versicherte er dem Vorgesetzten äußerste Einsatzbereitschaft. Er wäre der letzte, der den Spielverderber spielen wollte. Er bitte die Kameraden um Vorschläge.
Die ließen nicht auf sich warten. Um aber Barneck scheinbar den Vortritt zu lassen, wurde beschlossen, einleitend die klassische Chansonette aufzusuchen und ihr – so Jäger – auf den Singzahn zu fühlen. Die »Nächte des hl. Georg« blieben diesmal freilich im Keller – Barneck mußte dem Champagner zusprechen, den Hauptmann Jäger spendierte.
»Die Einleitung war gut«, lobte dieser. »Jetzt gehen wir etwas kehlabwärts. Wo sieht man hübsche Busen?«
Man zog ins »Tabarin«, wo gerade der zweite Teil des Programms anlief. Eine göttlich gewachsene üppige Blondine drehte sich auf einem künstlichen Lipizzaner (Levade!) unter dem lautlosen Bombardement ständig wechselnder farbiger Lichtpegel, Rosen und Kußhände werfend. Das Arrangement war von so verschwenderischem Raffinement, daß Jäger zugestand: »Das schaffen wir nicht. Da sind sie uns überlegen. Das ist grandioser Kitsch. Aber

mehr grandios als Kitsch. Barneck, Sie sind doch ein Genießer.«

Der machte darauf aufmerksam, daß er an dieser ihm zugute gehaltenen Exhibition unschuldig sei, freute sich aber dennoch der Sympathie, die ihm aus dieser Anerkennung entgegenzuschlagen schien.

Ganz unerwartet gab es dann noch eine klassische Sensation von fast historischem Rang, die selbst für spätere Zeiten den Teilnehmern dieses Nachtausflugs noch als erinnernswertes Ereignis gelten sollte: in einem Apachentanz trat die (unter Brüdern) siebzigjährige Mistinguette auf, die wohlgeformten Beine bis zum Hüftansatz zeigend, seidenbestrumpft zwar, aber doch in ungeschmälertem Profil, was die Form betraf. Sie wurde von einem herkulischen Apachen mit Geschick und Anstand durch die Luft gewirbelt, verbogen, auf den Kopf gestellt – es war schon erstaunlich, was sie noch alles mit sich machen ließ. (Daß einige Monate später die Amerikaner dieser Künstlerin, als sie die Staaten aufsuchte, empfahlen, sich mit dem Stande und den Obliegenheiten einer Großmutter abzufinden, sprach nicht unbedingt für Gentilezza, bestätigte aber den Liebhaber-Wert des Auftritts.) Weil von unserer Kameradenrunde nahezu teutonischer Applaus erscholl, wurde dieser Tisch von der Künstlerin unter die wenigen eingereiht, die sie kurz aufsuchte, um Handküsse zu kassieren. Den elegantesten verabreichte »Krischan«; er wurde von Jäger bemerkt und hervorgehoben.

Dann gab es Artistik – was Jäger für ein plumpes Ablenkungsmanöver erklärte. Er zitierte:

»Der Worte sind genug gewechselt.
Laßt mich auch endlich Taten seh'n.«

»Was empfehlen Sie, Barneck? Gibt es hier nicht ein bekanntes gehobenes Haus, in dem der dicke englische Edward seinen bestimmten Stuhl hatte, der ihm eigens für seine

Paris-Ausflüge gezimmert wurde? Einen königlichen Stuhl – sozusagen.« »Rue de Chabannais?« fragte einer der Herren Kameraden scheinheilig. »Das wäre ganz in der Nähe unseres Hotels, ganz dicht am Square Louvois. Bibliothèque Nationale. Gleich um die Ecke herum ...«
»Waas? In einer so feinen Gegend wohnen meine Mitarbeiter – zwischen Königsstuhl und Nationalbibliothek? Die Bibliothek wird schon geschlossen sein. Aber den Stuhl Edwards möchte ich doch noch sehen. Meine Herren Kameraden! Wir brechen auf. Stichwort ›Seelöwe‹.«
Das Haus hatte einen ruhigen Tag, und englische Könige waren in diesen Jahren ohnedies vergebens ersehnte Gäste in der Rue de Chabannais. Als die sechs Herren unten eintraten, schrillte die Alarmklingel in äußerster Lautstärke und rief die Grazien zum Appell.
Madame, die Obristin, empfing im ersten Stock und bat die Herren um ein wenig Geduld, ehe sie den Zugang für den kleinen Spiegelsaal freigab. Die Kameraden traten nacheinander ein, zuvörderst Hauptmann Jäger, und sahen sich neun oder zehn Damen gegenüber, von denen die meisten – offenbar diejenigen, die über eine optisch attraktive Büste verfügten – ihr ganz zu Unrecht als sekundär bezeichnetes Geschlechtsmerkmal freitrugen, während einige sie verhüllt hatten, wobei sie aus der Schwäche eine Tugend oder eine geheimnisvolle Attraktion machten. Das Bild wurde dadurch farbiger, abwechslungsreicher, vielfältiger. »A la bonne heure«, sagte Jäger anerkennend und klappte ironisch erheitert die Hacken zusammen. »Meine Herren, sie haben eine charmante Nachbarschaft. Kennt man sich vielleicht hier und da?« Er überspielte die gewisse Peinlichkeit nicht ungeschickt und bat Madame, Getränke für alle zu servieren, die frei wären.
Damit löste sich die etwas betretene Situation in eine beflügelte auf: die bisher als Schauobjekte dastehenden, mehr oder weniger verheißend oder geheimnisvoll blikkenden Damen waren allesamt eingeladen, und die spe-

zifische Wahl war aufgehoben und dem näheren Kontakt anvertraut.
Es kam Bewegung in die Nymphen-Riege. Die Schönen eilten, Getränke herbeizuschaffen, Türen zu öffnen, Tische zu stellen, Musik zu machen. »Es gefällt mir hier«, sagte Jäger vertraulich zu Barneck. »Das war eine gute Idee von Ihnen. Sie sprechen das beste Französisch. Sorgen Sie dafür, daß es seriös bleibt. Wir trinken und tanzen! Dafür kommt die Kriegskasse auf. Private Wünsche werden privat erfüllt und beglichen. Funktionäre wie Sie und ich sind ausgenommen. Ich zähle auf Ihren Takt.«
Heilige Einfalt! dachte Barneck. Wofür hält er mich? Ausgerechnet ich soll den Maître de plaisir spielen? Paulinchen, steh mir bei ...
Es ist nicht schwer, eine gemischte Gesellschaft in Schwung zu bringen, wenn die Amateure gewillt und die Professionals gedrillt sind. Jäger erwischte eine glänzende Tänzerin und scherbelte mit ihr einen Paso doble, daß die Wände wackelten. Bei aller schnoddrig-auftrumpfenden Art war er nicht ohne Charme, und die Mädchen oder Damen entgalten ihm dies.
Es war Montag, flauer Tag ohnehin, und die Mutter der immer wieder herrenlosen Töchter fragte an, ob man das Etablissement nicht schließen, d. h. in eine geschlossene Gesellschaft verwandeln solle. Zufällige Einzelgänger könnten jetzt nur stören. Für eine kleine »Kaution« ...
»Genehmigt«, sagte Jäger. »Off limits. Wer will, kann die Reitstiefel ausziehen. Dann stören wir auch die National-Bibliothek nicht.« Er walkte seine Langschäfter von den Waden und erbat sich einen Tango.
Es muß vielleicht gesagt werden, daß die anfänglich so offenherzigen Damen sich nach der Parade etwas zugeknöpfter zeigten. Aber nun, da die Herren legerer wurden und ohnedies »geschlossene Gesellschaft« ausgerufen war, lockerten sich auch die Damengewänder wieder, gymnastische Heiterkeit und Freiheit griff um sich, und man soll

nicht glauben, daß französische Freudenhäuslerinnen Trauerklöße sind. Dieser Monsieur Chasseur war ein patenter Boche, und seit langem war kein Montag so anregend und lustig verlaufen. Die Damen vergaßen ihren beruflichen Habitus, wurden persönlich und individuell, gewannen an Profil und Anziehungskraft – es war eine Lust, den Sieger für sich zu gewinnen, dem Überlegenen zu unterliegen, den Triumphator in einen Schmeichler zu verwandeln. Die Töchter des Landes – ob aus Marseille, Nantes, Perpignan, Reims – listeten den Herren uneingeschränkte Huldigung ab.

Man wird den Beruf der Freudenhäuslerin nicht überschätzen dürfen (auch wenn sich die Einkünfte summieren). Aber an diesem Abend war es ein Vergnügen in der Rue de Chabannais Dienst zu tun. Zum Teufel mit fetten, ausbleibenden englischen Stuhlgängern. Der Kaplan im Bett ist mehr wert als der Papst auf dem Katheder. Madame höchstselbst erschien mit der Guitarre aus der Jugendzeit und sang für messieurs les officiers »le temps des cerises« und wurde dafür gebührend und einhellig gefeiert.

Inzwischen hatten sich Sympathien entdecken, Passionen vermuten lassen. Ein Freudenhaus ist keine psychiatrische Anstalt sondern eher ein Gymnasterion, geschlossene Gesellschaft heißt nicht vernachlässigte Kontakte, und alkoholisch beschwingte junge Männer bedürfen keiner Stimulantien, wenn das andere Geschlecht sich in solcher Auswahl und Bereitwilligkeit verfügbar hält.

Auch Barneck schien an dem heiteren Treiben zunehmend Gefallen zu finden. Monsieur Chasseur trank ihm wohlwollend zu, und am Ende ergab sich auch in diesem Fall eine leicht amouröse Annäherung: wenn unter neun für die Liebe engagierten Geschöpfen sich kein einziges gefunden hätte, das den Nerv eines zwar tugendsamen aber gesunden Mittdreißigers ansprach, hätte man wohl zu Recht auf nicht nur einen keuschen, sondern auch abartigen Josef schließen dürfen.

Den einzigen Mangel, den Barneck wirklich erkennen ließ: er tanzte nicht. Aber diesmal nicht aus Überzeugung, sondern aus echtem Unvermögen. Dies sei auch ein Mangel, den sein gutes Paulinchen beklage und den er selbst bedaure. Aber offenbar empfinde er nicht rhythmisch genug.
Jäger weigerte sich, ihm das abzunehmen, Walzer sei nicht jedermanns Sache. »Aber den Zweitakt beherrscht jedes Zweibein. Dienstlicher Auftrag: ein Foxtrott für den Sonderführer Barneck!«
Aber es stellte sich heraus, daß hier außer Gelächter nichts zu ernten war. Wohl auch ohne die Reitstiefel nicht, die Barneck anbehalten hatte. Die zwei Französinnen, die es mit ihm probierten, baten Monsieur Chasseur um Schonung.
Der schüttelte den Kopf. »Da muß ein Webfehler vorliegen«, meinte er sarkastisch. »Wie würden Sie erst nach Burgunder tanzen, wenn Ihnen der Champagner nicht auf die Beine hilft. Na ja. Hauptsache, daß sonst alles bei Ihnen in Ordnung ist. Man müßte sich sonst ernste Sorgen machen.«
Indessen bewegten sich die deutsch-französischen Paare nicht nur in der Vertikalen. Es herrschte lebhaftes Kommen und Gehen. Hauptmann Jäger brauchte keine Treiber anzusetzen: außer in einem Fall eben. Und den übernahmen – nach kurzer entsprechender Verständigung – die reichlich verfügbaren Damen.

»Trinken Sie wenigstens, wenn Sie schon nicht tanzen!« steckte Jäger die Pflichtbahn ab. Und Barneck sagte zu Barneck: Krischan, hier mußt du deinen Mann stehen. Der schickt dich sonst wieder nach Galizien oder sonstwohin auf die Dörfer ... Und Krischan Barneck hörte auf Christian Barneck. Und weil sich gleich drei Damen mit ihm beschäftigten, nahm er wenigstens die auf den Schoß, die ihn am meisten ansprach. Vorerst (so entschuldigte er dies vor sich selbst) als eine Art Abschirmung gegen die beiden

anderen. Aber dann animierte ihn der quirlige, unruhige Popo auf seinen Schenkeln und der anschmiegsame Busen vor seinem Kinn doch über die gesetzten Grenzen hinaus. Er sprach von »Teufelsweib« und »hexenhaftem Charme«, von einer »charmanten Teufelin« – Jäger fragte, ob er nicht unter die Exorzisten zu gehen beabsichtige. Da gebe es nur ein probates Mittel, den unheiligen Geist zu vertreiben. Das sei der Heilige Geist, der auch in anderen Fällen schon Mütter aus Jungfrauen gemacht habe. Ach, er führte ziemlich lästerliche Reden, der gute Jäger, und wenn sie hier nicht weiter auffielen, so nur, weil er sie vor Protestanten führte und weil niemand wußte, daß er ein Apostat war, der in einer an Seelenhirten reichen Verwandtschaft als verrücktes schwarzes Schaf galt. Aber er führte nicht nur Reden, – er verführte auch zur Sünde der Fleischeslust. Er hatte sich diesen merkwürdigen Josef vor- und aufs Korn genommen, und da war kein Zweifel, daß er ihn zur Strecke bringen würde.
Ob es nun der reichlich genossene Champagner schaffte oder ob das nun schon Stunden anhaltende schwüle erotische Klima die Widerstandskräfte des sexuellen Eskimos aus der niederdeutschen Tiefebene zermürbte, ob eine lange Fastenzeit hier plötzlich die Lust zur Völlerei explodieren ließ, ob der Wunsch, diesem Teufelskerl von Jäger zu gefallen und zu imponieren, die letzten Hemmungen beseitigte – es geschah, was niemand für möglich gehalten hätte: Christian Barneck, der stets treue, erhob sich nach einem anhaltenden und (wie er meinte) von niemandem wahrgenommenen Zungenkuß aus seinem Sessel und gab vor, die längst fällige Besichtigung des englischen Stuhls unter sach- und fachkundiger Führung seiner jüngsten französischen Eroberung Danielle Dupont – er sprach es so aus, daß es nach Adel klang – vornehmen zu wollen. Er zwinkerte sogar bedeutungsvoll bei dieser Erklärung, die er dem gerade abwesenden Herrn Hauptmann Jäger und zwei weiteren abwesenden Kameraden zu überbringen hatte.

Er setzte sich dann doch noch einmal, als ob er seinen Entschluß überdenken müßte, und goß sich den Rest der Flasche ins (nun) randvolle Glas und leerte dieses auf einen langen, heroischen Zug, mit dem er sich zweifellos den allerletzten Mut anzutrinken gedachte. Soweit er noch denken konnte. Wie ein leicht störrischer Muli am Halfter einer entschlossenen Bergführerin entschwand er mit seiner energiegeladenen Danielle in die nächsthöhere Etage. An der Tür drehte er sich, schwankend, noch einmal um, als gelte es, einen schicksalhaften Schritt zu tun, und sagte mit leichter Emphase zu den in offenherzigster Gesellschaft zurückbleibenden Kameraden:

»Que dieu vous garde ...«

Über die nächsten dreißig Minuten, innerhalb deren sich die Runde, die ja immerfort ausuferte oder auseckte, wieder leidlich schloß, sollen weder Vermutungen noch Erhebungen angestellt werden. Wiewohl jeder mit sich oder seinem Gegenüber oder Gegenunter aufs amüsanteste und unterhaltsamste beschäftigt war, hatte die Kunde vom gefallenen Josef rasch die Runde gemacht, und noch ehe Danielle aus ihrer Löwengrube zurückgekehrt war, hatte ihr Jäger schon den Namen Potiphar für alle – im Sinne des Führers, also für tausend Jahre – vorausberechenbaren Zeiten verliehen. Sie hatte ein Idol vom Sockel gestürzt – King Edwards Königssitz wog nichts oder wenig gegen diesen Fall oder Kniefall, den deutsche Männertugend vor dem französischen Laster getan hatte. Man trank eine weitere – die letzte – Flasche Champagner auf das Wohl des gefallenen Helden.
Aber kaum hatte man angestoßen, da erschien Danielle, flüchtig oder doch hastig bekleidet, und ließ eine Schimpfkanonade vom Stapel, die nur würdigen konnte, wer länger in Marseille die Kadenz von Huren- oder Schifferflüchen studiert haben sollte.
In vornehmes Hochdeutsch übertragen – in einer Mischung

aus Kiefersfelden und Recklinghausen – sagte sie etwa: »Diese Null! Dieser Schlappschwanz! Dieu vous garde, alle meine lieben Schwestern, vor solchem Nonsens an Mann. Was habe ich alles angestellt, um seine Standarte auf den Turm zu pflanzen. Keine Mühe habe ich gescheut, keinen Kniff unterdrückt, keinen Trick verkniffen. Kein Hafenarbeiter in Marseille muß für solchen Hungerlohn und solchen Undank derartige Entbehrungen auf sich nehmen, wie ich sie für diesen arroganten Schwätzer erduldet habe. Wie habt ihr diesen Krieg gewonnen?! Sagt mir das! Holt ihn ab – mit Flaschenzügen oder mit der Müllabfuhr. Ich betrete mein Zimmer nicht mehr, solange dieser Kadaver mein gutes Bett verunstaltet!«

Selbst Jäger schien einen Augenblick konsterniert und wehrlos gegen diese Art Marseillaise. Dann gestand er mit einigem Galgenhumor, daß dieser Fall zwar neu für ihn sei, daß er aber dennoch volles Verständnis für ihn aufbringe. »Wir erhalten von den Damen, was wir uns wünschen, meine Kameraden. Madame Dupont hat aber auch ihrerseits Anspruch darauf zu erhalten, was sie sich wünscht. Ich appeliere an unser soziales Gewissen. Ich schlage vor, daß jeder einen Schein spendet – als Buße für das, was unser Waffengefährte ihr leider an Leistung schuldig geblieben ist.« Er sammelte in die herbeigebetene Mütze, und Danielle steckte die Scheine in ihren noch vor Zorn bebenden Busen. »Holt ihn euch!« zischte sie und verschwand.

»Das haben wir nicht verdient«, sagte Jäger zu der offensichtlich überforderten Obristin. »Wir sind sechs, und fünf haben ihren Mann gestanden wie Charlemagne in der Schlacht von Poitiers. Madame Danielle wird sich von ihrer Enttäuschung erholen, denke ich. Auch in der französischen Artillerie gab es Blindgänger und Rohrkrepierer. Geben sie uns Patroklus heraus. Es war trotzdem ein schöner Abend. Scheiden wir in Frieden.«

Madame ging voraus – die Tür zu Danielles Zimmer stand weit auf; auf ihrem schönen Doppelbett lag ausgestreckt,

nicht unschön von Gestalt, Christian Barneck und schlief. Er war complètement nackt – bis auf den rechten Fuß, der mit einer großdeutschen Militärsocke bekleidet war, feldgrau, mit oben zwei weißen Streifen und am Hacken mit einem faustgroßen Loch, aus dem die Achilles- oder Patroklusferse hellhäutig hervorschimmerte.
»Er schläft«, sagte einer der Kameraden. Es klang wie eine medizinische Diagnose.
»Ja, tot ist er nicht«, meinte Jäger. »Und einen Krankenwagen können wir auch nicht für ihn in Anspruch nehmen. Ich bitte zwei der Kameraden, ihn zum Leben zu erwekken, anzukleiden und ins Hotel zu geleiten. Wir warten auf die Sendung unten, vor der Tür dieses besonderen Hauses.«
Zwei der Kameraden gingen ans Werk, nicht sanft, aber auch nicht sadistisch. In fünf Minuten stand Christian, keusch wie zuvor, wieder auf den Beinen, schwankend, aber um Haltung bemüht.
»Was war denn los?« fragte er immer wieder, erhielt aber keine Antwort von seinen Betreuern. Vorsichtig wurde er die etwas steile Treppe herabgeführt. Durch einen Türspalt sah die Obristin neugierig auf den deutschen Geleitzug.
Unten stand Jäger mit den beiden anderen Festteilnehmern. »Achtung!« rief Jäger. »Die Leiche des Patroklus! Ich bitte um Ehrenbezeigung für den keuschen Josef!«
»Das Teufelsweib hat mich völlig fertiggemacht, Herr Hauptmann«, stammelte Barneck. »Ich bitte, die Verspätung gütigst entschuldigen zu wollen.«
»Schaumschläger . . .« sagte Jäger verächtlich. »Gehen wir, meine Herren . . .«

Auf dem Abstellgleis

Friedhelm Fechter, ein Meter vierundachtzig groß, schlank, braunäugig, Abitur mit der Durchschnittsnote 2,9 (ohne daß dabei die vortrefflichen Noten für Betragen und Aufmerksamkeit berücksichtigt wären) und im militärischen Stand eines Oberschützen der Flak, widerfuhr das in seiner Einheit einzige Geschick, daß sein einundzwanzigster Geburtstag mit dem Ende des Westfeldzuges zusammenfiel – was nicht wenige seinesgleichen für das Ende des Krieges überhaupt ansehen wollten, ohne daß darum auf Kriegsmüdigkeit oder mangelnde Tapferkeit geschlossen werden dürfte. Nach zwei unversehrt überstandenen Feldzügen darf ein junger Soldat schon das Gefühl einer kleinen Neugeburt haben, wenn an seinem Geburtstag aller Kriegslärm plötzlich verstummt.

Freilich – es gab strapaziösere und gefährlichere Waffengattungen als die Luftabwehr, zumal im Anfang des Krieges, als der ordensgespickte Kapaun von Reichsmarschall noch den Überrumpelungseffekt ausspielen konnte. Und es macht auch einen Unterschied, ob man das berühmte Dünkirchen als flüchtender Hase oder – wie Fechter – als Treiber miterlebt; obwohl nicht verschwiegen werden darf, daß in diesem Fall die englischen Hasen ihr Panier höchst erfolgreich verteidigten und die sogenannte Strecke der Jäger magerer ausfiel als manche bei Diplomatenjagden. Aber alles in allem durfte Fechter schon zufrieden sein, das erste Kriegsjahr mit ungeminderter Gesundheit und ungeschmälertem Tatendurst überstanden zu haben. Seine Einheit hatte Stellung in einem Abschnitt bezogen, in dem sich die beiden Maas-Arme wieder einander näherten: unweit von Dordrecht lagerte sie nahe am Flußufer, wo morgens die Frauen frische Eier und die Fischer leckere Aale anboten und der Krieg wieder zu einer freundlichen Pfadfinderei zu degenerieren schien. Der Sommer war schön und heiß. Man konnte sich oft durch ein Flußbad erfrischen und sonntags bei Scheveningen oder s'Gravenzande in der Nordsee baden; und an lockenden städtischen Zielen war auch kein Mangel. In Rotterdam hatte die deutsche Wehrmacht zwar viel Porzellan zerschlagen, aber in Delft fand man schönes und heiles, nach Dordrecht war es nur ein Katzensprung, und Sonntagsurlaub gehörte zur Woche wie die Aufklärung zum Luftkrieg. Friedhelm Fechter, nach besonderen Wünschen gefragt, wäre sicher in Verlegenheit geraten oder ins Grübeln verfallen, um mit genauen Vorstellungen zu antworten: auf gar keinen Fall aber stand ihm der Sinn danach, aus dieser anheimelnden Flußniederung und romantischen Landsknechtsexistenz hinüberzuwechseln in die eines reichshauptstädtischen Paradesoldaten.

Als jedoch eines Morgens beim Antreten verkündet wurde, daß die Einheit zwei Leute für das Wachbataillon der Luftwaffe Berlin abzustellen habe und daß einer der Auserwählten Friedhelm Fechter heiße, nahm er auch diese Abstellung als freundliches Fatum an, zumal sie mit einem zweitägigen Heimaturlaub verbunden werden durfte. Die Auszeichnung, die seine Vorgesetzten in diesem Wechsel erkennen wollten, schätzte er dabei freilich geringer als den Wechsel an sich. In so jungen Jahren möchte uns ja jede neue Erfahrung als ein Gewinn gelten.

Es soll offenbleiben, welche Art Gewinn Fechter für sein damaliges und späteres Leben erzielt haben könnte dadurch, daß er nun in Berlin mehr als ein Jahr lang als friedlich-streitbares Mannequin die Blicke krittelnder Vorgesetzter, gaffender Bürger, staunender Backfische und amüsierter Kinder auf sich zog. Er war bis dahin ganz sicher ein ordentlicher, im wahrsten Sinn braver Soldat gewesen, ein guter Kamerad dazu, ein toleranter Badener.

Nun aber wurde er darauf gedrillt, ein schöner Soldat zu sein, eine Art Maßkonfektionskamerad, ein Partikel vom Badenweiler. Obwohl durch Berlin die Spree fließt, gab es kein Flußbaden mehr, und der Wannsee konnte es mit der Nordsee auch nicht aufnehmen. Frühstück gab es zwar auch in der Königin-Elisabeth-Kaserne in Charlottenburg; aber Holländerinnen mit Eiern oder Fischer mit frischen Aalen ließen sich nicht sehen. Der Ausgang war knapp bemessen, der Schliff dagegen reichlich. Selbst an Regentagen wurde exerziert und geübt: der Speicher der Kaserne hallte dann wieder von Unteroffiziersgebrüll. Und Knall und Fall und Schritt und Tritt und Drill und schrill und ruck und zuck und Griff und Schliff und links-zwei-drei und Beine hoch und noch und noch ... dreihundertsechsundfünfzig Tage und etliche dazu: Soldaat schöön – immer durch sieben ... macht sechsundsechzigmal zum Ehrenmal, sonntags am Café Kranzler vorbei, vom Brandenburger Tor – Unter den Linden (Unter *die* Linden) zur Wachablösung. Hoch das Bein! Auf und ab ...
Dreimal große Parade, zweimal der Reichsmarschall, einmal der Führer plus Kapaun. Männer! Meine Männer!! Große Worte dort, und hier: Männchen-machen ... Tagaus, tagein der gleiche Takt. Morgens schriller Pfiff. Nach dem Frühstück: Schliff. Schliff und Drill. Essen fassen, Mittagsruhe, Feuerwache, Kleiderball. Waffenpflege, Schuhe putzen, Griffe kloppen:

> Du bist bekloppt, mein Kind,
> du mußt nach Berlin,
> wo die Bekloppten sind,
> da gehörst du hin!

Nein, weder war Friedhelm Fechter so anspruchslosen Geistes, noch so teilnahmsloser Wesensart, daß ihm dieses Parade- und Scheindasein auf die Dauer gefallen oder genügt hätte. Gerade aber, als ihm das ewige klingende Spiel

zum heimlich-unheimlichen Ohrengraus geworden war und die Finger wieder am Gewehrkolben klamm zu werden drohten von Winterkälte, kurz vor Silvester 41/42, erreichte ihn der Versetzungsbefehl zu einer Luftlandeeinheit, die irgendwo zwischen Kaluga und Rschew operieren und im Anmarsch auf Moskau sein sollte. Nach dem genialen Überraschungsschlag gegen die Russen und den vernichtenden Kesselschlachten des Sommers und Herbstes bereitete sich jetzt das unumgängliche Ende des Rußlandfeldzuges und damit wohl das Ende dieses Krieges vor. Zum dritten Male erwies sich die vom Führer geschmiedete Waffe der deutschen Wehrmacht als siegreich und unüberwindlich. Es war also vielleicht die letzte Gelegenheit, nach so vielen Monaten eitler Schaustellung und Paradiererei mitzuschreiben an diesem Schlußkapitel ruhmreicher neuer deutscher Geschichte. Denn was Napoleon nicht gelungen war, Moskau und den Kreml zu erobern – dem Führer Adolf Hitler mußte es gelingen, und Friedhelm Fechter brannte darauf, seinen Teil dazu beizutragen. Mit verhältnismäßig leichtem Gepäck – die Luftwaffe galt mit Recht als der eleganteste, luftigste Wehrmachtsteil – bestieg er am Schlesischen Bahnhof einen der Frontzüge, die hungrige Täter an ihren Tatort bringen sollten.
Es wurde eine unbequeme Reise – ohne morgendlichen Pfiff und Schliff zwar, aber noch ehe die russische Grenze erreicht war, schien erwiesen, daß der Mantel zu leicht und die Decke zu dünn war für östliche Witterungsverhältnisse. Entgegenkommende Transporte – Lazarettzüge zumeist – ermutigten auch nicht eben, und die Mühe, die es bereitete, nach fast viertägiger Winterreise die Kampfeinheit ausfindig zu machen, zu der man kommandiert war, ließ manches für den Krieg auf russischer Erde befürchten. Der strategische Begriff vom Kessel, von den sommerlichen Heeresberichten fast zu einem Kinderspiel (Kreis, Kreis, Kessel ...) erniedrigt, tauchte nun als akute Gefahr für vorgeschobene deutsche Einheiten auf. Und was sich HKL nannte, er-

schien an Ort und Stelle als eine brüchige Kette von mehr oder minder dezimierten Kampfeinheiten, die sich eher improvisierend als zielbewußt mit einem schwer faßbaren, heimtückischen Gegner herumschlugen, der längst nicht geschlagen, sondern zu ebenso elastischem wie hartnäckigem Widerstand entschlossen schien.
Es war schon ein schmerzender Gegensatz, dem sich Fechter da ausgesetzt sah. Bei allem äffischen Aufputz, aller militärischen Gelecktheit und Perfektion, die einem abenteuerlustigen jungen Mann zuweilen auf die Nerven gehen – dieser Wechsel zu unumgänglichem, frostklammem Schmutz war ein Schock. Zu acht und zehn Mann drängten sie sich in ihren Schneestollen, vermummt bis an die Augenhöhlen, jeden Fetzen nutzend, um sich der barbarischen Kälte zu erwehren. Verpflegung kam unregelmäßig oder mußte in stoßtruppartigen Unternehmungen beigebracht werden. Und wenn der Mangel an Kleidung, Waffen oder Munition aus der Hinterlassenschaft der Gefallenen gedeckt werden konnte – am härtesten traf der Mangel an Brennbarem. Es fehlte an Holz für Feuerung und schon gar für das Begräbnis erster Klasse, das freilich nur einem gefallenen Kommandeur zustand: ein Sarg. Und so, wie das nackte Leben sich der Tradition widersetzte, welche Offiziere in Zeltbahnen betten hieß, so hintertrieb das Überlebenwollen auch die niederste der Bestattungsarten: die in der Wehrmachtsdecke. Ja, der feindliche Boden überhaupt sperrte sich, Erde für Gräber herauszugeben: steinhart gefroren wies er die rasch steinhart gefrorenen Toten ab. Nur der Schnee war barmherzig, ja verschwenderisch.
Als er endlich zu schmelzen begann, war Friedhelm Fechter wohl sieben Mal im Raum zwischen Rschew an der oberen Wolga und dem Unterlauf der Oka bei Kaluga in großer Eile hin und her geworfen worden, wobei nicht jedesmal auszumachen war, wann es sich um einen Angriff, wann um einen Rückzug handelte, und wahrscheinlich hatte er öfter den lauwarmen Hauch des Explosionsrauches von

Granaten als den eines wärmenden Ofens gespürt. Aber von einigen Prellungen abgesehen, ohne die es bei den hastigen Bewegungen auf der vereisten Erde nicht abging, war er unverletzt geblieben – im Äußeren wie im Inneren. Allerdings hatte er einsehen gelernt, daß eine so volkreiche Macht wie die Sowjetunion doch gewisse Reserven haben mußte und daß sie alles daransetzte, die drohende Niederlage aufzuschieben, wobei ihr ein ungewöhnlich strenger Winter Hehlerdienste geleistet hatte. Aber daß sich der Führer den Sieg nicht mehr stehlen lassen würde – daran zweifelte wohl keiner, der gesunden Menschenverstand besaß. Wenn erst der Frühling den Weg für eine neue Offensive freimachte, sollte der Iwan schon ins Laufen kommen . . .

Fürs erste machte der Frühling freilich, wie sich herausstellte, den Weg nicht frei, sondern verwandelte Front und Hinterland in einen Sumpf, der beinahe den Krieg lahmlegte. Und als eben die ewige Zimmerei von Knüppeldämmen, die beim nächsten Artillerie-Angriff wieder zerhackt wurden, ein Ende zu nehmen schien, da wurde die ganze Einheit von neuem verlegt. Aber diesmal handelte es sich nicht um eine Bewegung auf begrenztem Raum, sondern um eine im Rahmen größerer Umgruppierungen, wie sie allerhöchsten Schachzügen vorauszugehen pflegten: die ganze Truppe wurde zurückgezogen und in Waggons verladen, die erst südwestlich und dann südwärts rollten und – nach mancherlei Verzögerungen und Aufenthalten – eines Morgens auf einem großstädtischen Bahnhof stehen blieben: dem Bahnhof der Stadt Kursk.

Nach so viel Schnee und Schlamm war dieser Wechsel nur zu willkommen, auch wenn die Turnhalle der Schule, die als Unterkunft diente, nicht viel Bequemlichkeit und Raum bot. Man lag trocken, und nahebei stand sogar ein Badhaus zur Verfügung. Es gab Soldatenheime und Kinos, ein paar Restaurants, gepflasterte Straßen und einen großen offenen Bazar, der fast orientalisch anmutete. Die Stadt war kaum zerstört, die Bevölkerung noch freundlich gesonnen, und daß die Einheit zu größeren Teilen neu ausgerüstet und eingekleidet und auch personell ergänzt wurde, trug auch zur Stärkung des Lebensmutes bei. Nach langen Monaten spärlicher und eintönigster Verpflegung wieder an Tischen vor warmen Schüsseln sitzen zu können, zum Teil auch vor neuen Gerichten, wollte dem zwar anpassungsfähigen, aber im eigentlichen auf Sauberkeit, gute Kleidung und schmackhaftes Essen angelegten Friedhelm Fechter eine besondere Vergünstigung scheinen. Und weil sie im Schneestollen keine Gelegenheit gehabt hatten, Sold auszugeben, ließ er sich keine Gelegenheit entgehen, diese ihm unbekannte russische Küche nach bestem Vermögen zu studieren.

Natürlich: echter Kaviar, Wachteln, Rebhühner und Fasane standen nicht zur Wahl, und wo sie aufgetaucht wären – in Gefreitenmägen hätten sie zuletzt ihr Grab gefunden. Aber ein Kiewer Kotelettchen oder ein grusinisches Tabakhühnchen, ein Lammragout (mit Backpflaumen) oder ein Schaschlik lagen nicht ganz aus der Welt – man mußte sich nur ein wenig auskennen und so schöne Augen machen können, wie Friedhelm Fechter sie von Natur aus hatte. Aber auch für Kohlwickel oder Heringsgerichte oder die Hammelfleischwürfel, Plow geheißen, für Piroggen und Plinsen konnte er sich erwärmen, und er war nicht der einzige, der sich der lang entbehrten Gaumenfreuden hemmungslos zu versichern trachtete, und auch nicht der einzige, der die Folgen der fettreichen und schweren Küche zu tragen hatte. Denn wenn auch der Magen alles willig aufnahm, was ihm über den dankbaren Gaumen zugeführt wurde – der Darm zeigte sich zunehmend verstimmt und rebellierte. Der sogenannte Donnerbalken, der hinter einer Hecke des Schulhofs aufgestellt wurde, weil die ohnedies spärlichen Toiletten sich dem Andrang der gepeinigten Genießer nicht gewachsen zeigten, wurde zum Pranger, zur Schuldbank. Ein gutes Drittel der Einheit mußte ärztlich behandelt werden, und etliche, unter ihnen Fechter, erwiesen sich als anhaltend und schwer infiziert, um so mehr, als sie immer wieder gegen das Gebot der Enthaltsamkeit verstießen. Als eines Tages zum Aufbruch an die Front geblasen wurde und Fechter sich pflichtwilligst in die Reihe der Antretenden stellte, sah er sich vom Hauptfeldwebel am Kragen vor die Front gezogen neben einen zweiten Kameraden und mit der lapidaren Auskunft beschieden: »Sie bleiben hier. Sie sind krank!« Und da Widerspruch, selbst um heldischer Ideale willen, beim Kommiß unerwünscht, ja strafbar ist, schwieg er betroffen, ohne im entferntesten zu ahnen, wie sich sein soldatischer Gehorsam noch auszahlen sollte.

Zunächst freilich fühlte er, der mit Josef Schmitz »zu späterer Verwendung abgestellt« war, sich freilich eher abgehängt, abgelehnt, ausgesetzt, verloren, verraten und verkauft als in militärischer Reservestellung. Aber sein rheinischer Kamerad versäumte nichts, um ihn von diesem Mißverständnis zu befreien. Auf jeden Fall übernahm er die aufgetragene Absolvierung des Dienstweges, an dessen Ende eine mit zwei Betten möblierte Bude stand und der Befehl, sich alle drei Tage auf der Sanitätsstube zu melden: »Zwecks Behandlung und Entgegennahme weiterer Anordnungen und Befehle.«

Es wäre nicht abwegig, hier ein Sonderkapitel einzufügen, das sich mit der Eigenart, um nicht zu sagen Fragwürdigkeit militärischer Entscheidungen beschäftigte. Weder Fechter noch Josef Schmitz waren zwar nach medizinischen Maßstäben einsatzfähig, aber wenigstens der erste strebte danach, es zu sein oder zu werden. Weil für solche Krankheit jedoch kein Bett im Lazarett verfügbar war, glaubte er, den kranken Darm am ehesten in der Frontkameradschaft, also städtischen Versuchungen entzogen, kurieren zu können. Weil er aber zu erkennen gab, daß er anders wollte, als die Diagnose des Militärarztes anriet, mußte er unterworfen werden. Und wenn seinem Kameraden Schmitz die gleiche »Psychologie« zuteil wurde, so offenbar aus gleichen Impulsen, wenn auch irregeführten. Denn dieser Schmitz war nämlich eine Schwejk-Natur – nur hatten es seine Vorgesetzten noch nicht entdeckt, da er zu den »Neuen« zählte, mit denen die Verluste der Winterkämpfe aufgefüllt worden waren. Aber auch Friedhelm Fechter sollte einige Zeit brauchen, bis er die seelische Anatomie des verordneten Schicksalsgefährten erkundet hatte. Was er jedoch bald begriff, war der Umstand, daß man, wiewohl militärisch »krank geschrieben«, sich plötzlich ungeahnter, fast ziviler Freiheit erfreuen konnte. In der Lebensgemeinschaft mit Josef Schmitz fiel es ihm allerdings denkbar leicht, Geschmack an dieser außergewöhnlichen Rekonvaleszenz zu finden und die Chancen zu nutzen, die ihm das Schicksal gab oder ließ. Konnte es zum Beispiel schaden, daß man sich in Rußland ein paar russische Vokabeln und Wendungen aneignete? Neue Verhältnisse erfordern neue Lebensart. Friedhelm Fechter war wegen allzu reger Darmtätigkeit zum Nichtstun abgestellt. Aber nichts verpflichtete ihn zu verblöden. –

Die Stadt Kursk ist eine hochgebaute Stadt, kein Jerusalem zwar, aber Fechter wollte sie an Laon erinnern, nicht zuletzt der krönenden Kathedrale wegen, die der berühmte Rastrelli erbaut hat. Auch einen Staatszirkus und eine Staatsbank besaß sie – es ließ sich leben in ihr, und das Wetter war gut und der Sanitätsgefreite eine Seele von Mensch. Er betreute die leichten Fälle eigenhändig, und wenn der Zufall oder der vielbeschäftigte Oberarzt es wollten, führte er auch die wöchentliche Untersuchung durch. Als Fechter nach den ersten drei Wochen sich verwundert über den langsamen Heilprozeß und darüber äußerte, daß seine Einheit keine Eile bekundete, sich seiner »Feuerkraft« zu versichern, sagte der Sanitäter in herzerfrischendem Schwäbisch zu ihm:

»Woischt, Männle, ois muscht in diesem Muschterländle no lerne: warte kenne! Warte uff d' Poscht, uff Beferderung, uff de Sold, uff dein Urlaub. Wer treibt di denn so? Hier

hoißts Nerve behalte. Dein Ei'satz wirscht no abwarte kenne. Aa uff der Sieg werde' mer vielleicht no ebbes warte müsse. Hascht koi guets Quartier vielleicht?!«
Aber da fehlte es am allerletzten. Nein, wehrte Friedhelm Fechter fast ekstatisch ab: So ein Kriegsquartier hatte er noch nicht gehabt, nicht in den besten Tagen des Frankreichfeldzugs!
Er mußte sich freilich hernach durch Josef Schmitz unnachsichtig zur Ordnung rufen lassen wegen so fahrlässig provozierender Rede. Ob er vielleicht lebensmüde sei? Oder ein Bein, einen Arm zu viel hätte? Ob er denn, als ein Halbstudierter, nicht begriffe, aus welcher Ecke der Wind pfeife? Ob er Russisch lerne, um nicht mehr Deutsch zu verstehen, zum Beispiel, wenn einer köllschen oder schwäbischen Dialekt spreche?!
Oh, Friedhelm Fechter hatte seinen Kameraden lange nicht so erzürnt und rabiat gesehen, und weil der sechs Jahre älter war, steckte er die belehrenden Fragezeichen widerspruchslos ein und ließ sich versichern, daß er »wat den Endsiech betrifft« auf gar keinen Fall zu spät kommen würde. »Dat Warten, dat lernt sich, leve Jong!«
Und wirklich: was versäumte Friedhelm Fechter denn auch? Sein Weg war von unbekannter Instanz schon vorgezeichnet, und keine Schreibstube und keine Sanitätsstube würden ihn ernstlich oder wenigstens zum Schaden des inzwischen nahezu Dreiundzwanzigjährigen beeinflussen können. –
Vorerst wurden aus den drei Wochen sechs, ohne daß man medizinische Indikationen dafür hätte verantwortlich machen können. Der Darm verhielt sich nicht patriotischer als zuvor, bestenfalls gleichgültiger. Aber um die beiden abgesetzten Kameraden hatten sich im Laufe der Zeit so viele andere »Versprengte« in Schreib- oder Sanitätsstuben oder bei der Feldgendarmerie eingefunden, daß der Fall nach Organisation verlangte: am ersten Tag der siebenten Woche – nach Schmitzscher beziehungsweise Fechterscher Zeitrechnung – verließ ein Güterwagen, der mit einem Offizier und

49 Versprengten sinnvoll ausgelastet war, den Kursker Bahnhof in Richtung auf das Asowsche Meer. Es war der letzte Wagen eines Zuges, als dessen Zielpunkt Taganroog angegeben war.

Das war nun Friedhelm Fechters dritte Reise auf der in Sowjetrußland üblichen Spurbreite, und sie sollte, wie die beiden zuvor, an die Front führen, die auch dadurch nicht harmloseren Charakter haben würde, daß sie im Süden kämpfte. Aber einmal war Fechter doch ein beispielhafter Sohn des germanischen Nordens, so daß ihm die Pulse höher schlugen, als das Wort »Süden« fiel. Und zum anderen sollte sich an den Terminus »letzter Wagen« eine solche Fülle von unvermuteten Erfahrungen hängen, daß sich aus ihm die Fundamente einer neuen Weltanschauung hätten erstellen lassen.

Die Strecke, die es zurückzulegen galt, war nicht viel länger als die von Freiburg nach Bremen oder Hamburg. Wollte man bei deutschen Dimensionen bleiben, so könnte man sagen, daß das Häuflein der 50 Versprengten relativ rasch in Baden-Baden und Karlsruhe war, und daß auch Heidelberg ohne beklagenswerte Verzögerung erreicht wurde. Man war zwar nicht ganz so rasch in Charkow, wie man – vergleichsweise – in Frankfurt gewesen wäre. Aber wenn man dann ähnlich reibungslos bis Bonn gekommen wäre – es wären alle zufrieden gewesen. Daß sie es nicht sein konnten, lag eben daran, daß sie im letzten Wagen hockten. Denn der kommt nicht, wie man's als Binsenweisheit gelten ließe, immer als letzter an, sondern wird bei allen Manövern als erster abgehängt. Und weil Krieg war, also ohne Fahrplan und improvisiert gefahren wurde und das Häuflein der Versprengten keine strategisch belangvolle Einheit darstellte, ging es ihm wie dem Schulkind in der Schlange, dem häßlichen Entlein beim Ball: man verschob sie nach Lust und Laune, hängte sie zweimal ab und nur einmal wieder an, und je näher sie – trotz allem – der Front kamen, desto stockender und langwieriger gestaltete

sich die Reise. Als sie, vergleichsweise, endlich in Münster anlangten, waren sie wohl zwanzigmal abgehängt, abgestellt, umrangiert, hatten hier zwölf, da zwanzig Stunden, hier einen, dort zwei Tage herumgestanden, dieser Zug hatte sie mitgenommen, ein anderer sie eher weiter vom Ziel als näher heran gebracht ... aber stets mußten sie doch in der Nähe des Waggons bleiben – für den Fall, daß ein Zug passierte, der ihren Waggon mitnähme zur Südfront, Gestellungsort Taganroog am Asowschen Meer.
Vielleicht hätten sie einen energischeren, schneidigeren Vorgesetzten gebraucht als den, den sie hatten: einen freundlichen pfälzischen Reserve-Oberleutnant, der im Zivildasein mit Pflanzen, Blumen und Samen handelte, der Lorbeer nur für ein Suppengewürz halten mochte und dessen sympathische Befehlsform lautete: »Kinner, dees machemer so!« Aber da sich die Entscheidungen meist auf Essenfassen, Wasserlassen und ähnliches beschränkten und Gefechtshandlungen entfielen, waren sie dankbar für diesen umgänglichen und toleranten Anführer – die Mehrzahl der Versprengten waren auch altgediente Landser.
Sie waren drei Wochen unterwegs und wohl 150 Kilometer vor dem Ziel, als sich beim Rangieren auf einer kleinen, am Wald gelegenen Station ein Koppelungsschaden bemerkbar machte, zu dessen Reparatur der Wagen auf ein Abstellgleis geschoben wurde, das hinter einem Schuppen auslief. Der Rangierschub fiel etwas heftig aus, so daß der Wagen bis auf den Prellbock auflief, wo er, in allen Fugen krachend, stehenblieb.
Auch wenn sich ironisierend sagen ließe, daß Friedhelm Fechter sich schon seit mindestens zweieinhalb Monaten auf einer Art »Abstellgleis« befunden habe, so war dieses hier keine gewählte Metapher, sondern eine verordnete und höchst unerfreuliche Realität. Hatte sich schon der letzte Wagen als arges Fatum entdeckt – wie mußte sich nun erst der Terminus »Abstellgleis« auswirken. Aber – es sollte sich herausstellen, daß diesem Verhängnis absoluter Unbeweg-

lichkeit die Chance zu äußerster Beweglichkeit, ja geradezu regelrechter Ausschweifung innewohnte. Das Leben ist voller Widersprüche und Überraschungen.
Nach fast drei Wochen Güterwagen-Dasein, ohne feste Standorte und immer abrufbereit, hatten unsere Versprengten sich ein menschliches Anrecht auf Auslauf und Bewegung erworben, und Oberleutnant »Kinner« (wie er inzwischen wohlwollend-ulkend genannt wurde) wäre nicht der gewesen, der er war, wenn er nun nicht eine geradezu demokratische Lagebesprechung abgehalten hätte, in der er sich als wahrhaft charismatischer Führer entpuppte. Er entsprach nämlich der Situation, die sonst unbedingt seelisch-nervliche Stockungen und Verkrampfungen herausgefordert hätte, durch die militärisch definierbare Therapie oder Übung des sogenannten Ausschwärmens.
»Kinner«, sagte er etwa, »wo jetzt der militärische Apparat festgefahre iss, misse mir als Menscher mobil bleiwe! Ich verlaß mich uff eich, wie ihr eich uff mich verlasse kennt. Mir zähle ob, un von oins bis noinefärzch kricht jedder zweite for 24 Stunne Urlaub uff Ehrewort. Wenn die olle zerick sinn, gett Schicht zwo uff de Pärsch. Guckt eich um in alle Himmelsrichtunge. Mir hawwe Koscht und Loschie for minnestens acht, noin Tog. Wer Mittel finne tut, uns flott ze mache, där kricht ne Prämie von zwohunnert Zigarette und zwoi Flasche Schnaps. Erfahrungsaustausch iss Ehresache. Fahneflucht steht nich zer Disskussjon. Drei Woche hawter wie de Viecher läwe misse. Nun simmer Menscher! Anträte un abzähle!«
Friedhelm Fechter war bei der ersten Schicht, die, je sechs, in die verschiedenen Himmelsrichtungen ausschwärmte.
Das Land war leicht hügelig bis eben, Wald wechselte mit bebauten Feldern, die zum Teil abgeerntet, zum Teil in, zum Teil vor der Ernte standen. Es ging auf den Abend zu, der sich ja lange hinauszögerte um diese Jahreszeit. Die Nächte waren kurz, die Sonne – so schien es wenigstens immer noch – kam schon um vier Uhr morgens von der Reise

zurück. Zur Not konnte man sogar im Freien kampieren. Ein Güterwagen ist ja auch kein Hotel.
Erst gingen sie zusammen. Nach einer halben Stunde, als der Weg sich gabelte, gingen drei südlicher, die drei andern schritten in westlicher Richtung weiter. Und auf diesem westlichen Weg ging auch Fechter, und nachdem sie ein kurzes Stück hügelan marschiert waren, öffnete sich der Blick, und man sah zur Rechten ein kleines Dorf liegen und zur Linken, etwa einen Kilometer davon entfernt, noch eine Siedlung, eine sehr geschlossen anmutende, beinahe einer Wagenburg ohne Räder ähnlich oder auch einem weltlichen Kloster. Hier war einfache ländliche Welt mit verschiedenen Häuschen, sogar einer kleinen Kirche, dort roch es von weitem nach Zweckdienlichkeit, Ordnung, Organisation, Apparatur.
So jedenfalls wollte es Fechter scheinen, und Polina Jerzewna, die er fünf Minuten später, nachdem die beiden Kameraden sich für eine Besichtigung des merkwürdigen Baus entschlossen hatten, mit ihrem »Plattfuß« am Wegrand sitzen sah, bestätigte seine Vermutung. Er war auf dem Weg zum Dorf, wo es zwar – wegen des Kriegs – auch nur wenige und nur ältere Männer gab; aber das andere da war eine Frauen-Kolchose. Da wohnten vielleicht dreißig Frauen, anscheinend wie in einer Klostergemeinschaft, die in der Landwirtschaft arbeiteten.
Das erfuhr er natürlich nicht im normalen Satzbau, sondern durch einzelne Vokabeln, die er in Kursk gelernt hatte, durch Gesten und Gebärden, durch eigene Schlüsse; denn obwohl er Polina, die durch seine paar Brocken Russisch ermutigt, flott daherredete, aufmunternd zunickte, verstand er doch nur wenig. Aber sie hatte eine so leicht rauchige, aber angenehme Stimme, und er hörte so aufmunternd zu, wie sie so schön mit ihm redete, der ja eigentlich ein Feind war, aber so gute Augen hatte, braune übrigens, mit denen er sie so freundlich-unfeindlich ansah, daß sie sogar recht gern Auskunft gab, zumal sie so höflich er-

beten wurde, und außerdem redete sie wohl sowieso gern, und ein Wort gibt bekanntlich das andere, und schließlich war sie ja auch in akuter Verlegenheit mit ihrem »Plattfuß«, den er sich lächelnd besah wie das ganze alte Vehikel da, mit dem sie nun noch den mindestens 30 Kilo schweren Sack transportieren wollte ... wohin? Bis zu dem kleinen Haus da!

Da?

Da, da!

Da, da ...

Er besah sich den Schaden, stellte seine Knarre an den Baum, an dem auch das Fahrrad lehnte. Na ja. Für einen alten Radfahrer eine ganz normale und einfache Sache, wenn man Flickzeug hat. Aber was sie da in dieser komischen Satteltasche hatte, war nicht geeignet, Plattfüße zu kurieren. Aber einmal war das meiste wohl schon geschafft, und eilig hatte sie es wohl auch nicht. Die schätzungsweise vierhundert Meter – – – würde *er* den Sack einfach tragen. Das machte er unmißverständlich deutlich, und das verstand sie auch, obwohl sie es kaum glauben wollte. Da er aber nicht oder zu wenig Russisch verstand, hatte es gar keinen Sinn, mit »Aber nein doch!« oder »Um Gottes willen ...« oder »Nicht doch ...« zu kommen. Nur hatte er ein Problem, das ihn noch überlegen ließ: wie das mit dem Gewehr zu machen sei. Man braucht eine Schulter und zwei Hände, wenn man einen solchen Sack so weit tragen will.

Er sah sie an. Nein. Die hatte nichts mit Partisanen zu tun, und in dieser Ecke gab es die wohl auch gar nicht. Er machte ihr klar: wenn *er* den Sack trägt, muß sie das Gewehr nehmen.

So? Sie machte eine schulternde Bewegung.

Da. Am besten so: er sicherte, gab ihr die Knarre über die Schulter, und er schulterte den Sack. Er mußte dabei an das Wachbataillon denken: Wenn die ihn hier sähen – und die Bäuerin mit seiner Knarre! Er hatte Spaß an der Situation. Wurde es wieder wie an der Maas?

Nein, es wurde nicht wie an der Maas. Auch die Memel hätte den Vergleich nicht ausgehalten, von Etsch und Belt ganz zu schweigen. Aber es sollte sich zeigen, daß Friedhelm Fechter nicht umsonst so gute Noten für Aufmerksamkeit und Betragen erhalten hatte. Er machte der deutschen Wehrmacht keine Schande, auch wenn die Übergabe des Gewehrs an eine Sowjetbürgerin oder -bäuerin gegen militärische Gepflogenheiten und gegen den Reibert verstieß. Man kann den Begriff des Paradesoldaten so und so auslegen. Friedhelm Fechter repräsentierte *jede* Auslegung. –
Er saß etwa zwei Stunden in dem kleinen Haus, in dem Polina mit ihren zwei kleinen Kindern und der alten Mutter lebte, brachte von sir (Käse), maslo (Butter), jaize (Eier), tschai (Tee) bis zu gubow (Liebe) alles an, was er an russischen Wörtern wußte, nannte alle ihm von seiner Darmverstimmung her wohlvertrauten Gerichte, alle Städtenamen, Kriegsschauplätze überhaupt, und als er gebeten wurde einen Teller Kohlsuppe mitzuessen und einen gerösteten Maiskolben zu knabbern, tat er es mit großem Vergnügen und Appetit und packte auch seine Tagesration aus, machte die Büchse mit Rindfleisch auf, verteilte den Riegel Schokolade – leider nur 50 Gramm –, und das Schnäpschen aus der Feldflasche schmeckte vor allem der Alten, die offensichtlich nichts gegen den deutschen Soldaten einzuwenden hatte. Aber was sollte sie gegen den hilfsbereiten Friedhelm Fechter auch haben ...
Dann gab es noch Kirschen zum Nachtisch, die letzten des Jahres, wie ihm klargemacht wurde, und dann redeten Mutter und Tochter noch ein bißchen hin und her, und die Alte ging und kam mit einem Steintopf zurück, in welchem eine Art Mischobst war, mit Wodka oder Pflaumenschnaps angesetzt, und sie löffelten ganz langsam, jeder hatte von jeder Sorte etwas auf den Teller bekommen, und er mußte raten, ob es Birnenschnitzel waren oder Äpfel oder Kürbis oder Aprikose oder sonstwas, und auch dabei

lernt man Russisch. Und dann klopfte es, und eine Nachbarin kam und wollte ihre Neugier kurieren. Sie tuschelten und lachten, und dann kam es heraus: die Nachbarin fragte nach Machorka, ja, die raucht so gern, aber auch eine deutsche Zigarette, na, und damit konnte er ja aufwarten. Er spendierte auch noch ein Schnäpschen aus seiner Flasche und betrachtete die Familienfotos: den Wjatscheslaw, den Mann, der bei der Artillerie kämpfte und so lange schon nichts hatte hören lassen, elf Monate; vielleicht war er gefangen, oder – – aber das wurde nicht ausgesprochen. Ein großer Kerl mit einem breiten Gesicht, der Junge sah nach ihm aus; das Mädchen, wollte ihm scheinen, glich der Mutter. Zwei und drei Jahre waren die Kinder alt, aber der Vater war schon so lange Soldat – sie kannten ihn gar nicht. Und die Frauen schnupften und schluckten ein bißchen, und Woina war doch eine böse Sache. Warum Woina!? Erst Freunde und dann – – ach, Friedhelm Fechter ahnte schon, was sie meinten, und er hatte ja auch seine Meinung, aber die war eben doch sehr unausgeprägt, und kriegslüstern war er ja auch nicht. Ihm reichte es eigentlich, obwohl er bislang ja Glück gehabt hatte. Er ließ durchblicken, daß es gut wäre, wenn sich alle vertrügen. So wie hier am Tisch. Noch ein Schnäpschen?

Es begann zu dunkeln, und das erinnerte ihn daran, daß er schließlich in Feindesland war, und so einen Einzelgänger wie ihn – er machte deutlich, daß er jetzt zu seinen Kameraden gehen müßte, die wohl in der Kolchose wären. Er mußte ja auch Quartier suchen zum spat und spokoinaja notsch machen, – er bettete seine Wange in die Hand ... Aber er könnte auch hier im Dorf bleiben. Alles gute Menschen, nur Frauen, Kinder und alte Männer!

Aber das war ihm doch zu riskant. Also: zur Kolchose. Polina würde ihm den Weg zeigen. Das war ein guter junger Mensch, das hatte sie längst erkannt, und er gefiel ihr auch sonst. Er hatte so schöne schlanke Hände und so warme dunkle Augen. Eine Frau hatte er sicher noch nicht, sonst

hätte er es gesagt. Wieviel Jahre? wollte sie wissen. Dreiundzwanzig. So jung? Und sie war schon siebenundzwanzig. Und er zählte bis 27: adin, dwa, tri, tscheteri, pjat, schesd, sem ... und die Frauen klatschten Beifall. Ob er wiederkäme?
Da, da. Warum nicht ...
Vielleicht schlachten sie ein Hühnchen dann! Viel hätten sie ja nicht ...
Und wieder: Woina, woina, woina ...
Er sagte also »Dosvidanje« und »Spossibo« und »Wsiwo charoschowo!« Und er würde dann auch etwas mitbringen. Und alles mit fünfzig, sechzig angelernten Vokabeln und hundert Handbewegungen und zweihundert Schlüssen oder auch Kurzschlüssen.
Also gingen sie, dem Lichtschein zu, der sich da ganz schwach aus der aufkommenden Nacht abhob. Es gab einen kürzeren Weg und einen längeren. Das machte sie ihm klar. Der kürzere führte durch die Felder. Da mußte er etwas aufpassen wegen des hier und da unebenen Bodens; deshalb faßte sie seine Hand. Seine Hände hatten es ihr angetan, und das war eine gute, unauffällige Gelegenheit, sie einmal richtig zu halten und zu fühlen. Und ihm gefiel diese kräftige warme Frauenhand auch. Er hielt sie ganz schön fest.
Er war mindestens einen halben Kopf größer als sie, er merkte das jetzt beim Nebeneinandergehen. Und daß sie ein gutes und gutmütiges Gesicht hatte und blond war, das hatte er ja gesehen. Er hatte es meist mit den dunkleren Typen zu tun gehabt. Aber sie war sicher ein guter Kerl – Kerl ist natürlich nicht das richtige Wort, denn ein Mannweib war sie keinesfalls, obwohl man bei dieser bäuerlichen Arbeitskleidung nichts Genaues sehen konnte. Dünn und mager war sie nicht, wahrscheinlich gut durchwachsen und – natürlich – ihrem Wjatscheslaw treu. Das war auch nur ein Nebengedanke, wie er so kommt und geht. Friedhelm Fechter hatte sich auf diesem Gebiet auch noch keine Sporen verdienen können. Vielleicht war er auch etwas

zurückgeblieben, nicht von Natur aus, sondern vom Temperament her. Er versprach eigentlich – bis jetzt – mehr als er hielt. Seine Kameraden beim Wachbataillon hatten ihn immer ein wenig gehänselt, weil er sich an gewissen Gemeinschaftsunternehmungen nicht beteiligte, oder wenn, dann kein rechtes Vergnügen an den ordinären Mädchen und den zweideutigen Reden fand, die ja meist gar nicht zweideutig waren, sondern primitiv und überdeutlich. Es war überhaupt nicht einzusehen, weshalb man da von zweideutig sprach. Das war wohl eine Angewohnheit, die genauso dumm war wie die Rede vom Beischlafen für den Geschlechtsverkehr. Beiwohnen war wohl schon richtiger. Aber wer schläft denn dabei?
Und dann hernach die dreckigen Reden, wo sie sich lustig machen über ihre Fickrigkeit. Erst möchten sie sterben für so einen Beischlaf, und hinterher tun sie, als hätten sie einen Kautabak ausgespuckt. Und dann die dummen Redensarten vom »vernaschen«, von »abjubeln« und so fort. Immer traf es am Nagelkopf vorbei, wenn man die Sprache beim Wort nahm. Wo sie gierig wie die Säue waren, hieß es naschen. Wo sie wie die Ochsen stöhnten, hieß es dann jubeln. Es mußten Analphabeten sein, die diese Ausdrücke erfunden hatten. Es war geradezu komisch, daß auf diesem Felde der miese Geschmack die Feder führte und den Ton angab. Was waren doch da die Franzosen für feine Leute und die Engländer auch: faire l'amour, to make love. Na ja.
Das muß immerhin erwähnt werden, um zu verstehen, weshalb Friedhelm Fechter sich so zurückhaltend und korrekt verhielt. Er entsprach damit auch durchaus den Erwartungen von Polina, die eine Russin war – was gar nichts Extraordinäres ist, aber eben auch nichts Ordinäres. Russinnen möchten, wie übrigens die meisten Frauen, gern treu sein, und wenn sie einen Mann lieben, so tun sie das ohne Ziererei, aber nicht öffentlich, und Polina hatte zwar schon etwa siebzehn Monate ohne den berühmten Beischlaf

auskommen müssen, aber daß sie darum auf den ersten besten Mann gesprungen wäre, das soll niemand annehmen, und bei aller Sympathie für den gutmütigen Kavalier, den Stahlroß-Chevalier, den Fechter abgegeben hatte – er war doch schließlich einer von der anderen Seite, von den Feinden, die vertragsbrüchig die Sowjetunion mit Krieg überzogen hatten, wenn auch Väterchen Stalin – aber lassen wir das. Der Abend ist so schön, Grillen zirpen, und die russischen zirpen nicht anders als italienische oder dalmatinische oder griechische, und die Menschen sind in zwei Geschlechter geteilt, und alles Geteilte strebt zueinander. Also lassen sie die Hände nicht los, sondern halten sie ganz fest, und wenn Polina stolpern oder stehenbleiben und nur ein Zeichen, ein ganz kleines zu erkennen geben würde, würde Friedhelm Fechter nicht zögern, sie in die Arme zu nehmen, ohne gleich weiterzudenken, was daraus wird. Aber er stolperte nicht, sie stolperte nicht, er hat Wjatscheslaws Foto gesehen, die Mutter, die Kinder . . . und nun sind sie auch schon da, und da scheint einiges los zu sein.
Und – warum – auch – nicht – – –
Das Ganze ist ein Rundbau mit einem Innenhof. Der Vergleich mit dem Kloster ist gar nicht so übel, auch wenn es kein Gelübde der Keuschheit gibt. Aber es gibt Kammern für die einzelnen Kolchosarbeiterinnen oder -bäuerinnen, und das soll man nicht verachten. Wohnraum ist immer knapp gewesen in Rußland, und wenn jeder – heute – eine Kammer für sich hätte, dann wären diese hier geradezu Kulackinnen oder gar Großgrundbesitzerinnen gewesen.
Das Tor stand weit auf, und in der Mitte des Hofes brannte ein Feuer, und um das Feuer saßen, lagen, knieten, hockten etwa zwanzig oder fünfundzwanzig Kolchosbäuerinnen, und zwischen ihnen, ein wenig spärlich verteilt, etwa zehn oder zwölf deutsche Landser, darunter auch Josef Schmitz, der zwar nicht saß, sondern gerade in Aktion war. Er gab nämlich – es war schon Numero vier auf dem Programm – sein Leib- und Magenlied zum besten:

Ich mööch zo Foss noh Kölle gon . . .

Dabei war ihm anzusehen, daß diese Sehnsucht im Augenblick absolut rhetorisch war, denn selten seit ihrer Schicksalsgemeinschaft hatte Fechter den Schmitz so heimisch und aufgekratzt gesehen wie hier in dieser dreitausend Kilometer von Köln entfernten Frauenkolchose. Aber er sang mit rheinischer Inbrunst, wie sie zwischen Mainz und Düsseldorf nun einmal unentbehrlich und unersetzbar scheint, und wurde dazu auf der Mundharmonika von einem Landsmann begleitet, der gelegentlich in den Wartestunden auf den Bahnhöfen seine Mundorgel betätigt hatte, wenn die Langeweile und Stummheit unerträglich zu werden drohte. Ein schon bald vierzigjähriger Obergefreiter, dessen militärische Karriere offenbar beendet schien.

Es gab stürmischen Beifall für Josef Schmitz und lebhaftes Hallo für Friedhelm Fechter und seine allseits mit Wohlgefallen beäugte Begleiterin, die eigentlich am Tor hatte umkehren wollen. Aber das hatte Fechter denn doch nicht zulassen wollen, und wie er bald an dem sich auflösenden Widerstand der Russin bemerkte, wurde sein Beharren auf wenigstens »ein Stündchen« der Teilnahme an dieser zunächst noch schwer zu übersehenden Völkergemeinschaft dankbar gewürdigt. Polina und die meisten der Kolchosbäuerinnen kannten sich mehr oder weniger flüchtig, und als Verheiratete wurde sie von den Hiesigen, die sich aus Unverheirateten, Witwen und Sitzengebliebenen mischten, mit spürbarer Hochachtung betrachtet, zumal in Begleitung eines Soldaten von so angenehmem Äußeren. Die beiden mußten Platz am Feuer nehmen. Eine Flasche mit Pflaumenschnaps ging rundum, und eine dicke ältere Kolchosbäuerin, die nicht ohne Komik war, sang ein russisches Lied, begleitet von einer jüngeren, deren ausnehmende Häßlichkeit sich in eine seelenvolle Musikalität gerettet hatte und die ein Zupfinstrument virtuos handhabte.

Es stellte sich heraus, daß die Westlichen und die Südlichen sich hier unfreiwillig getroffen hatten, einfach weil – wie es oft im Leben zu sein pflegt – die geraden Wege nicht im-

mer zum gedachten Ziel führen. Die ersten waren die gewesen, die sich von Fechter getrennt hatten, die letzten waren vor anderthalb Stunden eingetroffen. Wie sich am anderen Tag zeigte, gab es auf der mittleren Südwestlinie einen schmalen direkten, knapp einstündigen Weg vom Abstellgleis zur Kolchose beziehungsweise zum nahe dabeigelegenen Dorf. Er sollte für die nächsten beiden Wochen geradezu den Charakter einer Bundesstraße erhalten.
Hier und jetzt jedoch befand man sich noch beim Introitus – der Besuch war überraschend gekommen, die Freund-Feind-Schwelle mußte erst überschritten werden – und dazu diente das Programm, das nach den Einzelvorführungen zum Chorgesang überging. Die Völker wechselten einander ab. Am Brunnen vor dem Tore und In einem kühlen Grunde entdeckte sich das deutsche Gemüt, während die Russinnen am roten Sarafan spannen und Stenka Rasin die Fürstin ertränken ließ, und weil die Singerei melancholisch stimmte und die Völker nicht näherbrachte, wurde ein herrlich monströses Grammophon unter großer deutsch-russischer Kraftanstrengung herbeigeschafft und ein Tänzchen begonnen, das nun allerseits die Schwellenangst (im weitesten Sinn) überspringen half. Es tanzten Deutsche mit Russinnen und Russinnen mit Russinnen, und auch Friedhelm Fechter schwenkte sein Polina ein paar Mal tüchtig über den fest gestampften Lehmboden. Und weil sie dann unbedingt in ihr Dorf zurückwollte, ließ er sie nicht allein gehen. Und als er ihr vor dem Häuschen »Spokoinaje notsch« wünschte, legte sie ihren Kopf an seine Brust und wollte damit wohl unzweifelhaft andeuten, wie ihr zumute sei und wie ungern sie ihn doch ziehen ließe zu diesen Kolchosweibern, deren Überzahl gewissermaßen ihre Unterlegenheit im voraus garantierte.
Er versprach wiederzukommen, bald, vielleicht morgen schon, und dann seufzte sie so tief – Fechter mußte unwillkürlich an den »Plattfuß« denken, der sie zusammengeführt hatte –, streichelte ihm kurz und heftig die Wange,

daß beinahe eine Backpfeife daraus wurde, und sprang ins Häuschen.
Fechter war teils verwundert, teils gerührt. Nahebei flötete eine Nachtigall, und Friedhelm hörte sie »trapsen«. Aber vorerst mußte er ja zu seinen Kameraden zurück und den Genossinnen, und ein Bett mußte er auch noch für die Nacht finden, ob mit oder ohne Genossin – das stand noch dahin. Die Sterne funkelten. Die Kräuter atmeten auf und aus. Er sah den Wagen am Himmel. Er dachte an die einhundertundfünfzig Kilometer entfernte Front, an der geschossen und gestorben wurde, und empfand plötzlich tiefe Zuneigung zu dem letzten Wagen, den er so oft verflucht hatte, und zum Abstellgleis, auf dem er fürs erste standhaft stehen wollte. Und als er wieder eintraf, genoß er die Rolle der unerwarteten Zugabe und Zuwage und schwang nach besten Kräften das Tanzbein zu Foxtrott, Tango und unerwartet komplizierter Folklore-Musik, bei der die Partnerinnen so urplötzlich aus dem Takt und Häuschen gerieten, wie sie dann wieder hingebungsvoll ihren Kolchosbusen anlegten und die Schenkel zur schmiegsamen Tangente führten.
In dieser Nacht merkte Fechter, daß es mit der Erotik und dem Sozialismus einige Schwierigkeiten hat. Das brachte ihn um den Schlaf des Gerechten, der er doch war, und beim dritten Kollektiv-Opfer, das ihm abverlangt werden sollte, fand er zur individuellen Auslese zurück. Nicht ohne Grund dachte er erschöpft und gerührt, als die Kolchoshähne zu krähen begannen, an Polina und ihre liebenswerte Zurückhaltung, ihre besonnene Zuneigung und sein Versprechen, sie wieder aufzusuchen.
Er tat es schon am nächsten Morgen, nachdem die ältliche Vorsteherin der Kolchose dem deutschen Dutzend mit süßsaurer Miene einen Tschai gekocht hatte, zu dem sie den Rest ihrer Tagesportion – es war wenig genug, weil fast alles bei der Abendfeier draufgegangen war – verzehrten. Und auf das trockene Kommißbrot legten sie dann einige

nächtliche Reminiszenzen. Es war wie meist in solchen Fällen: sie redeten wie Krämer über die Ware, die sie eingekauft hatten. Er verabschiedete sich rasch, nur Josef Schmitz schloß sich ihm an. Es war ja noch viel Zeit bis zum nachmittäglichen Zapfenstreich.

Aber – Polina war schon auf dem Felde; er war regelrecht traurig, als er das vernahm von der Alten, und die sah es ihm wohl an und kochte schnell einen Tee, nein, nein, er mußte sitzen bleiben; sollte doch der Kamerad das Dorf allein inspizieren.

Nein, der tat es gar nicht allein; denn nach und nach, zu dreien und vieren, fanden sich alle Südwestler im Dorfe ein und sahen, daß es da auch Menschen gab, Frauen vor allem; schließlich gab es ja nicht nur Kolchosen in der Sowjetunion. Und wenn es gestern auch nach der langen Fastenzeit ein wahres Festmahl gewesen war – es war doch wie Kraut und Rote Rüben durcheinandergegangen; nur selten war ein zartes Kohlräbchen oder ein Blumenkohl dabeigewesen, und gerade die ließen sich nicht gleich und gern in den großen Topf werfen. Am raschesten und billigsten waren die reiferen Jahrgänge zu haben gewesen. Denen genügte die harte Tagesarbeit offenbar noch nicht, und sie hatten zu verstehen gegeben, daß sie auch in Zukunft ohne sozialistische Normen zur Nachtschicht bereit wären. Und da »Erfahrungsaustausch« befohlen war, konnte man ihnen für heute sowieso neue und frische Klienten in Aussicht stellen, und übermorgen würden ja auch die Nordöstler von gestern auf die rechte Bundesstraße gewiesen werden. Goldene Berge erhoben sich vor den Kolcherinnen (wie Fechter sie nannte), nach denen sie ausschauen konnten, mochte auch das Hacken, Mähen, Rechen, Raufen, Traktor führen, Bündeln und Beugen, Heben und Harken in der Tageshitze allerhand Arbeit bedeuten. Sie ging ihnen dennoch heute besser denn je von der Hand, weil muntere Reden sie begleiteten. Freilich nicht so schamlose wie die der Landser, und die wenigsten konnten auch mit Vergleichen oder genauerer Klassifizierung aufwarten, und die Älteren schon gar nicht. Aber daß die friedlich-freundschaftliche deutsche Invasion im Hinterland der Front eine durchaus begrüßte Abwechslung in die Eintönigkeit ihres Kolchosedaseins gebracht hatte, darüber waren sich fast alle einig. Und Verstärkung war ja in Aussicht gestellt.

So zog jeder Teil sein Resümee, und daß noch nicht aller Tage Abend sein würde, daran glaubten auch die Besucher in dem Dorf, wo ihre friedlichen Absichten sich rasch herumsprachen. Und wenn es auch keine Freudenkundgebungen gab – freundlich waren die Leute schon. Wer ein paar Brocken Russisch sprach – und das taten fast alle –, der sah sich in ein Gespräch verwickelt, und wenn man ihn nicht gleich ins Haus lud, so hieß man ihn, sich auf der Gartenbank niederzulassen, und ein Glas Kwas war das mindeste, das man ihm bot. Und wenn Väterchen eine Zigarette als Gegengabe erhielt, hellte sich auch seine Miene auf, und er setzte oder stellte sich zu den Frauen. Im übrigen sahen die wenigsten unserer Versprengten wie Feuerschlucker oder Eisenfresser aus; den meisten sah man die Kriegsmüdigkeit oder wenigstens die potentielle Friedensliebe an. Sie hatten Weiber und Kinder daheim, die wie diese hier auf ihre Männer warteten. Und wenn die sensationelle Kooperation, die sich da an das Abstellgleis angeschlossen hatte, auch allen eine prächtige Tageslaune verschafft hatte, so wäre nicht allein der rheinische Jupp »zo Foss noh Kölle gemaht«, die meisten hätten sich ihm angeschlossen, und um Quartier hätten sie sich bei ihrer Gesinnungsart vielleicht auch nicht sorgen müssen. Man hätte sie vielleicht sogar hinausgeküßt.

Friedhelm Fechter saß ein Weilchen bei der Babuschka, und dann ließ er sich in etwa – mit dem Zeigefinger – klarmachen, in welcher Ecke er die Polina finden könnte, der er doch noch »dobri djen« sagen wollte, ehe er zum Abstellgleis zurückmarschiert.

Und tatsächlich traf er sie, und sie hatte eine Riesenfreude,

erkannte ihn schon von weitem und schlug sich auf die Schenkel, riß das Kopftuch ab und winkte damit. Es wurde ihm richtig warm ums Herz, daß er so willkommen war – nach dieser verlumpten Nacht.
Ach, und »Kak wej poschewaitje, Fried-chelm?!« und wie er geschlafen hätte, na ja, so, so, viel Lärm, beinahe woina und lange gefeiert.
Und Liebe vielleicht? Ljubow ...?
Da war es besser, sich dumm zu stellen. Er machte lieber eine Handbewegung, die vieles bedeuten konnte: drunter und drüber, oder: Mal so, mal so, nicht Fisch, nicht Fleisch, oder: Man wird abwarten müssen, aber im ganzen: wie es halt so geht im Leben.
Sie lächelte etwas wehmütig. Natürlich hatten sie diesen netten, hübschen Kerl in ihre Zangen genommen – das war nicht zu bezweifeln. Er müßte ja ein Heiliger sein, wenn ... und an einem Heiligen lag auch ihr nichts, wenn sie ehrlich war. Aber traurig war sie doch, und als sie am Feldrain niedersaßen, wollte kein rechtes Gespräch, keine Stimmung aufkommen. Und jeder wußte warum.
Übrigens sah sie heute etwas farbenfroher aus, und bei Tageslicht sah man ihr zierliches Öhrchen besser als gestern im Schein der Petroleumlampe. Auch der Hals war hübsch, sehnig, gebräunt, und wenn sie nicht so vor sich hinstarren würde, könnte er auch einmal das Gesicht eingehend studieren.
»Polina! ... Dewotschka! ...« Er stieß sie ein bißchen mit dem Ellenbogen an, als wollte er sagen: Ist das der Dank für meinen Morgenbesuch? Geh, lach doch ein bißchen! Und er nahm den langen Zeigefinger, legte ihn ihr unters Kinn und zog ihr Gesicht näher, das ein bißchen elegisch lächelte. Und er sah, daß die blauen Augen feucht schimmerten.
Da zog er das Gesicht mit dem Finger nahe an sich heran und sie sahen sich in die Augen, und dann wollte er sie auf den Mund küssen, aber das war ihr wohl – nach dieser

Nacht – doch nicht recht oder zu früh; deshalb mußte er sich mit einem Wangenkuß begnügen, den Mund hatte sie abgewendet, aber die braune, volle Wange, ja, die *sollte* er küssen: sie bot sie ihm geradezu. Und dann nahm sie den Finger weg, aber um die ganze Hand dafür zu fassen, und die drückte sie fest und herzlich. Ja, sie zog sie an ihr Herz. Nicht an die Brust – an ihr Herz. Ausdrücklich. Und dann wieder weg. Sie wollte ihm wohl zeigen, daß sie ihn gern habe, aber nicht wie die Kolchosweiber sei, die man im ersten Anlauf oder für einen Schluck aus der Feldflasche und eine Zigarette haben kann. Außerdem – aber daran dachte sie jetzt nicht. Wollte sie nicht daran denken.
Dann ging sie wieder an die Arbeit, und er sagte Dosvidanje, Polina. Utro! Morgen also.
Utro? Sie lächelte zweifelnd.
Da, da. Pjat ... schest ... Er gab ihr die Hand darauf, die sie festhielt und streichelte, wenigstens den Handrücken, mit zwei Fingern der linken Hand. Und dann, aufsehend, leise: Kolchose ... utro ...?
Er schüttelte lächelnd den Kopf. Sie schlug ihm zärtlich die Wange. »Dawei!« Und dann winkte sie noch einige Male, bis der Wald ihn verschluckte.

Das gab eine mächtige Bewegung, als die Ausflügler wieder am Waggon eintrafen, wenn es auch zunächst eine interne und vor Oberleutnant »Kinner« nur teilweise zu Protokoll gegebene Bewegung blieb. Man hatte Vertrauen zu ihm. Aber in diesen Dingen hatte man noch keine Erfahrung machen können mit ihm. Wenn er ein Mucker war ... Aber er war alles andere als ein Mucker. Nur mochte er keine Geheimniskrämerei. Als er eine Weile das Getuschel in Gruppen und Grüppchen beobachtet hatte, ließ er alle antreten und gab bekannt, daß absoluter und uneingeschränkter Erfahrungsaustausch Bedingung für die Fortsetzung des Urlaubs sei. Osten, Westen, Süden, Norden sollten sich je einen Vertreter küren, der ihm unter vier

Augen Bericht erstatten sollte. Und da kamen denn nicht nur die nordöstliche Entdeckung eines größeren Lagers der Organisation Todt (OT) und die des Dorfes und der landwirtschaftlichen Kolchose, sondern auch die gesellig-gesellschaftlichen Hintergründe der Siedlungen zur Sprache.
»Nä, Kinner, das laßt eich gesagt sinn: Mir Pälzer hawwe zwar den Leitspruch Woi, Weck, Werscht – aber wozu 'n passables Weibsbild da iss, des mißt er mir nicht erscht uff de Nas binne. Macht kei Ferz! Morge werd de OT inspiziert und ibbermorge fiehre ich den Stoßtrupp gegen oder uff die Kolchose-Wertschaft an. Aber nu schtärkt eich. Ich will kei Schlappschwänz um mich hawwe. Tanderadei! Wegtreten!«
Und im privaten Gespräch sagte er noch eine Erhöhung der Schnaps- und Zigaretten-Ration zu. Sie stünden hier auf Sonderposten, und der Krieg würde nicht nur mit den Waffen geführt.
»Wenn die owwe denke, se kennten uns verschaukele – des Schaukeln kennmer selwer.«
Es blieb also alles im Lot, ja nun kam eigentlich erst System in die militärische Übung des Ausschwärmens. Es strebte ja alles jetzt in südwestlicher Richtung. Und die Verbindung zur technisch-militärischen Welt wollte ja auch nicht ganz aufgegeben sein. Es fehlte niemals an Wachen, die für die mögliche Chance einer Reparatur oder einer Ankoppelung parat standen; jedenfalls wurden sie aufgestellt. Aber nachdem man sich drei Wochen wie das liebe Vieh hatte hin und her schieben lassen müssen, galt es die Kinnersche Losung ernst zu nehmen und den Menschen mobil zu halten.
Es hatte gut angefangen – warum sollte es nicht besser weitergehen. Und wie man nicht unrichtig sagt: Konkurrenz hebt das Geschäft. Die Frauenkolchose und das Dorf wetteiferten miteinander an Liebenswürdigkeit, und der geringe zeitliche Vorsprung, den die – wie Schmitz es ausdrückte – »sozialistischen Nönnekes« sich durch skrupellose Einsatzfreudigkeit erobert hatten, schwand im Laufe der nächsten

Tage dahin. Es ging zwar jeden Abend (oder doch fast jeden Abend) hoch her im Hofe des Rundbaus und den anliegenden Kammern. Aber für die etwas anspruchsvolleren Geschmäcker und Gemüter bahnten sich nach vier, fünf Tagen doch intimere, gewähltere, persönlichere Bande an, was nicht heißen will, daß nicht auch dort Favoritinnen zu finden gewesen wären, die aus ihrem Trieb ein Gewerbe machten. Es gab zwei Häuschen, vor denen sich zwar – zumal für sozialistische Verhältnisse – keine Schlangen bildeten, aber doch die Ablösung sich schon mit ihrer Ablösung unterhielt. Es ging den Frauen im Grunde nicht anders als den Männern: sie hatten ihr Triebleben auf das widernatürlichste vernachlässigen müssen, und nun wollte es sein Recht. Und daß die Derberen derbere und die Feineren feinere Späße lieben, gehört zur Ordnung der Schöpfung.
Friedhelm Fechter kam, wie er es versprochen hatte, am nächsten Spätnachmittag wieder und sah sich erwartet: eine hübsch angezogene, sorgfältig gekämmte Polina begrüßte ihn, und er sah, daß sie sich freute. Er ging heute besonders gern abseits der Meute, weil seine Kameraden sich wirklich wie eine Meute gebärdeten, die mit heraushängender Zunge dem Wild nachjagt. Die Babuschka hatte einem Huhn den Hals umgedreht, und das lag nun, anatomisch einwandfrei zerlegt, in einer Schüssel und würde in einer weißen, mit Kräutern durchsetzten Soße um die Zuneigung des Gastes werben. Sie nahm schon ein Schnäpschen voraus, und nahm nachher noch eins. Er zog sich den Uniformrock aus – er hatte sein bestes Hemd darunter – und kaute ein paar Sonnenblumenkerne, die ihm Polina in die Hand gegeben hatte. Aus dem Fensterchen blickend, übersah er einen Teil des Dorfes und unten, ein wenig tiefer, die Kolchose, wo sicher ein bewegtes Fest seinen Anfang nahm. Aber er trug kein Verlangen, dabeizusein. Ihm war wohl hier. Er wußte nicht, was ihn – außer dem Hühnchen – erwartete; er war im vorhinein mit allem zufrieden. Er hatte ein gutes Los gezogen – so oder so. Er sah

den Glutball der Sonne sinken und fragte sich, ob es nicht doch eine krankhafte Manie sei, daß immer mehr Leute in die Städte drängten, wo man vor Steinen keinen Halm und vor Häusern keine Sonne mehr sehen kann. Er könnte hier leben. Meinte er. Nur konnte er die nachkommende Frage »Wovon?« nicht beantworten.

Derweilen er so dies und das dachte, machte sie die Kinder für die Nacht fertig; und dann war es soweit: sie setzten sich zu Tisch, und er lobte und kaute, und die Alte strahlte, und Polina lachte und freute sich, daß es ihm so gut schmeckte. Und ihr schmeckte es ja auch. Es war wie ein kleines Fest: hernach gab es eingemachten süßen Kürbis, und Friedhelm rückte mit seinem Fläschchen Rum heraus, um dessentwillen gleich ein Tee gemacht wurde, und Polina goß sich kräftig ein. Es sah fast aus, als ob sie sich Mut antränke. Sie radebrechten noch ein bißchen – und dann stand sie auf und sagte ganz unmißverständlich etwas, das nach »Kolchos« klang ...

Nanu. Er hört wohl nicht recht. Aber sie macht ihm Zeichen, daß er nun den Rock anziehen muß und das Gewehr nehmen, und redet weiter mit der Babuschka, gießt ihr ein Schnäpschen ein (das stopft ihr immer den Mund), und er steht also auf. Dawai! Jetzt wird mit den anderen gefeiert. Wozu hat sie sich schön gemacht? Na also. Gute Nacht. Schlaf gut. Dosvidanje!

Draußen nimmt sie einen dicken Beutel auf; den muß sie vorsorglich da plaziert haben, damit es nicht auffallen sollte, und so hat sie auch etwas in der einen Hand. Er muß die Scheißknarre schleppen, das ärgert ihn fast. Aber jeder hat eine Hand frei, so daß sie sich wieder anfassen und halten können.

Aber es ist alles Komödie. Kaum sind sie zweihundert Meter oder etwas mehr in der Richtung auf die Kolchosburg gegangen, da macht sie plötzlich linksum und geht auf den Wald zu. Er fragt. Sie lächelt und lacht. Sie schlenkert seine und ihre Hand – sie muß besonders guter Laune sein. Aber was hat sie vor? Nun, man wird sehen. Das mit der Kolchose war wohl nur ein Trick. Sie hat was Besseres vor. Aber was? Er muß marschieren. Jetzt durch den Wald. Da geht sie langsamer. Er stolpert auch einmal, aber sie hält ihn fest. Vor dem Wald sah man gut, der Mond ist auch schon auf dem Weg zur letzten vollen Ründe. Und würzig riecht es schon hier, und bei Tage würde man sicher schöne Dinge finden. Vielleicht Heidelbeeren oder Himbeeren oder andere Beeren – irgendwas wächst immer. Hier ist fruchtbarer Boden.

Also. Jetzt ist mindestens eine halbe Stunde herum oder mehr. Polina?!

Noch sechs oder acht Minuten, flüstert sie geheimnisvoll.

Vielleicht eine Köhlerhütte, die leer steht? Ein Hexenhäuschen? Na, das wird was geben. Vielleicht ist es doch gut, daß er die Knarre dabei hat. Da könnte man ja in Teufels Küche kommen. Unter anderen Umständen. Aber die Umstände sind nicht so. Das weiß er wohl. Und da wird es auch lichter. Irgend etwas Helles ... aber kein Licht. Und da sieht er, daß es Wasser ist, Wasser, auf das schwaches Mondlicht fällt und reflektiert. Und sie lacht und fängt an zu laufen; er muß mit. Bis sie atemlos vor einem Weiher stehen, einem kleinen Waldsee.

Krassywo? fragt sie leise.

Krassywo, sagte er und guckt sich ein bißchen um. Und da läuft sie davon. Aber nicht eben weit. Dreißig, vierzig Meter. Sie kennt sich aus. Er muß langsam machen. Sand und Wurzelwerk. Aber er sieht sie vor sich. Was tut sie? Sie gebärdet sich wie eine Wilde, fuchtelt mit den Armen in der Luft ...

Ach, soll man's glauben! Wie er sie erreicht hat, wirft sie den letzten Fetzen von sich und lacht, daß es hallt, und läuft ins Wasser. »Dawai!« ruft sie, prustet, schlägt das Wasser. »Dawai, Fried-chelm!«

Na, da hat sie sich was Schönes ausgedacht. So ein Weib ... Das muß er sagen. Aber mehr als zweimal »Dawai!« ist

auch nicht nötig. Schon ist er aus den Knobelbechern. So einen »Kleiderball« hat er noch nicht erlebt. Die Fetzen fliegen und liegen, wie sie fliegen. Ihre ja auch.
Ins Wasser! Ihr nach! Es ist ganz lau. Aber da kommt sie schon auf ihn zugeschwommen. Ganz dicht schwimmt sie an ihn heran, bietet ihm den Mund. Die Füße treten, die Hände fassen sich. Sie küssen sich, umarmen sich, bis das Wasser ihnen über dem Kopf zusammenschlägt. Da müssen sie schwimmen, natürlich ans Ufer. Nebeneinander, er streichelt über ihren Rücken, sie wendet sich, er streichelt – einmal Armzug, einmal Streicheln – ihre Brust. Ist das Ufer noch nicht da? Nun geht alles viel zu langsam. Jetzt will er sie, jetzt muß er sie doch haben. Und da: Boden. Die Hände fassen sich, stützen sich, begreifen sich, besitzen sich. Triefend hält er sie, hebt sie hoch, in einem wilden Kuß trinkt sie sein Begehren und er das ihre. Er will sie loslassen – nur für einen winzigen Augenblick natürlich, um sich mit ihr zu betten –, aber sie läßt ihn nicht los, ihre Beine umschlingen seine Hüften, sie will ihn gleich haben, so und jetzt, und die findige Natur fügt alles an den ersehnten Ort – sie ist wie von Sinnen und schreit, und er erwidert ihren Schrei. Und die Erde beginnt zu tanzen, und der Mond hat keine drei Viertel mehr, er ist voll und platzt und sein Silber verschüttet und deckt zwei Liebende zu, bis sie im Gras zusammensinken.
Erst später kommt das große Handtuch zu Ehren, das sie im Beutel vor dem Häuschen abgelegt hatte. Es trocknet sie, und dann muß es noch Hochzeitsbett spielen. Dann muß es ihre Tränen trocknen, denn sie kommen so über sie, wegen Wjatscheslaw vielleicht. Aber die schlanken Hände von Friedhelm Fechter streichen sie fort, und sie muß diese Hände küssen – sie ist vernarrt in sie, sie dürfen alles mit ihr anstellen, sie ist wie das Land ohne Regen – nach neunzehn Monaten –, der Trinker ohne Wein, ein Weib ohne Mann. Und diesen Jungen soll sie den Kolchosweibern lassen? Oder einer anderen? Und wenn Wjatscheslaw nicht

wiederkommt? Sich bis ans Lebensende grämen und Vorwürfe machen, weil sie diesen jungen Mann ...? Dann schon lieber ein paar andere Vorwürfe. Sicher ist sicher. Sie hat ihn für sich gewonnen – das weiß sie. Wie lange? – Er weiß es nicht. Woina. Abstellgleis. Südfront. Asowsches Meer. Ach, was ist das Asowsche Meer gegen diesen kleinen Waldsee! Sie schwimmen noch in ihm, als die Mitternacht über ihnen steht. Es ist herrlich. Sie hat alles abgeworfen von sich, Kleider, Vergangenheit, Zukunft. Sie lebt nur der nackten Gegenwart.

Die anderen saufen vielleicht und huren und pöbeln, und morgen treten sie es breit – nicht alle, aber die meisten – und stürzen sich übermorgen auf eine andere. Diese hier werden verschwiegen sein ... Die Nacht wird nicht ganz so bequem. Aber sie hat vorgesorgt: im kleinen Holzschuppen hat sie ein Heubett gerichtet, zwei Decken liegen bereit; sie muß im Haus schlafen. Was freilich nicht bedeutet, daß man nicht mal gegen den Morgenstern hin frische Luft schnappen möchte. Man muß nur leise sein.

Und weil Friedhelm jeden zweiten Tag kommt und für Babuschka und die Kinderchen etwas mitbringt, läßt sie sich schließlich auch überreden, ihn im Haus schlafen zu lassen. Wo soll er denn auch hin, der anständige Junge! Zu den Kolchosweibern etwa? Diese hier lieben sich platonisch. Dafür kann sie die Hand ins Feuer legen. Da ist nichts gegen zu sagen. Schöne Augen machen sie. Die haben sie ja. Aber sonst ... Sie legt die Hand dafür ins Feuer. Sie hat ein so gutes Gewissen, daß sie gerade jetzt besser denn je schläft. Das macht wohl auch das gute Schnäpschen, das er mitbringt und das so wohlig müde macht. Ein paar Tröpfchen Opium wirken da Wunder!

Es kann natürlich nicht ewig dauern, obwohl es nie mehr aufhören sollte für Polina. Wjatscheslaw, der gutmütige, grobschlächtige ist längst verdrängt aus ihrem Herzen und ihrem Schoß durch diesen jungen Fechter da, der an ihr ein Mann wird. Er kommt jetzt meist auch später, macht

manchmal Umwege, sieht auch vor dem Ringelpiez mal in die Kolchose, sagt manchmal da und dort »Dobri djen«. Aber das ist alles Taktik und Diplomatie von Polina entworfen. Alles darf er tun und tut es ... nur geht er zu keiner anderen mehr. Sie liebt ihn wie keine der anderen Weiber lieben kann. Sie hatte gar nicht gewußt, daß sie so verrückt lieben kann. Daran ist er schuld. Darum gönnt sie ihn keiner anderen.
Knapp drei Wochen dauert das Idyll. Verpflegungsprobleme tauchen kaum auf; denen hilft das Reservelager der OT ab. Doch just an dem Tag, an dem Friedhelm Fechter und Schmitz mit einem anderen unterwegs sind in einem geliehenen OT-LKW, um Verpflegung in größerem Umfang bei einem Heereslager aufzutanken, da wird der Waggon der Versprengten vom Abstellgleis gezogen und nach dreistündiger sachkundiger Reparatur an einen direkten Zug nach Taganroog gehängt. Und als die erstaunten Furiere mit stolzer Fracht gegen Abend am Abstellgleis wieder eintreffen, ist da nur ein hinterlassener Obergefreiter, der den Befehl übermittelt, die – mit dem Übermittler – restlichen vier Versprengten sollten mit dem nächsten Zug Taganroog anstreben und sich dort melden.
Ein halbes Schwein haben sie! Zwei Säcke Bonbons, Büchsenfleisch die Menge, Alkohol, Zigaretten – und wohin damit?
Bis auf das, was sie tragen können, erbt das Dorf die Bestände, und Polina sorgt dafür, daß alles gerecht verteilt wird, und erwirbt sich unvergeßliche Sympathien damit. Das muß echte Liebe gewesen sein. Die reinste Caritas! Dreimal noch wird Abschied genommen beim Erblassen der Sterne und Wiedersehen – unverhofftes – gefeiert bei ihrem Aufglänzen. Es ist nur noch einmal Zeit zum Baden im Silbersee. Aber das Wetter ist nicht günstig. Ein nächtlicher Wolkenbruch durchnäßt sie. Aber Schnaps für die Babuschka gibt es jetzt mehr als genug, und Liebe ist mehr als ein Schnäpschen. Und als Fechter dann doch im Zug sitzt, end-

lich, am vierten Tag, muß er sich eingestehen, daß er bis zum Abstellgleis nicht gewußt hat, was eine tüchtige und beherzte und listige und handfest liebende Frau alles aus einem Mann herausholen kann.

Keiner, der in Zukunft – kein Russe – auf Friedhelm Fechter schießen wird, kann wissen, auf was für einen freundlichen Feind er schießt. Viel Gelegenheit wird auch nicht sein dazu. Denn von Taganroog müssen die vier nach Nowotscherkask nachreisen, wo auch nur der Troß sitzt. Und da erwischt ihn eine Mandelentzündung. Vielleicht vom allerletzten Bad ...? Er muß ins Lazarett, und weil die Russen Tscherkask angreifen, muß sich das Lazarett zurückziehen – bis Kiew reist er im Güterwagen, ein Schild um den Hals mit der Aufschrift »Sitzend zurück«. So ernst ist sein Fall. Aber in Kiew kommen so viele Verwundete und Kranke zusammen, daß es einen ganzen Zug bis Cholm gibt, wo der Oberarzt Fechter Nachtonsillektomie bescheinigt. Er stirbt nicht daran. Nein, dazu erhält er in Stalingrad noch einmal Gelegenheit.

Da geht es ganz wüst her, und da geht Friedhelm Fechter auch der Glaube an den Endsieg endgültig verloren. Den Tatendrang hatte er schon im letzten Wagen, auf dem Abstellgleis und im Güterwagen nach Kiew und Cholm verloren. Sitzend zurück war besser als robbend vorwärts, und an der Geschichte mitzuschreiben, lohnte wohl solches Risiko nicht. Das Schicksal, das ihm – in Gestalt eines sowjetischen Grabenschützen – einen Heimatschuß verpaßt, meint es gut, und da es noch nicht ganz Matthäi am letzten ist, kann der Verwundete ausgeflogen werden.

Nach ein paar Monaten wird Friedhelm Fechter als gesund, aber nicht mehr ganz kriegstauglich, zur Aufnahme des Jurastudiums, Spezialität Völkerrecht, entlassen.

Das endgültige Abstellgleis hört auf den schönen Namen Heidelberg. Dort bleibt er sitzen bis zum Endsieg – der Alliierten.

Einquartierung – Ausquartierung

Es war in der Bahnhofsgaststätte von Florenz, während der dreißig Minuten, die der Militär-Urlauberzug München–Rom hielt, daß sie sich wiedersahen nach fast zwei Jahren: Aloys Quenzinger, derzeit Hauptmann der Reserve, im Zivilberuf Grundstücksmakler und Versicherungen, 49 Jahre jung, gut durchwachsen bei mittlerer Statur, und sein Neffe Franz Josef Quenzinger, schier dreißigjährig und auch sonst recht schier, zwei Finger oder auch drei größer als der Onkel, aber von gemeinsamer väterlicher Ahnenschaft her mit ähnlichem Körperbau begabt, nicht ganz so stiernackig und kurzhalsig wie der Onkel, eher eine leicht veredelte, verjüngte Ausgabe, aber im ganzen doch vom Schlage jener unverkennbar bajuwarischen Typen, die im September beim alljährlichen Oktoberfest die großen Luftschaukeln in Bewegung halten und denen der Mundartdichter den schönen Vers auf Mund und Leib geschrieben hat:

Xaver hoaß i,
Schwungbursch bin i,
Bin der schönste Mann von München-West,
Vasteßt!
Koaner von der Au
hat a so a G'schau
und a so an Irxenschmals wiar i!

Beide strebten nach einer Maß kühlen Bieres, um den in Anbetracht sommerlicher Temperatur nicht unbeträchtlichen Durst zu stillen; aber da sie getrennt gereist waren – Franz Josef, in letzter Minute in Rosenheim zusteigend, hatte im Schlußteil des Zuges einen Platz gefunden, wäh-

rend Onkel Aloys im vordersten Wagen von München kam –, hatten sie auch getrennt gestrebt, das heißt: Onkel Aloys stand schon an der Theke mit einigen anderen, als Franz Josef, hinzutretend die vertraute schnarrende Onkelstimme sagen hörte:
»Prego, signora, una birra grande!«
Franz Josef, frischgebackener Leutnant, im Zivilberuf Volkswirt, trat genau hinter den Onkel und streckte in dem Augenblick, da die Kellnerin diesem das Bier reichen wollte, seine Hand über des Vordermannes Schulter, so daß beide gleichzeitig das Glas zu fassen bekamen. Blitzschnell drehte sich Onkel Aloys um, einen empörten Protest hinter den Zähnen spannend, und sah sich dem lächelnden Neffen gegenüber, der ruhig sagte:
»Christlich teilen, wie immer, Onkel Aloys!«
Beide lachten schallend los, tranken, Aloys diktierte oder postulierte mit zwingender Gestik eine zweite und gleich noch eine dritte »Birra« und dann strebten sie in beschwingtem Gleichschritt ihrem Zuge zu. Da in Firenze zwei Kameraden das Abteil verlassen hatten, in dem Aloys einen Fensterplatz inne hatte, stieg Franz Josef zu ihm um, und sie legten gemeinsam die letzte Wegstrecke zurück.
Auf die beiderseitig fast gleichzeitig gestellte Frage »Wo tuast'n in Rom?« gaben beide mit ausweichend bedeutsamer Miene exakt gleichzeitig die ebenso nichts- wie vielsagende Auskunft:
»Zett be Vau – – sozusagen.« Wobei nur Onkel Aloys die Unverbindlichkeit durch das »sozusagen« erweiterte oder verlängerte. Man werde sehen, fügte er in ablenkender Harmlosigkeit hinzu, mit leichtem Augenzwinkern auf die mitreisenden Kameraden verweisend, die dem neuen Gesellschafter nicht ganz ohne Teilnahme begegneten.
Der Krieg war dabei, das vierte Jahr abzurunden – es fehlten noch einige Wochen, sowohl an dem traurigen Jubiläum wie auch, was entscheidender sein dürfte, an jenem Stichtag, da die sogenannten Itaker, angeführt durch ihren Marschall

Badoglio, sich durch entschlossenen Ansprung von jenem gemeinsamen Schicksalsgefährt lösen sollten, das sie – als vermeintlichen Siegeswagen – einige Tage vor dem Ende des Frankreichfeldzugs noch eilfertig bestiegen hatten. Es war also nicht nur hochsommerlich warm in Italien, zumal in Unteritalien und Sizilien, sondern es lag auch sonst mancherlei in der Luft, was Männer zur besonderen Verwendung brauchte. Ohne den beiden Quenzingers zu nahe zu treten, darf preisgegeben werden, daß Onkel wie Neffe mit manchen Wassern gewaschen waren, sowohl von Temperaments wie Berufs wegen. Das galt natürlich im besonderen für Aloys Quenzinger, den Makler ohne Makel, der ein Vierteljahrhundert Berufserfahrung hinter sich und ein hübsches Vermögen vor sich gebracht hatte und auch zu den derzeit herrschenden Kreisen die dienlichsten, aber zugleich unverbindlichsten Verbindungen pflegte. Aber was Quenzinger Franz Josef – wegen seiner Jugend – an Erfahrung abgehen mußte, das war seine Natur durch Vitalität, Intelligenz, Schläue, Instinkt zu ersetzen bereit. Wenn auch die Kriegsjahre – die frühe Einberufung Franz Josefs, die 1941 folgende des Onkels und beider Einsatz auf verschiedenen Kriegsschauplätzen – die Interessengemeinschaft der durch Blut, Boden und Talent verbundenen Männer etwas gelockert haben mochten – sie hatten in den Jahren vor dem Krieg schon einiges gemeinsam unternommen und zustande gebracht, wobei Aloys zunächst mehr der Begünstigende und Gebende und Franz Josef der Begünstigte und Empfangende gewesen war. Aber schon jetzt war ersichtlich, daß der favorisierte Neffe seinem Onkel nichts schuldig bleiben würde. Sie paßten zueinander wie zwei Handschuhe, oder sagen wir besser, da es sich um tätige Lebewesen handelt, wie zwei Hände, von denen die eine vielleicht etwas gepflegter scheinen mochte als die andere, die aber beide für das sauberste aller Geschäfte wie gemacht waren, das der Lateiner in dem Kernsatz umreißt: manus manum lavat. Eine Hand wäscht die andere.

Es gab etliches zu berichten, aus dem persönlichen Bereich, aus den Familien, aus dem Dienstkreis. Man wußte zwar von den beiderseitigen Lebenslinien, aber bei jedem hatte es seit der letzten Begegnung Verästelungen, Abzweigungen gegeben, auch Unterbrechungen, die mitteilenswert waren. Franz Josef hatte eine halbherzige, sich über Jahre hinausschleppende Verlobung mit einer äußerst wohlhabenden, aber nicht sehr anziehenden Fabrikantentochter gelöst und stellte die Heirat mit einer besonders hübschen Metzgermeisterstochter in Aussicht, die auch kein schlechtes Nadelgeld erhalten würde. Er hatte sie gerade in Rosenheim besucht, nach Ableistung eines Offizierslehrgangs, und war – erfreulicherweise – wieder an die Südfront versetzt worden, diesmal allerdings zu einer neuen und noch nicht ganz geklärten, aber eben besonderen Verwendung. Er freute sich, mit Rom ganz gewiß das »große Los« gezogen zu haben, und Onkel Aloys, der die Ewige Stadt nur von einer familiären Wallfahrt her – im heiligen Jahr 1925 – also nur flüchtig und höchst einseitig kannte, stimmte dem Neffen darin instinktiv bei; denn auch er, den es ein gutes und ein böses Jahr in Frankreich und Rußland umgetrieben hatte, erhoffte sich einiges von Rom – über den klerikalen und weltanschaulichen Anreiz hinaus. Er hatte schon in Friedenszeiten immer wieder den Wunsch verspürt, einmal ungeschoren das klassische, um nicht zu sagen, das gottlose Rom aufzuspüren. Aber immer, wenn er ein Zipfelchen von diesem Verlangen sehen ließ daheim, hatte sich die Sehnsucht seiner Lebensgefährtin Antonia nach einer gleichnamigen alten Tante gemeldet, die bei irgendwelchen Ordensfräuleins in Rom weilte, und um dieser heiliggemäßen Verwandten willen, mochte er sich nicht noch einmal ums klassisch-heidnische Erbe prellen lassen. Das nahezu achtzigjährige Nönnlein lebte zwar noch immer, und ein Besuch war fest zugesagt. Aber ohne Familien-Coda entfielen da ohnehin die Einwände. Vielleicht würde der Weg einmal Onkel und Neffen gemeinsam zu ihr führen...

Franz Josef, dem die Frömmigkeit anderer stets ein Anlaß für Respekt und Bewunderung war, stellte seine diesbezügliche Einsatzbereitschaft in Aussicht, für den Fall, daß wirklich ... Aber dieser Fall bedurfte ohnehin nicht weiter ernsthafter Verfolgung.
Daß die Geschäfte, mehr oder weniger beiderseits, ruhten oder sich nur auf wirklich exzeptionelle Okkasionen und Sonderfälle beschränkten, wurde ebenso verstanden wie bedauert. Aber – wer müsse nicht Opfer bringen in dieser großen Zeit ... Es gehe halt ums Ganze beziehungsweise ums größere Ganze.
Es herrschte ein herzerwärmendes Einverständnis zwischen dem älteren und dem jüngeren Quenzinger, die ein unbefangener Beobachter nicht nur für Verwandte oder auch Freunde, sondern zunächst wohl für Brüder oder mindestens Vettern gehalten hätte. Sie nannten einander, wie seit einem Jahrzehnt schon, beim Vornamen; dem einen sprang der Aloys so selbstverständlich von der Zunge wie dem anderen der Franz Josef. Wieviel Gleichgültigkeit, Wesensferne kann man, *muß* man zuweilen unter leibhaftigen Brüdern beobachten. Hier war der Schöpfung ein christlich-germanischer Doppelwurf gelungen, für den nur die klassischen Leitbilder der Dioskuren oder von Romulus und Remus zum Vergleich bemüht werden können. Man wußte nicht, ob die Übereinstimmung der Freude des Wiedersehens oder diese jener den Rang ablief. Hauptmann Quenzinger überzeugte die mitreisenden Kameraden davon, daß es um die deutsche Sache nicht schlecht bestellt sein konnte, solange noch solche Kumpane ihr zur besonderen Verwendung dienten. –
Der Abend neigte sich, als sie in Rom ankamen. Es geschah nicht direkt auf dem weiträumigen Bahnhof Termini, sondern einem Vorortbahnhof, von dem aus Busse in die Stadt führten. Die entarteten Alliierten hatten Bomben auf die Central-Station geworfen und beträchtlichen Schaden gestiftet. Die Ankunft sah weder nach Vergnügungsreise noch

nach Wallfahrt aus. Die beiden Quenzingers nickten sich bedeutsam zu. Auf dem Quartieramt betrachtete man sie unauffällig wie eine zugereiste Sensation und behandelte sie kurzentschlossen wie Brüder, indem man ihnen ein Doppelzimmer, freilich in einem der ersten Hotels antrug. Als Onkel Aloys darauf aufmerksam machte, daß wohl jedem der Offiziere Quenzinger ein Einzelzimmer zustehe, gab es Erstaunen, Verlegenheit, Entschuldigungen: es handle sich um nahezu das beste Haus der Stadt; natürlich gebe es, allerdings in verschiedenen Hotels, Einzelzimmer; und selbstverständlich sei man – ein Unteroffizier! – bereit, den persönlichen Wünschen nach Möglichkeit zu entsprechen. Man habe gemeint, der Herr Hauptmann und der Herr Leutnant seien Brüder, und das Albergo »Regina« sei ja bekannt und auch seine Lage an der Via Veneto ... Aloys, der Hauptmann, holte Rat bei Franz Josef, dem Leutnant, und bat diesen, notfalls die Entscheidung zu treffen. Da die Einzelzimmer in kleineren Hotels und diese in Nebenstraßen lagen, entschieden sich die Quenzingers für das Hotel »Regina«. Sechster Stock! Nach vorn! Ruhe und ein herrlicher Ausblick!

Es war Sonnabend. Vor Montag würde sich ohnedies nichts hinsichtlich weiteren Verbleibens und besonderer Verwendung klären lassen. Was, nachdem das Standesbewußtsein gewürdigt war, hinderte Quenzinger Aloys und Franz Josef, das freie Doppelzimmer – zudem mit Bad! – anzunehmen? Franz Josef, der sich auskannte, nickte Aloys befürwortend zu. Der Schein wurde ausgeschrieben. Ein Taxi trug die Herren mitsamt ihrem Offiziersgepäck in die Via Veneto zum Albergo »Regina«. Das Doppelzimmer war untadelig; es hatte sogar einen winzigen Balkon, von dem der Blick ausschweifen konnte: nach links zur Porta Pinciana und zum Pinicio, nach rechts flog er in sanfter Kurve hinunter zur Stadt, in Richtung auf die Piazza Barberini und die großen Straßen, die sich wie Spinnenbeine an den berühmten Platz anschließen. Die Sonne neigte sich, und vom westlichen Meer her fiel eine frische Brise in die ausglühende Stadt ein. Aloys Quenzinger konnte ein »Sakra!« nicht unterdrücken. Es war bayrisch gemeint und traf doch den Kern der heiligen Stadt. Auch das sich anschließende »Jessas« war nicht frömmelnd gemeint, sondern als kürzeste aller möglichen Huldigungsformeln. Onkel Aloys traf wie immer ins Schwarze. –

Sie gingen hinunter und ließen sich im Strom der Passanten und Flanierer treiben, stadteinwärts, bis zum monumentalnationalen »Hochzeitskuchen«, dann rechts ab zur Piazza Navona, wo Franz Josef den Onkel in ein wohlrenommiertes Restaurant zum Abendessen lud. »Heute ich, morgen du ...« wehrte er dem Abwehrenden.

Sie aßen reichlich und gut, tauschten die nicht eben heroischen, aber dennoch mitteilenswerten Kriegserfahrungen aus, ließen Papst und Führer leben und Gott einen guten Mann sein. Als brave Krieger landeten sie wieder bei ihrer »Regina« und legten sich zufrieden nieder.

»Morgen ist Sonntag«, sagte Aloys Quenzinger versonnen.

»Ja und ?« forschte Franz Josef brummelnd.

»I hab nur denkt ...« sagte der Onkel, ohne zu sagen, was er gedacht hatte. Die heilig-mäßige Tante Antonia hatte ihn kurz vor dem Einschlafen wie eine Sternschnuppe, sozusagen assoziativ, gestreift. –

Eigentlich hätten sie den Sonntag ziel- und pflichtbewußt mit einem Kirchgang einleiten sollen. Aber sie schliefen aus und beschlossen, ohne sich darüber zu verständigen, an die Stelle des Kirchgangs eine Besichtigung zu setzen, bei der sie, Kreuze schlagend und Knie beugend, dem Weihwasserbecken ebenso Reverenz erwiesen wie dem Sanctissimum. Der kundige Franz Josef hatte die Paulskirche zum Objekt der Schau- und Glaubenslust erkoren. Auch ein preiswertes und gutes Speiserestaurant, in dem sich's die verspäteten Kirchenbesucher wohl schmecken ließen, wußte er in der Nähe. Ein ausreichendes Mittagsschläfchen im Hotel trug über die heißesten Stunden des Tages hinweg und erfrischte ihre Lebensgeister. Als sie sich schließlich, gegen fünf Uhr, in die Korbsessel des ihrem Hotel gegenüberliegenden Cafés plazierten und in der Ausgeruhtheit eines Sonntagschristen ihre Blicke schweifen ließen, gestand Onkel Aloys lächelnd, daß ihm geradezu lästerlich wohl zumute sei – in dieser heiligen Stadt.

»Vielleicht moanst lasterhaft . . .?« gab Franz Josef zu bedenken. Aber sein einverständiges Lächeln ließ erkennen, daß er es nicht zu einem ethymologischen Streitgespräch kommen lassen werde »z'wegn dieser höchst persönlichen Anwandlung«.

Im übrigen hatte Franz Josef grundsätzlich um so eher für alles Menschliche und Männliche Verständnis, als er beim Besuch seiner Zukünftigen – im Haus der Schwiegereltern – über einige appetitanregende Äußerlichkeiten nicht hinaus gediehen war. Auch er fand es »pfundig«, bei Campari-Soda oder sonst einer dieser italienischen Giftmischereien an diesem wirklich schönen und eleganten Boulevard zu hocken, den Golfstrom der Müßiggänger – sparsam deutsche Uniformen, noch sparsamer italienische, von einigen prononcierten Schwarzhemden abgesehn – an sich vorbeitreiben zu lassen: auffallend hübsche und hübsch angezogene Weibspersonen, junge anregende Pärchen, ergraute Pensionäre, zwei Generalstäbler mit den roten Streifen, einmal Luftwaffen-Blau, etliche Schwarz- und Schwarz-Weiß-Röcke . . . sogar ein paar englische Fräuleins querten den Corso, raschen Schrittes freilich, wie um Versuchungen das Wort oder den Blick abzuschneiden, und Tante Antonia war ganz gewiß nicht dabei – Onkel Aloys mutmaßte es dankbar und ausdrücklich. Er war Roms und des Lebens froh und in zuverlässigster und bester Gesellschaft, nannte den Neffen einen Pfundsburschen, schaltete um auf das redlichere Löwenbräu, kam dadurch auf das Geschäft zu sprechen, das man nach dem Krieg erheblich internationalisieren müsse, auch hinsichtlich des Grundstückmarktes. Das habe der Krieg ja erwiesen, daß da noch manches zu »erschließen« sei. Nicht zuletzt auch hier in Italien. Nicht zu vergessen – ergänzte Franz Josef – »fern im Süd das schöne Spanien«! Es gelte vorauszuschauen, Vorsorge zu treffen, sich auf Eventualitäten gefaßt zu zeigen. Bedeutsame Mienen wechselten mit wohl abgewogenen Worten. So oder so: der Wiederaufbau sei unvermeidlich. Auch die Frage, wer ihn zahle, werde sich klären. Aloys hatte vorgebaut, auch Franz Josef in bescheidenem Maße. Grund und Boden verlieren nie ihren Wert. Und selbst wenn nicht alles so liefe, wie es laufen sollte ... Denn der Mussolini sei ganz gewiß nicht glücklich über die Entwicklung, die es mit Nordafrika genommen habe ... Und die sizilianische Vesper ...!

Die beiden Quenzingers ergänzten sich und ihre Gedankengänge auf geradezu ideale Weise, und wo ihr menschlicher Verstand um Rat und Lösung verlegen war, trug sie ihr Gottvertrauen über die Schlünde der Ungewißheit hinweg. Vor dem Zauber und der Verheißung der Ewigen Stadt kapitulierten die gegenwärtigen Probleme. Wo in dieser von Zerstörung und Kriegslärm verunstalteten Welt gab es noch einen solchen Ort, war die Welt noch so heil und hell? Quenzinger Aloys und Franz Josef durften sich schon zu ihrem Los beglückwünschen.

Auch in der Wahl des abendlichen Restaurants bewies der Neffe wieder Instinkt und Geschmack. Man saß diesmal nicht unter freiem Himmel, aber bei weit offenen Fenstern in einem offenbar nur von Italienern besuchten Speisehaus. Sie waren die einzigen Uniformen unter lebhaft gemischten Besuchern. In der Nähe plätscherte ein Brunnen, von draußen stieg leiser Oleanderduft in die Nasen, und Onkel Aloys verstieg sich zu der Behauptung, die Itaker wüßten mehr aus ihrem Leben zu machen als die meisten Tedesci, an der Spitze natürlich die Preußen, welche die Arbeit, das Militär und das Beamtentum erfunden hätten.

Ihre Vorspeise – Lassagne – nahmen sie noch allein. Aber mit der Saltimbocca brachte der Cammariere noch zwei

Damen an den Tisch. Sehr höflich fragte er, ob die Signori Einwände hätten; die meisten Tische seien jetzt voll besetzt – und die Quenzingers hatten keine, weder von der Sache noch von der oder vielmehr den Personen her, die sich durchaus zurückhaltend benahmen, obwohl sie von Kleidung und Aufmachung her nicht eben als Prototypen der Reserve gelten mußten. In der Figur waren sie sehr verschieden: eine war von lockender Korpulenz, klein, wasserstoffblond, mit vollem kirschrot gemalten Mund und schwarz getuschten Brauen, unter denen lebhafte blaue Augen hin und her gingen, während die andere größer und auch schlanker war und etwas lethargisch anmutete oder auch lasziv, ein dunkelhaariger, braunäugiger, eigentlich italienischer Typ.

»I glaab, i glaab ...« lächelte Onkel Aloys dem Neffen zu. »Und wos glaabst ...?« Aber diese Frage war so gestellt, daß sich die Antwort erübrigte. Man aß; an dieser Ecke die Saltimbocca, an der anderen wählte man Leber à la Veneziana und Osso buco – und hernach Cassata. Die Damen redeten leise, die Herren deutsch. Aber die einen behielten die anderen unauffällig im Auge. Gelegentlich wurden auch Blicke gewechselt, und als das Eis kam, gestattete sich Franz die erste Frage, und sie wurde freundlichst und mit geschmäcklerischen, beinahe sinnlichen »Hms« beantwortet. Bald kam eine Gegenfrage: ob die Herren zum ersten Mal in Rom seien, und weil die Antwort etwas differenzierter ausfallen mußte, war man unversehens im Gespräch. Ob Rom gefalle und na ob und ganz gewiß, und ob man sich auskenne, wenigstens un po, und das schon, aber sicher gebe es mehr als man wisse, und certamente und si, si und wer weiß und chi sa; natürlich der Krieg, aber die klugen Römer, und nicht zu vergessen: die Römerinnen – ja, die non meno, das Leben wolle sein Recht, leben und leben lassen ... so, so, aus Monaco, das soll eine schöne Stadt sein, und ob, vielleicht la piu bella della Germania, und schöne Mädchen hat's dort, elegante, fast wie in Rom, der

halbe Süden, schöne Straßen, Corsos – wie die Via Veneto fast, und immer Stranieri, Nachtleben, kein Coprifuoco, ein herrlicher Sommerabend ... Ob die Signori einen Cafe wünschten? Dann schon lieber einen Mocca. Aber doch nicht im Ristorante! Man kann ja wechseln ... Also: prego, il conto! Getrennt oder beide Herren? Ach, na ja – Geste aloysianischer Großherzigkeit –: per tutti ... Franz Josef lächelte der schlanken Braunen zu, die mollige Blonde legte ihre Polsterhand in aufwallender Dankbarkeit auf die kernige Hauptmannshand. Capitano? Si, Si. Also die kommt ja wie gerufen: für jede eine Rose! Es ist Rosenzeit. Prego. Prego. Und nun: Genga ma?!
Nichts wurde überstürzt. Wenn Eros seine Fähigkeit, zufriedenzustellen, glücklich zu machen oder wenigstens scheinen zu lassen, ungeschmälert entfalten soll, müssen alle Stadien der Annäherung mit Anstand durchmessen werden. Noch befanden sich (wenigstens) die Herren im Vorhof und glaubten, dementsprechende Vorurteile abbauen zu müssen. Gegenüber der »Regina«, wo sie schon den Aperitif genommen hatten, ließ man die schmeichelnde Sommernacht herankommen, dem Mocca eine Flasche Spumante folgen. Und darüber stieß der höchst aufgekratzte Capitano auf den Vornamen seiner Blonden, die – eine Fügung des Schicksals? – Antonia hieß.
Franz Josef wollte sich ausschütten vor Lachen, und es mußte diesen italienischen Fräuleins erst klargemacht werden, in welch sonderbare Beziehung zu den englischen Fräuleins beziehungsweise einem deutschen englischen Fräulein gleichen Namens die lukullische Bionda geraten war: Aloys – auch sein Name war für Antonia und ihre Freundin Francesca von äußerster Effektivität – hatte schon eine Antonia in Rom, alt und heiliggemäß oder heiligmäßig – der Capitano brachte das nicht mehr so reibungslos über die sprudelnde Zunge –, erwartete sie seinen Besuch, seine Reverenz, und nun – franziskanisch-josefische Geste! – kam sie dem Aloys sozusagen ins Haus ...

Und über diese Wendung wurde das Problem gegenwärtig, das sich mit diesem möglichen Besuch stellen könnte, stellen würde – es war ja noch nichts aus- oder abgemacht, die Dinge entwickelten sich noch, aber offensichtlich in eine ganz bestimmte Richtung, keine unwillkommene zwar, aber auch wenn hier letzte brüderlich-menschliche Affinität vorausgesetzt werden durfte – gewisse Grenzen gibt es, sie sind vorgegeben und einzubeziehen, man müßte sie überwinden, übersehen, ganz abgesehen davon, daß hier – für den Fall! – nicht nur zwei, sondern gleich vier Individual-Sektionen auf einen Nenner zu bringen wären, was ohne den in solchem Bezug nicht einkalkulierten Tatbestand des Doppelzimmers zweifellos nicht der Fall wäre. Aber der Fall lag nun einmal so, und wenn man sich betten wollte, so eben nur unter den gegebenen Umständen und Verhältnissen ...

Onkel Aloys deutete, als der Ältere und ansehensmäßig Verpflichteter, die zu überwindende Problematik an, nachdem er auch bei Franz Josef äußerste Gewilltheit konstatiert und die reibungslose Entscheidung des Neffen für die laszive Dunkle begrüßt hatte. Aber dieser, von keinerlei Schwellenangst geplagt, antwortete nur mit einem ihm offenbar seit langem geläufigen Leitspruch für Gewissensentscheidungen:

> Was nicht geschieht, besehn bei Licht,
> das findet keinen Richter nicht.

Die Gestimmtheit der beiden Quenzingers hatte bereits einen so zwingenden Grad erreicht, daß mit der Erwähnung des Problems schon eine Lösung gefunden war. Wenn die italienischen Fräuleins keinen Anstoß daran nähmen ...? Aber das Gegenteil schien der Fall. Andiamo alla Regina! Andiamo far l'amore!

Franz Josef mit Francesca, aus »Tosca« die Melodie »O süßer Küsse schwelgerisches Kosen ...« pfeifend, schritt

voraus, gefolgt von Onkel Aloys, dem Antonia schwer und verheißend am Arm hing. Es ging auf Mitternacht.
Der zahnlose Hotel-Cerberus händigte, leicht stirnrunzelnd, den Zimmerschlüssel aus. Im Fahrstuhl-Getto ruckte man in den sechsten Stock, der in diesem Augenblick mit dem siebenten Himmel identisch schien.
Das Zimmer fand den Beifall der Damen. Antonia probierte gleich die Federung der Betten. Man trat, allerseits aufgeknöpft, auf den winzigen Balkon, atmete die Nachtluft ein mit »che bello« und »che bella notte«, mit »Kruzifix« und »Herrgott noch mal« und löste sich, paarweise, von der Deichsel der Quadriga, um hüllenlos von warmer Nachtluft und der besitzlüsternen Handgreiflichkeit von Quenzinger Aloys und Franz Josef jeweils umhüllt und eingedeckt zu werden.
Daß das Licht gelöscht wurde, störte niemanden. Bei offenen Fenstern hatten es die Aahs und Oohs und Huis leicht, himmelwärts zu entweichen, und was nebenan geschah, konnte den Fortgang des Dramas eher beleben als aufhalten. Französisch aufgeklärte Spiegel mögen für saftlose Tappergreise vonnöten sein. Bayrische Löwen finden ihre Beute in der finstersten Nacht. Antonia war just die rechte Portion und Proportion für den Capitano, und Franz Josef halste, umarmte, entbeinte seine Francesca, daß ihr die Rippen federten. Wer selber speist, kann nicht futterneidisch sein. Und wer einen neuen Gang einlegt, regt auch des Nachbarn Appetit zum Weitermachen an. Zwar kann Lust nicht gemessen werden, aber was die Begleitmusik betraf, so gebührte Antonia der Preis. Sie beherrschte alle Lagen und Tonlagen, soweit die sommerliche Nacht es preisgab.
Zu später oder auch früher Stunde fühlte sich auch der eingeschlafene Franz Josef noch einmal zu tätiger Nächstenliebe von der Partnerin aufgefordert, als Aloys schon tief, tief schlummerte, und nahm zunächst ganz erstaunt, dann aber um so animierter ihre offenbar veränderten Proportionen wahr. Daß er mit dieser lebhaften Gemütsbewegung

jene bitter enttäuschte, die solchen Tausch ganz und gar nicht für profitabel hielt, nahm er nur ganz am Rande wahr. Wer selbst gut speist, hört das nachbarliche Bauchgrimmen nicht, und neben seinem Wonnegrunzen verhallten die Jieper der hungernden und sich verschmäht sehenden Francesca ungehört. Antonia hieß die Göttin dieser geselligen Nacht.

Als der Morgen graute, sah das Licht links außen Onkel Aloys liegen, neben ihm, abgewendet, Francesca. Franz Josef und Antonia ruhten annähernd verschlungen wie die im Aschenregen von Pompeji erstarrten Liebenden. Aber diese hier lebten und atmeten und boten, da kein Menschenauge sie sah – wie einst Venus und Mars im Netz des Hephästos – ein Bild für die Götter. –

Das Erwachen, die Morgentoilette, der Aufbruch (mit dem unvermeidlichen geschäftlichen Teil) waren, obwohl draußen die Sonne strahlte, gemischte bis freudlose Vorgänge und Verrichtungen. Das Tageslicht machte manches publik, was die Nacht gütig verheimlicht hatte. Die Kopfkissen waren von Lippenrot ziemlich verschmiert, und was sie angenommen hatten, ging den Damen ab, von denen Antonia bei aller Üppigkeit doch einen etwas abgegriffenen Eindruck machte, während Francescas Verhaltenheit sich nun unverblümt als schlechte Laune, ja nahezu als Unhöflichkeit zu erkennen gab. Auf jeden Fall war erwiesen, daß sich unter Umständen vier Menschen horizontal auf gut vier Quadratmetern besser vertragen können miteinander als vertikal auf vierzig und mehr.

Zum Glück gab es das Badezimmer und die verschiedenen Zungen. Und weil die beiden Quenzingers ja zu besonderer Verwendung nach Rom kommandiert waren und ihrer Meldepflicht entsprechen mußten, verfielen auch die Versuchungen der unheiligen Antonia, die ein gemeinsames Frühstück auf der Via Veneto anregte, der Ablehnung. Mit freundlich-nachsichtigen »Haut's ab!« und »Arrivederci« wurde die knapp achtstündige Einquartierung verabschie-

det. In einer Anwandlung, die aus Geltungsbedürfnis und dankbarer Sympathie gemischt war, steckte Onkel Aloys noch der italienischen Antonia seine mit allen Ehrentiteln versehene Visitenkarte zu. Er würde sich so leichter wiederfinden lassen, wenn Not am Mann wäre.
Es widerspräche militärischer Geheimhaltung, die dienstlichen Aufgaben von Hauptmann Aloys und Leutnant Franz Josef Quenzinger hier öffentlich zu machen. Beide landeten beim Militärbefehlshaber Süd, aber in verschiedenen Abteilungen. Der ältere mit Weisungen, die auf das Gebiet der Verwaltung Bezug nahmen, der jüngere – wohl wegen seiner Sprachkenntnisse – wurde in der Abwehr plaziert. Da die Unterkunftsfrage zumindest für den Augenblick als gelöst erkannt wurde und Umdispositionen zur Zeit angelaufen waren, verblieben Onkel und Neffe für die nächsten Tage bei der »Regina« und waren es durchaus zufrieden. –

Es war am darauffolgenden Donnerstag, daß Aloys Quenzinger, nach einem zeitigen Abendessen im Casino der Dienststelle, das Albergo aufsuchte, um einige Rückstände an Schlaf aufzuholen, die sich durch die ersten privaten Kontakte – am Montag, Dienstag und Mittwoch – mit den Kameraden der neuen Dienststelle angesammelt hatten. Er war nicht eben todmüde, aber doch ruhebedürftig; auf jeden Fall lockte ihn das Bett. Er duschte noch rasch, was bei der Außentemperatur eine wahre Labsal war, und frottierte sich eben ab, als das Telefon klingelte und der Portier das Eintreffen einer Signora meldete, die unbedingt den Capitano Quenzinger zu sprechen wünsche. Ein paar Einzelheiten, die seiner Existenz angefügt wurden, ließen keinen Zweifel: er war der Gesuchte, und die ihn suchte, mußte Antonia sein. Und weil der Neffe hatte wissen lassen, daß er an diesem Abend später kommen werde und weil sich plötzlich auf dem elegisch betrachteten weißen Bettlaken vor Onkel Aloys geistig-sinnlichem Auge die

üppig-rosigen Glieder der italienischen Antonia malten, sprach er entschlossen in die Muschel: »Prego! Ich lasse bitten. Avanti!«
Er bürstete sich rasch das Haar, stieg in den neuen türkisblauen Schlafanzug – da klopfte es auch schon verheißend an der Tür, und noch ehe er sein wohltönend-zufriedenes »Avanti!« losgeworden war, öffnete sich diese, und herein trat das italienische Fräulein. Nur war es nicht die vermutete, erhoffte, wollüstige Antonia, sondern die angetrunkene, mißgelaunte, Unheil, Rache oder sonst etwas brütende Francesca, die leicht schwankend die Tür schloß. Auf ihr trockenes »Buona sera« erwartete sie offenbar von vornherein kein Echo aus dem Munde des sprachlosen Aloys und fragte, den Raum mit Blicken ausleuchtend, mit ziemlich schwerer Zunge: wo Francesco sei. Aloys war so überrascht, daß ihm die geläufige Formel »non c'è« nicht einfallen wollte, und als sie ihm schließlich einfiel, wurde sie nicht akzeptiert. Ohne den perplexen Capitano eines Blickes oder weiteren Wortes zu würdigen, bewegte die Eingedrungene sich an ihm vorbei auf Franz Josefs Bett zu, begann sich zu entkleiden, hörte erst damit auf, wo es eben aufhörte, und ließ sich auf das aufgedeckte Bett fallen, strampelte mit den tatsächlich wohlgeformten Beinen die Daunendecke aus ihrer aufbauenden Gestaltung und zog sie lässig über den nackten Körper. Sie murmelte etwas, das Aloys zwar nicht verstand. Aber es war zweifellos eine Bekundung der Entschlossenheit, diesen Platz nicht zu räumen, bis ...
Eine gewisse Mimik und Gestik ist unmißverständlich – Aloys Quenzinger hatte begriffen, daß es hier, trotz Visitenkarte, auf den Nachnamen nicht ankam. Er war fehl am Platz, überflüssig, überzählig. Wer fehlte, war Franz Josef. Aber immerhin hatte er, Aloys, hier auch Wohnrecht. Er dachte nach.
Die Folge dieses Nachdenkens war, daß er sich in sein, also das nachbarliche Bett legte und weiterer Dinge zu warten

beschloß. Neben seinem Kopfkissen lag das Frauenhaupt mit den dunklen Haaren; ein nackter Arm reichte unbotmäßig in seine Bettzone hinein. Nicht viel, aber doch so, daß man ihn beanstanden, aber auch als Angebot, als Übergang verstehen konnte. Aloys, – sei kein Depp!
Jeder, der Quenzinger kannte, wußte seine Wendigkeit zu rühmen. Reagieren wie jeder – das konnte jeder! Aber sich anpassen! Gegen den Wind segeln! Den Gegner unterlaufen ...
Mußte es denn Antonia sein?! Ja, wenn sie da wäre! Aber sie ist es nicht. Statt ihrer – wieso und warum, das spielt jetzt keine Rolle – ist nun diese Francesca da. Hic Rhodos ...
Schläft sie etwa? Er vernahm sanfte Schnarchtöne. Tatsächlich, die schläft. Aber dazu ist sie ja nun weiß Gott nicht eingeladen worden, daß sie, wenn auch noch so sanft, hier schnarcht und anwesend die Abwesende spielt. Alles, was recht ist ...
Noch immer brennt freilich das Licht, das kompromittierende, hemmende, aktenkundig machende. Hatte es der kluge Neffe nicht gesagt:

> Was nicht geschieht, besehn bei Licht,
> das findet keinen Richter nicht!

Aloys löschte erst einmal die Deckenbeleuchtung und entzündete die Nachtischlampe. Stufenprogramm! Er legte sanft seine Hand auf die der Schlafenden. Keine Reaktion. Er nahm sie wieder zurück und schob sie vorsichtig unter diese willenlos, teilnahmslos, widerstandslos daliegende Frauenhand: vielleicht, daß sie, sich erwärmend, Leben gewönne und fühlte und weitergäbe ...? Man muß wohl dabei etwas Geduld haben. So etwas funktioniert nicht wie ein Stromstoß. Aber – so viel Geduld? Aloys faßte ein bißchen zu. Aha! Vorsichtig ... Er löschte doch lieber auch das kleine Nachttischlämpchen.

Es machte den Anschein, als ob die Hand in der seinen Zutrauen faßte, Vertrauen gewänne. Sie bewegte sich sacht, tastend, suchend. Oder täuschte er sich? Schon lag sie wieder wie leblos, wie ein Betrunkener, der sich nur kurz umgebettet hat im Schlaf.
Bin ich ein Babysitter? dachte Aloys plötzlich verärgert. Wenn sie den Franz Josef zu lieben gekommen ist, soll sie nicht blau kommen! Wenn sie aber tatsächlich blau ist, wie ich glauben möchte, soll sie keine so feinen Unterschiede machen! Wenn mich das damische Luder nicht schlafen läßt, will ich wenigstens mit ihr schlafen.
Er streifte leise, aber entschlossen seinen türkisblauen Pyjama ab. Zwei oder drei oder auch vier Minuten gab er sich noch der Meditation hin: ob er versuchen sollte, einsam einzuschlafen – oder gemeinsam ... Er erwog auch, nach Makler-Art, die Rechtssituation. *Sie* war gekommen, was jede reservatio mentalis ausschloß. *Er* war verlangt worden – der Portier war Zeuge. Nicht nur Quenzinger. Capitano Aloys Quenzinger! Und im übrigen: stand das denn hier überhaupt zur Debatte? Da lag sie nackert neben ihm im Bett. Es wäre ja geradezu eine Kränkung, ein unritterlicher Akt, hier zu verabsäumen, was die Sachlage, die Natur der Dinge und des Menschen und seine speziell erforderten.
Und Franz Josef? – Keine Frage! Sie hatten schon so manches Geschäft zusammen oder einer für den anderen getätigt. Und der stand für jenen ein, und jener stand für diesen. Und wenn sie – wer will's beweisen? – nur nach Franz Josef Verlangen geäußert hatte, so sprang er eben in die Bresche. Er würde seinen Spezi schon vertreten, daß die Schwarte knackte. Dessen Plazet hatte er!
Aloys Quenzinger hatte seinen Entschluß gefaßt, und wenn er auch nicht wortwörtlich in die Bresche sprang, sondern ganz behutsam vorging – in der Sache bleibt diese Formel gültig. Ohne Gewalttätigkeit, mehr nach Infanteristen-Art anschleichend, näherte er sich der Schlafenden, die Decke

lupfend, schob er sich, Handbreit auf Handbreit, näher an die Italienerin heran und legte sanft, aber zuverlässig besitzergreifend die Hand, die schon so viel irdenen Grund und Boden unter sich gebracht hatte, auf die Hüfte, die es zu lüften galt, und begann, sie zu streicheln, immer dabei sein nicht ungewichtiges Ganzes näher bugsierend und den Namen der Angestrebten flüsternd.

Diese, die fest geschlafen hatte und schlief, hätte völlig ungeübt im Umgang mit Männern sein müssen, um nicht instinktiv zu erfassen, was da zu erfassen war, was erfaßt sein wollte. Sie hatte sich Mut zu diesem Schritt angetrunken, offensichtlich zu viel Mut, und unerwartet den Boden unter den Füßen verloren. Aber nun, da sie dank Quenzinger Aloys auf den Boden der Tatsachen zurückgeholt wurde, ja, sich gerne zurückholen ließ, um es diesem Francesco zu zeigen, der sich da, am letzten Sonntag, mit einer falschen Visitenkarte in das falsche Bett locken ließ, während sie Publikum spielen mußte – nun wollte sie auf festem Grund Fuß fassen, und wenn das hier ganz gewiß ein rechtes und zu allem entschlossenes Mannstier war, so wollte sie doch – in vager Erinnerung an die hier einst vorherrschenden Verhältnisse – wissen, ob es der Richtige sei! Und wenn auch Aloys und Franz Josef ein Herz und eine Seele sein mochten – in diesem persönlichsten Bereich von Wesensäußerung und -entäußerung gibt es ganz spezifische Nuancen, die nur von einer Frau wahrgenommen werden, auch wenn sie nicht ganz nüchtern ist oder gerade dann: wenn sie aus der Ernüchterung in den gewissen Rausch zu gelangen trachtet. Ganz abgesehen von einer größeren Beleibtheit, die auch eine leidenschaftliche Frau wohl zu wägen weiß, waren da natürlich Differenzen und Differenzierungen zu spüren – akustisch, atmosphärisch, gerüchlich, handgreiflich –, die noch eine trunkene Liebende stutzig machen können, und auch das auf den anherrschenden Aufschrei »Francesco!!??« scheinheilig geflüsterte »Si, Francesca, si ...« konnte den Falschspieler nicht mehr vor der

Entlarvung retten. Mit Zähnen und Nägeln wehrte sich die Getäuschte gegen den perfekten Vollzug des Betruges und entwand sich, nicht ohne lebhaftes Gekreisch, dem unversehens wieder auf die Rechtslage und den Persönlichkeitsschutz gestoßenen Makler und Reserveoffizier Aloys Quenzinger, der sich eiligst auf seinen aus- und ihm zugewiesenen Grund und Boden zurückzog. Nicht ohne einen eminent kräftigen Fluch zwischen den Zähnen zermalmt zu haben.

Kein Zweifel: er hatte sich übernommen, vergaloppiert. Er war blamiert. Die Täuschung war mißlungen. Das besoffene Luder hatte im wahrsten Sinne des Wortes Lunte gerochen. Was nun weiter ...

Eigentlich sollte er sie jetzt an die Luft setzen – sie verdiente es. Aber – würde sie gehen? Und nach diesem blöden Geschrei? (Obwohl um diese Zeit kaum Gäste auf den Zimmern sein dürften.) Er hätte gern genauer auf die Uhr gesehen, aber aus irgendeinem ihm selbst nicht verständlichen Grund scheute er das Licht jetzt um so mehr.

Und so blieb es dunkel.

Und es blieb auch still.

Er lauschte. Nicht mehr lange, und er vernahm von nebenan wieder den schnurrenden, sanften Schnarchton. Ein starkes Stück, dachte er. Aber irgendwie beeindruckte ihn diese Kaltschnäuzigkeit. Oder war es Naivität? – Es wird der Rausch sein, schränkte er seine positive Anwandlung wieder ein. Er entsann sich, daß auch er eigentlich früh hatte schlafen gehen wollen, und sich auf die Seite drehend, dachte er noch: das soll der Franz Josef ausbaden, der hat die besseren Nerven und die jüngeren Jahre ... und war auch schon eingeschlafen. –

Er wurde wach durch die Hand an seiner Schulter, die ihn aus tiefem Schlaf rüttelte. Die Weckuhr zeigte auf ein Uhr. Franz Josef saß an seinem Bettrand und wies forschend auf das Nachbarbett.

Onkel Aloys legte den Finger an den Mund, erhob sich leise seufzend und winkte dem Neffen, ihm ins Badezimmer zu folgen. Dort klärte er den Fall auf. In strengstem Hochdeutsch sagte er:
»Sie wartet seit vier Stunden auf dich!«
»So? I mog aber nimmer. Hättest mi net vertretn kenna, Aloys?!«
»Die war ma z' bsuffa und is's oiwei no. Deszwegn schlafts ja wia-r-a Ratz. Es gibt nix Schlimmeres wia bsuffne Weiber. Da vageht oam da Appetit.«
»So, so ...« Franz Josef nickte bedächtig. »Und wos soll da passiern? I will mei Bett hamm.«
»Ausquartieren ...« sagte Aloys lakonisch.
»Wer tuats?«
»Notfalls mir zwoa. Aber vielleicht laßt's mit sich red'n, wenn du ihr italienisch zuaredtst ...?«
Franz Josef wiegte nachdenklich, ja zweifelnd das vierkantige Haupt. Dann schüttelt er es. »Naa!« sagte er. »Da wird nix draus. Des geht neb'nnaus. Wann die mi siecht, wills schlaffa mit mir.«
»Tuas! Und dann schmeißt as naus.«
»Und du?«
»I laß ma a Bad ei'laffa daweil.«
Franz Josef schüttelte langsam den Kopf. »Da wird nix draus. I mog net. So net – und überhaupts net – und mit a-r-a Bsuffna scho gar net. Schau, daß d'as nauskriegst. Wenn 's schlaft, huif i. Aber ziag da für alle Fälle a Hos-n o. Und d' Uniform. Wenn's Krach macht – –«
Tief Atem holend schritt Aloys zur Tat; Franz Josef blieb in der Reserve. In voller Uniform – er zog sogar die Stiefel an – und bei eingeschalteter Deckenbeleuchtung ließ er sich am Bettrand nieder und redete mit »Francesca« und »Prego« und »Avanti« auf das italienische Fräulein ein und rief die Schlafende wenigstens so weit in ihr Bewußtsein, daß sie sich umwendete, ihm zu, die Augen aufschlug, wieder schloß, wieder öffnete und, gewissermaßen als Beweis für die vollzogene Identifizierung, die Zunge herausstreckte.

»Dov' è Francesco?« lallte sie apathisch.
»Nix Francesco. Avanti! Via! Jawoll . . . Via!«
Wieder die Zunge. Bei geschlossenem Blick.
»Luada . . .« knurrte Quenzinger. »Des wer ma glei ham!«
Er trat ans Fußende und riß mit energischem Ruck die Bettdecke vom Leibe der einst Begehrten, weidete seine Augen ein bis zwei Sekunden noch einmal an der vertrackten Weibsperson und ging dann zum diesmal militanten Angriff über. Aber kaum hatte er den einen Arm und eine Schulter von Francesca in den Griff bekommen, da schrie die unsanft Berührte grell los, so daß Onkel Aloys rasch die Rechte von der Schulter löste, um ihr den schreienden Mund zuzuhalten . . . was er freilich mit einem eigenen Aufschrei bezahlen und einstellen mußte: die Italienerin hatte ihn in die Hand gebissen.
»Deifi!« schrie er aufgebracht. »I dawürg di, Luada!«
Aber da kam schon Franz Josef herbeigeeilt.
»Da!« Onkel Aloys hielt dem Neffen die leicht blutende Hand hin. »Biss'n hots, des Weibsbuid.« Doch der Neffe winkte beruhigend ab. Sein Auftreten veränderte die Szene, auch die aus der Bettperspektive. »Francesco . . .« stammelte es fassungslos, und zwei Frauenarme streckten sich hilfesuchend nach ihm aus. Die Jungfrau und der Drachentöter, fuhr es Aloys durchs Hirn. Er hatte ein Bild daheim, dessen Gestik mit dieser hier nahezu übereinstimmte. Es ärgerte ihn nur, daß die Assoziation ihn zum Drachen machte. Sie war doch der Drache. Sie!
Aber Franz Josef, Mann der Zukunft, Offizier der Abwehr und zur besonderen Verwendung bändigte den Drachen. In der Sprache Dantes, aber mit dem nie und nirgends verleugneten heimatlichen Akzent, ruhig, doch unerbittlich zielbewußt, sagte er, in unwiderruflicher Gebärde das nackte Angebot mit der Decke auslöschend:
»Ascolta, cara mia Francesca!« Ein Blick auf die Armbanduhr. »Du hast sieben Minuten Zeit, dich anzuziehen. Du bist betrunken hier eingedrungen. Ich werde dich bis

zum Hoteleingang begleiten. Wenn du Lärm machst, rufe ich die Carabinieri und die deutsche Feldgendarmerie. Du gehst friedlich heim und schläfst deinen Rausch aus. D'accordo?!«

Er stand einige Sekunden unbeweglich. Dann beugte er sich nieder, reichte der völlig Ratlosen beide Hände, zog sie aus dem Bett und zum Stand. Er mußte sie stützen, so sehr schwankte sie. Ob aus Schlaftrunkenheit, Mangel an Haltung oder seelischer Erschütterung, war nicht auszumachen.

»Aloys, sei Kavalier!« Franz Josef wies auf den Büstenhalter, den der Capitano vom Stuhl nahm und über die hilflos ausgestreckten Arme balancierte, die Franz Josef ihm entgegenhob. Er wendete das Fräulein und ließ den Onkel einhaken.

»Die Hos'n!« Er wendete die Dame wieder, und Aloys Quenzinger hob den ersten Fuß; den zweiten hob sie selbst. Als Aloys etwas zu akkurat Maß nahm beim Überstreifen, stampfte sie unmutig auf und versuchte, sich zu befreien. Aber Franz Josefs Arme hielten sie wie ein Schraubstock.

Dann aber ließ er sie auf den Stuhl nieder und half ihr selber in die Strümpfe.

»Aloys, bittschön, den Waschlappen!« Und während der ins Badezimmer eilte, klopfte er Francesca freundlich die Schenkel und tröstete sie in der Sprache Boccaccios.

»Un'altra volta, Francesca ... a anders Mal ...« Er half ihr das Kleid überstreifen, nahm aus Aloys Hand den Waschlappen entgegen, legte ihn gefaltet der Italienerin behutsam auf die Stirn und sagte, beruhigend: »Questo fa bene. Fa la testa più chiara ...« Und zu Aloys: »D'Handtaschen, bittschön. Und mei' Mütz'n. Sag Arrevidërci, Francesca ... sei liab ...«

Aber das tat sie denn doch nicht.

»Andiamo ...« sagte Franz Josef, nahm ihre Linke und legte die Rechte, steuernd, fest auf ihre rechte Hüfte. Aloys öffnete die Tür und ging voraus, um den Fahrstuhlknopf zu drücken. Dann trat er beiseite.

Francesca lehnte die Stirn müde gegen das Drahtgitter der Verschalung. Zweimal, in gewissem Abstand, stampfte sie wie in unwilliger Scham mit dem Fuß auf. Franz Josef hielt sie und klopfte jedesmal im Gegentakt beruhigend ihren Arm.

Dann kam der Förderkorb, und Aloys öffnete. Franz Josef schob die apathische Italienerin sanft hinein und stieg nach. Er schloß die Tür und drückte den Knopf.

Eben hatte sich der Fahrstuhl in Bewegung gesetzt, da sah Aloys noch, wie Francesca überfallartig ihre Arme um Franz Josefs Hals warf. Luada ... dachte er und führte die leicht blutende Hand zum Mund. Aber als er sich niederlegte – die Uhr zeigte halb zwei – korrigierte er sich: »Arm's Luada«, sagte er leise.

Er lag noch eine ganze Weile wach, weil Franz Josef ja nur bis zum Hotelausgang mitgehen wollte. Als er, nach einer ganzen Weile, das Licht wieder anschaltete, zeigte die Uhr ein Viertel nach zwei, und er warf sich krachend auf die andere Seite.

Als morgens um sieben der Wecker schellte, war sein erster Blick nach rechts: Franz Josef war da. Er hatte ihn nicht kommen gehört.

»Du muaßt gschwebt sei, heit Nacht. Wann bist kemma?« fragte er den Neffen, als sie sich beide nebeneinander rasierten.

»Früh!«

»Aha.« Und nach einer schabenden Weile in prononciertestem hochdeutsch: »Die Liebe ist eine Himmelsmacht!«

»Von Schiller ...«

»Wann's nur schee war.« Und seufzend: »Mei guate Nachtruah ...«

»Nehma ma a guats Frühstück mitanant auf da Veneto. I lod di ei, Aloys. Zwecks Entschädigung. Dazua taats no langa.«

»M'm Geld?«

»Mit der Zeit.«
»Na, dann: Beeilung!«
Allzuviel Zeit war tatsächlich nicht. Aber zu zwei Spiegeleiern reichte es. Außerdem dürfen Offiziere notfalls ein akademisches Viertel beanspruchen.
Als Franz Josef zahlte und zählte – er holte die Scheine merkwürdigerweise aus der aufgesetzten Seitentasche des Uniformrockes –, wurde er auffallend nachdenklich, und seine Miene bekam etwas maskenhaft Starres. Er begann, die Scheine noch einmal zu zählen, und schüttelte leicht den Kopf.
»Wos is?« fragte Aloys. »Stimmt d' Bank net?«
»I moan, die hot mi beschissn . . .«
»Hot s' foisch rausgebn?«
»Naa'.«
»Wos nacha?«
»Sie muß in mei Tasch'n nei g'langt ham . . .«
»Wo wars?«
Franz Josef zuckte mit den Schultern. »Irgend a Absteig muaß g'wes'n sei'. Weit weg war's net.« Er grübelte. »Sauerei . . .« fluchte er leise.
»I taat's meld'n.« Und hochdeutsch: »Eine gewisse Francesca, ein Meter siebzig groß, langbeinig, schlank, braunäugig . . .«
»Bist du wahnsinnig, Aloys!?« Franz Josef tippte sich an die Stirn. »Anzeige?! Du spinnst, Aloys.«
»Wir sind Bundesgenossen. Das wäre ja noch schöner.«
»Aloys.« Die Stimme des Neffen schwankte zwischen Beschwörung und Verwarnung. »Denk nach, bittschön! Ich, – –«
»I denk scho«, unterbrach Aloys. »Sprich!«
»Ich, Franz Josef Quenzinger, deutscher Offizier der Abwehr, laß mich von dera Nutt'n b'scheißn – und mach a Anzeig?! Daß 's publik werd! Wofür haltst du mi? Na . . . Des kann i ma net leist'n, Aloys. Als deitscha Offissier!«
». . . kannst da vui leist'n . . .« Aber es klang melancholisch.

Hauptmann Quenzinger war schon auf dem Rückzug. Franz Josef hatte wohl recht. Teilnehmend erkundigte er sich, ob's denn viel sei.
»I konn's verkraft'n«, sagte Franz Josef elegisch entschlossen.
In Aloys Miene trat ein pfiffiges Lächeln ein. Er meinte: »I taat's varechna, Franz Josef. Host wos guat!«
Aber Franz Josef schnitt ihm das weitere Wort ab und erhob sich.
»Genga ma!« sagte er streng.
»An die Abwehr! Avanti!« sagte Aloys.
Und bei sich dachte er: Sie is doch a Luada ...

Die letzte Nacht

In einer der rheinischen Großstädte, die während der beiden letzten Kriegsjahre vorzugsweise Angriffsziele der angloamerikanischen Luftwaffe waren, machte der Fall der G. O., einer Dame der (wie man meint) besseren Gesellschaft, eine Weile von sich reden – wobei man das Wort »Fall« in einem dreifachen Sinn deuten könnte:
Zum ersten als den Casus als solchen überhaupt, zum zweiten als gesellschaftlichen Fall oder Absturz einer als mehr oder weniger für untadelig geltenden Frau, drittens als den letztmöglichen Fall überhaupt: den Todesfall.
Ehe der erste Fall aufkam, so daß »man« über den zweiten hier und da zu reden begann, war der dritte schon betrübliches Faktum. Was an sich nicht eben verwunderlich erscheinen kann, weil in jenen Jahren kaum Zeit blieb für Beobachtung der Nachbarn, für Klatsch und üble Nachrede: ein jeder war so angelegentlich mit der Bewältigung der elementarsten Nöte beschäftigt, daß die Wege der Einzelgänger nur dort von Interesse sein konnten, wo sie sich – hemmender oder widerstrebender Weise – mit denen der Allgemeinheit kreuzten. Die junge Frau jedoch, die an manchen Abenden die heimkehrenden, umsteigenden oder Station machenden Soldaten, die der Fronturlauberzug ausspuckte, an sich vorbeiziehen ließ, um an diesen oder jenen eine kurze Frage zu stellen, störte niemanden und niemandes Kreise. Ihr Äußeres war unauffällig (wie es der Verlauf der letzten Kriegsjahre fast unvermeidlich erscheinen ließ) und ihr Benehmen zurückhaltend. Man hätte sie für die Frau oder Freundin eines der Ankömmlinge halten können, freilich nicht unbedingt eines fest Angemeldeten, sondern eher für die eines vielleicht ankommenden, eines

entbehrten, eines erhofften Heimkehrenden. Und in einem ganz bestimmten Sinn würde solche Vermutung auch den Kern der Sache getroffen haben: So wie Orpheus heute unter den allmorgendlich dem U-Bahnschacht entsteigenden Hunderten und Tausenden von Frauen seine Eurydike suchen könnte, hielt diese leicht vermummte Eurydike Ausschau nach einem Orfeo. Oberwelt und Unterwelt stehen da nur für den Abstand, der die Liebenden trennt.

Gabriele O. war mit einem Frauenarzt verheiratet, einem Mann von angenehmem Äußeren, der in Friedenszeiten recht erfolgreich seinen Beruf ausgeübt hatte und nun seinem Können und einigen vorausgegangenen »Übungen« entsprechend einen medizinisch-militärischen Rang bei einer in Rußland eingesetzten Armee innehatte. Der Ehe waren zwei kleine Töchter entsprungen – die eine kurz vor Ausbruch des Krieges, die zweite im zweiten Kriegsjahr –, welche mit ihrer Mutter und Großmutter in einem Villenviertel ein geräumiges, ererbtes Einfamilienhaus bewohnten. Die Ehe galt als »glücklich«, wenn man auch dem sehr in Mode stehenden Dr. O. eine lockere Hand in der Behandlung seiner Patientinnen nachsagte. Da aber in diesem »Kundenbereich« Wünsche sich gern als Befürchtungen und enttäuschte Erwartungen als abgewehrte Absichten mißverstehen, wurde solches Omen eigentlich von niemandem sehr ernst genommen, am wenigsten – so hieß es jedenfalls – von seiner Frau, die allgemein als eine charmante und über den Durchschnitt gebildete Arztfrau bekannt und geachtet war. Manchen wollte sie etwas exaltiert-literarisch erscheinen (man sah sie oft im Theater, bei Vorträgen und Lesungen); aber auch in diesem Bereich liebte es die Beschränktheit, sich als Tugend auszugeben, so wie sie das Außergewöhnliche gern als absonderlich verdächtigt. Das einzige, was man wirklich zuverlässig sagen konnte, war, daß beide das beste gemischte Doppel des Stadtbereichs im Tennis spielten und die Kinder auf die Namen Christine und Angelika getauft waren. Nachbarn wollten noch wissen,

daß Frau Gabriele eine sehr offene Hand für Bettelnde oder Unterstützungssuchende habe und wegen übertriebener Gutmütigkeit wiederholt vom Gatten und auch der eigenen Mutter getadelt worden sei. Als sich die Öffentlichkeit hernach mit dem Fall der G.O. intensiver zu beschäftigen begann, wurden noch andere Einzelheiten ins Treffen geführt: daß sie lange Spaziergänge allein unternommen habe oder daß sie zuweilen im Beichtstuhl eines beliebten jungen Beichtigers gesehen worden sei – es lohnt nicht, an die unbeholfenen Argumente und Verdächtigungen Aufmerksamkeit zu verschwenden. Die Wahrheit kannten nur die beiden Ehegatten. Und weil Gabriele sie freiwillig erfahren und gelobt hatte, sie keinem Dritten mitzuteilen, nahm sie ihr Geheimnis mit in den Tod, und der später gesund heimkehrende und bald wieder heiratende Gatte mußte sich – zu seinem Leidwesen – gelegentlich aufdringlichster Teilnahme erwehren, was die »Seitensprünge« seiner für so tugendhaft geltenden Frau betraf, welche die soldatische Opferbereitschaft des Gatten so unzureichend vergolten habe. Es spricht für den so plump Angesprochenen, daß er – zumal in gewissen Gesellschaften – darauf gern antwortete: »Oh, Gabriele und ich, wir waren ein besseres Doppel, als Sie zu ahnen scheinen. Es mag allerdings noch bessere geben hier und anderswo. Mediziner sind keine Moralisten.«
Mit dieser Bemerkung sprach er – was kaum jemand vermuten konnte – nicht nur seine Frau, sondern auch sich selbst frei. Obwohl er – von den äußeren Umständen abgesehen – nichts wußte über die Wege und Neigungen, denen Gabriele in den letzten Monaten ihres Lebens nachgegangen war, ahnte er doch den tragischen Konflikt, in den er sie – vielleicht in Überschätzung ihrer Kräfte – durch ein sachlich-medizinisches Geständnis gestürzt hatte.
Die beiden Mädchen waren bereits geboren, als die Gatten eines Abends – anhand eines Buches, das Gabriele gelesen und ihn zu lesen sanft aber dringend genötigt hatte – in

ein interessantes Gespräch gerieten über die Hintergründe sexueller Affekte und Reaktionen. Sie begehrte Aufklärung über den Wahrheitsgehalt eines damals viel gelesenen französischen Buches, in dem eine angeblich glückliche Ehe geschildert – oder sagen wir: eine Ehe als glücklich geschildert – wurde, in welcher der männliche Teil immer dann, wenn er aufs äußerste sexuell »affektioniert« war, sich einer bestimmten anderen Partnerin entsann, die ihm als unerreichtes Wunschbild, als Wunschpartnerin gerade dann gegenwärtig wurde.

Er hatte das Buch gelesen und glaubte, seinen Wahrheitsgehalt bestätigen zu müssen. Aber Gabriele wollte ihm diese Wahrheit nicht abnehmen. Obwohl sie viel gelesen und sogar ein paar Semester Psychologie studiert hatte (während deren sich ihre Beziehungen angebahnt hatten), weigerte sie sich, an dieses vermeintliche »Glück« zu glauben.

Sie gerieten in ein immer härter und konziser werdendes Gespräch, in dessen Verlauf er auch den Begriff des Glücks als »Illusion« entlarvte und so viel relativierte, daß sie schließlich ausrief: »Du belügst dich selbst mit deiner aufgeklärten Relativierung. Es gibt keinen Beweis für deine These und die des Romans. Was am Rande der Illusion möglich ist, kann nie die volle Wahrheit sein. Eine Frau fühlt, wenn sie geliebt wird, ob sie gemeint ist oder nicht!«

Er hatte seltsam gelächelt. »Gemeint, gemeint . . .« hatte er gesagt. »Natürlich ist sie, kann sie gemeint sein. Aber selbst wenn sie, wie du so schön sagst, gemeint ist – Meinung ist ja nicht Wahrheit! –, dann könnte doch ohne sein Wollen, Meinen, Denken plötzlich eine andere auftreten, einspringen, sich dazwischendrängen . . . und einfach da sein – wie eine Zündschnur – und die Explosion auslösen . . .«

»Theorie . . .« hatte sie geantwortet, aber schon innerlich gezittert. »Du weißt nicht, was du sagst . . .«

»Verträgst du die Wahrheit, die du suchst?« hatte er gefragt.

»Sprich sie aus!«
»Nein. Es hat keinen Sinn. Glaub, was du glauben willst. Und laß mich wissen, was ich weiß.«
»Du weichst zurück. Jetzt die Wahrheit zu verschweigen wäre grausamer als die grausamste Wahrheit«, hatte sie geantwortet, aber im Innersten vielleicht doch gehofft, daß er zurückschrecken werde vor dieser äußersten Wahrheit. Sie ahnte, daß nichts grausamer sein könnte als eben die angedrohte Wahrheit.
Und sie hatte recht.
Er zögerte und fragte:
»Sag mir zuvor, ob du glücklich bist mit mir. Überleg nicht und kalkuliere nichts. Ja oder nein. Oder mehr oder weniger: Ja oder nein.«
»Ja«, hatte sie gesagt – und gewußt, daß die nächsten Worte dieses Glück zerstören könnten.
Sie hatte gar nicht mehr genau hingehört. Die Person war so unsäglich unwichtig. Auch der wissenschaftliche Kram (den sie ja einigermaßen kannte) war nicht wichtig. Diese neuen Einsichten waren ja gar nicht so neu und sensationell, wie man immer tat. Sie gaben eben den Eventualis oder Potentialis als Realität aus. Was sie genau gehört hatte, war, daß sie gar nicht immer gemeint war, wenn sie gemeint zu sein vermeinte, sondern daß da immer wieder eine andere, angeblich völlig unwichtige, nebensächliche, mehr zufällige Person »auftauchte«, die irgendwann einmal in der Studentenzeit ein offenbar unwiederholbares »Ereignis« gewesen war und – eigentlich längst vergessen – die Kraft und Macht besitze, gerade dann gegenwärtig zu sein, wenn sie, Gabriele, sich im äußersten Besitz des Gatten zu wissen glaube.
»Du hast es gewollt ...« hatte er am Ende verlegen und bedauernd gesagt. »Vielleicht solltest du es nicht wissen. Was nützt die Erkenntnis, wenn sie uns aus dem Paradies vertreibt ...«
Er hatte recht gehabt. Leider. Es gab für sie keine Hin-

gabe mehr ohne den Gedanken an die andere, die »Zufällige«. Was nützt das ganze Wissen, wenn wir nicht ausreichen, es zu fassen? Sie wußte, daß er ihr in der Bewältigung dieser Fragen überlegen war. Daß er es neben sich stellen konnte – was etwas ganz anderes war als das, was sie »außer sich sein« nannte. Sie liebte ihn weiter und ließ sich lieben. Aber da war ein Wurm in der Frucht. Und der fraß, und die Frucht verdarb. Nur der Krieg, dieser stupide, rohe Einbruch in die Gewohnheit verhinderte, daß sie sofort in Fäulnis überging. –
Er zog »ins Feld«, sie blieb zurück. Soldaten-Frau, Krieger-Strohwitwe. An die Stelle der »Zufälligen« trat das Nichts, die Erinnerung, das Verblassen, die Leere. Ja, ja, die beiden süßen Mädchen ... das mußte man ihr nicht sagen, daß man sie zu lieben und zu pflegen hatte. So viel goldene Regeln weiß unsere Mitwelt, für die alles geordnet und gerichtet ist. Üb immer Treu und Redlichkeit, und weiche keinen Finger breit ...
Das kühle Grab war gar nicht so weit aus der Gegenwart. Er konnte es draußen haben und sie hier »zu Haus«. Jede zweite Nacht fast fielen Bomben und rissen Graben und Gräber auf. Es war alles auf Zufall gestellt: Leben, Liebe, Tod ... Gabriele O. hatte Zeit nachzudenken über die Sinnfälligkeit des Sinnlosen. Sie versorgte ihre beiden Mädchen, schrieb Feldpostbriefe, lebte mit der Mutter zusammen oder neben ihr – leben wir nicht alle miteinander und doch mehr oder weniger nebeneinander her?
Bis sie eines Abends auf den Bahnhof gegangen war, um die Schar derer zu sehen, die da wie aus todgeweihter Unterwelt – ans Licht, ans Leben gespuckt wurden – für ein paar Tage und Wochen, einen kurzen Urlaub, eine neue tödliche Chance ... Hunderte, Tausende wurden so wie in einer Schütte hin und her gewirbelt, fielen nebenbei oder blieben in ihr liegen, ältere, jüngere, erfahrene, unerfahrene. Es war interessant, ihre Gesichter, ihre Bewegungen zu sehen. Die meisten gehörten in einen Topf und fühlten sich auch wohl darin.

Aber dann gab es immer wieder Gesichter, die bestürzten, fesselten, nachdenklich stimmten. Neben den Zufriedenen, Vollgefressenen, Glücksjägern und Opportunisten die der Unglücklichen, Hilflosen, immer Zukurzkommenden. Die Herrschsüchtigen und die Gewalttäter, die sich in diesem Krieg in ihrem Element fühlten, Abenteurer und Hasardeure, die Visagen von Schergen und Henkern. Und dann wieder die Stillen, fast Erloschenen, Überfälligen. Wenn man genau zusah, war es schon ein beklemmendes Erlebnis, diese Vielfalt von Leibern und Seelen an sich vorüberziehen zu sehen, eine Arche Noah, auf die Spielart Mensch beschränkt. Aber was kann das alles heißen: Mensch ...

Der erste, den sie ansprach, war ein Volksdeutscher aus Siebenbürgen. Sie hatte ihn gar nicht recht beachtet; sie sah nur, wie jemand vor ihr ins Taumeln geriet und am Zeitungskiosk Halt suchte, trat näher und fragte, ob sie helfen könnte. Der Soldat sah auf, ein schmales, fast mageres Gesicht, unrasiert, aber mit guten, etwas kranken Augen. »Es wird gleich wieder gehen ...« sagte er dankbar. »Sie sind vom Roten Kreuz?«

Nein. Aber sie sei Arztfrau, und es könnten ja nicht alle, die Hilfe brauchten, auf das Rote Kreuz warten. Diese Decke sei längst zu kurz geworden.

Da redete sie wohl recht – der Mann rollte das R eigentümlich.

Sie fragte nach seinem Herkommen. Er war Lehrer in Klausenburg, Siebenbürgen, Rumänien, zur Waffen-SS eingezogen, und sollte endlich nach fünfzehn Monaten das erste Mal in Urlaub fahren. Er kam aus der Normandie, wo er schon einige Tage mit Fieber in einem Lazarett gelegen hatte. Aber die Lazarette würden jetzt doch für ernstere Kranke benötigt. Und so habe man ihn in den längst fälligen Urlaub geschickt. Abgeschoben. Jetzt suche er ein Bett. Ob sie ihm die Frontleitstelle zeigen könne. Er müsse sich bald legen ...

Und so kam der erste ins Haus. Im Souterrain war das

Mädchenzimmer frei; sie brauchten jetzt ja keine Hausangestellte. Sie rief die Mutter an, damit sie das Bett beziehe; sie komme mit einem armen Teufel von Soldaten, der am Umfallen sei und Hilfe brauche. Morgen könne man weitersehen. Aber jetzt tue Eile not.

Sie richteten dem Mann ein Bad, das ihm wohltat. Aber er hatte leichtes Fieber mit Schüttelfrost. An Medikamenten fehlte es nicht im Haus, und als er endlich im frischbezogenen Bett lag, und sie ihn besuchte, sagte er mit einiger Bewegung: »Sie wissen nicht, was das für mich bedeutet. Wir leben doch schon lange wie die Tiere.« Er wandte sich zur Seite.

Sie legte ihm die Hand auf die Stirn und die Augen, und er zog ihre Hand tiefer, so daß sein Mund ihre Handfläche berührte.

Er war sehr sympathisch und hatte gute Hände. Sie dachte: der kann seine Schulkinder nicht schlagen ...

Nach zwei Tagen meinte ihre Mutter, man müsse den Mann nun irgendwie krank melden und in ein Lazarett bringen, und Gabriele telefonierte mit dem Chefarzt des städtischen Krankenhauses – sie kannte ihn –, und der bat, die Papiere des Mannes vorbeizubringen und die Symptome zu sagen. Der Mann habe es sicher besser bei O.s.; sie hätten alles überbelegt. Er solle sich dann in ein paar Tagen, so oder so, wieder melden.

Gabriele tat, um was gebeten war, und Oskar P. durfte noch drei Tage in seinem Privatlazarett liegen. Sie saß manche Stunde an seinem Bett und sprach mit ihm; er erzählte sehr einfach, aber anschaulich von seiner Heimat, vom Reichtum der Trachten, die sie trugen, von ihren Festen und Gebräuchen, den Märkten und Kirchen und Burgen, von der sprichwörtlichen siebenbürgischen Gastfreundschaft.

»Sie müssen mich mal mit Ihrem Mann besuchen, wenn das alles vorbei ist und wenn wir dort bleiben dürfen«, sagte er. »Ich habe eine schöne Schule dort und ein kleines Haus.«

»Und keine Frau?«
»Doch, auch eine Frau.« Sonst nichts über dieses Thema.
Am letzten Abend, als sie ihm gute Nacht wünschte – morgen früh würde sie ihn zum Chefarzt bringen –, sagte er, er werde das hier nie vergessen. Das sei wie ein Urlaub im Paradies gewesen. Der Krieg sei doch eine schreckliche Sache und verrohe Sitten und Menschen. Er sei auch gar nicht so gern bei dieser Truppe da. Aber es gäbe auch anständige Kerle darunter. Sie wünschte ihm gute Nacht. Er hielt lange ihre Hand, und es fiel ihr schwer, seine Hand nicht in ihre beiden Hände zu nehmen und ihn zu küssen – er sah ja jetzt ganz menschlich aus, sauber und rasiert. Aber sie ließ es, und er spürte ihre Beherrschung und sagte, ihre Hand loslassend, leise: »Entschuldigen Sie ...«
Aber sie konnte nicht einschlafen, las lange, sah nach den Kindern, die mit ihr im Zimmer schliefen, hörte an der Mansardentür, ob die Mutter schlief, die immer leise schnarchte, entkleidete sich und stieg dann auf Zehenspitzen hinunter in das Souterrain, öffnete leise die Tür und legte sich zu dem siebenbürgischen Lehrer, der auch noch wach gelegen hatte. »Ich besuche Sie schon jetzt«, sagte sie nur leise. Sonst sprachen sie kaum Worte.
Als sie ihn am anderen Morgen in die militärische Abteilung der Klinik brachte (die ihn entließ und ihn mit korrigiertem Marschbefehl ausstattete), bat sie, ihm eine Frage stellen zu dürfen. Sie wollte wissen, ob er, als er sie geliebt habe, vielleicht an eine andere Frau gedacht hätte, vielleicht an seine daheim, oder ...
Er lächelte nur und schüttelte den Kopf. Er werde noch oft an sie denken, sagte er schließlich ernst.
Auch wenn er mit anderen Frauen beisammen sein werde?
Er sah sie verblüfft und stirnrunzelnd an, als habe er nicht recht verstanden. Dann sagte er ein etwas hartes, knappes »Nein!« und sonst nichts.

So kam das mit dem Zimmer ohne besondere Veranstaltungen und Winkelzüge in Gang. Es war da, und man konnte jemanden darin aufnehmen, auch für ein paar Stunden oder eine Nacht. Die Sache mit dem siebenbürgischen Lehrer war ja ein Sonderfall gewesen. Aber der ging Gabriele O. lange nach. Sie erhielt noch eine Ansichtskarte, zwei Wochen später, mit einer Landschaftsaufnahme. Es war ein Dank für die Pflegetage und darunter stand zu lesen: »Ich werde mich immer unendlich über Ihren Besuch freuen.«

Sie empfand eine große Freude über diesen Gruß; aber es hatte wohl keinen Sinn, in dieser Richtung weiterzudenken. Für einige Wochen gab es auch Ablenkung: eines der Kinder erkrankte an Diphtherie, und während der Krankheit kam auch ihr Mann in Urlaub. Er wollte ihr verändert erscheinen, weniger liebevoll, oft abwesend. Er sprach auch einige Male in betonter Anerkennung von seinem Operations-Team, in dem sich eine Schwester, die zufällig auch Gabriele hieß, besonders hervortue. Eine ungemein tüchtige und sympathische Person.

In der Nacht vor seiner Abreise fragte sie ihn plötzlich: »Hast du schon mit dieser Gabriele geschlafen?«

»Wo denkst du hin!« sagte er unwillig, aber ihr wollte scheinen, daß sein Befremden mehr Verlegenheit als Verstimmung enthielte. »Wie kommst du darauf?«

»Ach«, sagte sie, »ich dachte nur, wenn du es tätest, wie schwierig es für dich werden könnte, wenn du sie anredest und wenn ihr zusammen seid. Wenn du zu ihr ›Gabriele‹ sagst, könnte es ja sein, daß dir dabei – ganz logisch – *ich* in den Sinn käme. Und dann wäre ja noch die andere da, die Zufällige, die sich noch dazwischendrängen könnte. Das würde doch ein heilloses Durcheinander geben und dich unter Umständen ganz aus dem Konzept bringen!« Sie mußte plötzlich, obwohl sie im Grunde traurig war, sehr darüber lachen. Aber es war eben mehr Galgenhumor. Und er lachte auch mit, aber so, daß sie dachte: er will sich aus

der Schlinge lachen. Schließlich sagte sie: »Ich bin dumm und albern. Verzeih! Man hat so seine Einfälle und Gedanken. Du weißt ja, daß sie kommen, ohne daß man sie zu rufen braucht. Laß uns nicht mehr darüber reden ...«
Und dann fuhr er wieder fort, und sie dachte fast jede Stunde ein Mal an diese zweite, die ja nun sogar den gleichen Namen hatte wie sie, und sie glaubte zu wissen, daß er gelogen hatte.

Am übernächsten Abend ging sie wieder an den Urlauberzug und betrachtete die Ankommenden. Sie hatte sich an diesem Abend etwas hübscher angezogen und leicht geschminkt, und diesmal wurde sie sogar angesprochen – von einem Offizier.
»Ist der Herr Gemahl noch nicht eingetroffen?« fragte er zwischen Galanterie und Anzüglichkeit.
»Nein«, antwortete sie. »Er wird auch nicht erwartet. Aber vielleicht werden Sie erwartet!«
»Leider nein, leider nein – so schön es wäre ...« Ach, er redete ziemlich oberflächlich daher. Aber er war ein stämmiges Mannsbild, nicht viel über dreißig, und als er fragte, wo man wohl leidlich zu Abend essen könne und ob sie ihm nicht Gesellschaft leisten wolle; es würde ihn sehr freuen. »Sie wissen doch, wir Frontschweine ...«
»Ja, ja«, unterbrach sie ihn sofort. »Von den Schweinen wollen wir nicht reden, auch nicht von den Frontschweinen. Aber wenn Sie mit mir reden wie ein vernünftiger Mensch, zeige ich Ihnen, wo Sie etwas Leidliches zu essen bekommen, und trinke ein Glas Wein mit ihnen.«
Er guckte etwas dumm. Dann meinte er: »Lassen wir das Frontschwein. Aber man ist in jeder Hinsicht aus der Übung. Ich will mir Mühe geben. Bitte, übernehmen Sie die Führung.«
Sie gingen in ein Restaurant, bei dem ihr Mann bevorzugter Kunde war.
»Ein Kamerad meines Mannes ...« mit dieser Formel er-

reichte sie ein annehmbares Abendessen für das gebändigte »Frontschwein«, das sich am Ende als Landmesser entpuppte und gewisse studentische Redewendungen und Floskeln für einen Standesausweis hielt. Er wurde natürlicher und bescheidener, als er Gabriele sehr achtsam bedient sah und vernahm, daß sie Frau eines Arztes sei, und am Ende kam doch ein annehmbares Gespräch zustande.
Im Grunde war der Bursche in seinen Studentenstulpenstiefeln stehen geblieben. Er war seit drei Jahren mit der Tochter eines Großagrariers verlobt, aber der »Alte«, dem er nicht gut und nicht reich genug sei, wolle erst das Ende des Krieges abwarten, bis er die Zustimmung zur Heirat geben würde. »Er denkt vielleicht, ich beiße noch ins Gras. Aber wir wollen erst mal abwarten, was aus Ostpreußen wird.«
»Gibt es das noch«, fragte Gabriele, »daß ein Mädchen sich vorschreiben läßt . . .?«
Er zuckte die Achseln.
Eigentlich hatte er mit dem Nachtzug weiterfahren wollen, um am nächsten Morgen in Berlin zu sein. Er sah ein paarmal auf die Uhr. Aber dann kam ein Luftalarm, und die Gäste mußten alle in den nächsten Luftschutzkeller, wo sich die Schutzsuchenden drängten. Es fielen etliche Bomben in der Nähe, und sie hockten in einer Ecke auf einer Holzbank dicht nebeneinander – es ergab sich fast, daß er seinen Arm um sie legte und ihre Hand nahm und sie langsam und beständig streichelte. Und sie ließ es geschehen. Erst ließ sie es zu, und dann ließ sie es gern zu. Und dann hielt sie seine Hand fest. Und einige Male sahen sie sich an, unsicher, fragend. »Sie haben keine Angst?« fragte er, mit einem Unterton der Bewunderung. Sie schüttelte nur den Kopf.
»Ich bewundere Sie«, sagte er leise. Und dann nach einer Weile, setzte er noch einmal an, aber es reichte nur bis zu einem »Ich . . .« Es verließ ihn wohl der Mut zu einem größeren Wort, und das fand sie wiederum sympathisch.

Sie lächelte und sagte heiter: »Den Rest darf ich mir denken. Es wird nichts Verletzendes sein.« Er schüttelte treuherzig protestierend den Kopf. Sie legte leicht ihren Kopf an seinen, und er strahlte.
Als Entwarnung gegeben wurde, sagte sie mit leiser Ironie: »Wetten wir, ob Ihr Zug jetzt fort ist? Oder ob er überhaupt eingefahren ist! Was meinen Sie? Gehen wir zum Bahnhof ...«
Unterwegs sagte er, daß er viel darum gäbe, noch etwas mit ihr zusammen sein zu können ...
»Wieviel?« fragte sie sarkastisch und blieb stehen.
Er war so perplex, daß er nicht zu antworten wußte. »Ich bin sprachlos«, sagte er leise.
»Das sehe ich. Kommen Sie.« Sie hängte sich bei ihm ein. »Wenn Ihr Zug noch fährt, dann fahren Sie. Wenn er nicht mehr fährt, kriegen Sie das Bett in unserer Mädchenkammer und machen sich morgen früh auf Ihre Militärsocken, so früh, daß meine Mutter und meine Kinder das nicht bemerken.«
»Oh«, sagte er. »Müssen wir dieses Lotteriespiel spielen? Ich tränke so gern noch eine Flasche Wein mit Ihnen. Ich habe ein paar herrliche Flaschen Burgunder im Gepäck ...«
Am Bahnhofseingang blieb sie stehn. »Gehen Sie nach dem Zug sehen und holen Sie Ihr kleines Gepäck, wenn er nicht mehr fährt. Ich warte hier.«
»Aber Sie laufen nicht fort!?«
»Nur wenn Sie fortfahren ...«
Es herrschte ein ziemliches Gewühl in der weiten Halle. Auf den Straßen jagten Rettungsfahrzeuge, Feuerwehrautos, Sanitätswagen – es war ein chaotisches Treiben, ein apokalyptischer Lärm. An einigen Stellen sah man Feuerschein über der Stadt. Soll ich gehen? fragte sie sich. Ich sollte gehen. Sie wollte es von einem Griff ins Portemonnaie abhängig machen: wenn sie kleine Münzen – Groschen, Fünfer, Fünfziger – zuerst griffe, wollte sie gehen; griff sie ein Markstück oder darüber, würde sie stehen.

Über das Wort »stehen« kam sie auf »zu seinem Wort stehen«. Sie beschloß, die Probe zu machen, aber dennoch zu ihrem Wort zu stehen. Sie griff eine Mark und glaubte sich im Einverständnis mit dem Schicksal, mit dem Himmel und ihren Wünschen.

Diesen Mann vergaß sie als Typ, als Person und Menschen sehr bald. Noch während sie zusammen waren, begann sie leise zu bereuen, sich mit ihm eingelassen zu haben. So gutwillig und bemüht er sich aufführte – er war zu gierig, zu unfertig als Mann, so sehr sie ihm sein Ausgehungertsein auch zugute halten wollte. Natürlich schlief er, wie die meisten Soldaten, mit käuflichen Frauen, war ein fleißiger Besucher der Soldatenbordelle. Was er denn tun solle, als junger, gesunder Mann?

Ob er dann, wenn er mit anderen Frauen zusammen sei, sich seine Braut herbeisehne. Oder sich vielleicht gar vorstelle, daß ... Erst verstand er die Frage gar nicht. Wozu denn ... Und mit seiner Braut – da war in dieser Beziehung noch gar nichts passiert. Sie hätte ihrem Vater schwören müssen, daß sie unberührt in die Ehe eintreten werde. Und eigentlich, grundsätzlich, wünsche er das auch. Im übrigen: seit vier Jahren sei Krieg, und wenn er Urlaub habe, verbringe er den eben auf dem Gut des Schwiegervaters, der ihm übrigens auch das Ehrenwort abgenommen habe, Marie-Agnes nicht zu berühren, ehe sie Mann und Frau seien.

Da reise er ja in eine schöne Fastenzeit. Aber er begriff die bittere Ironie kaum. Er seufzte nur. Was für ein Mann, dachte sie. Schutz braucht er nicht, weil er oben auf der Brühe schwimmt. Als Offizier und Akademiker hat er, was man Standesbewußtsein nennt. Aber in Wahrheit zählt er zu den kleinen, ganz kleinen Leuten. »Armes Frontschwein ...« sagte sie. »Komm, friß dich satt, ehe du an die leeren Tröge deines ostpreußischen Schwiegervaters kommst.« Sie ließ sich noch einmal nehmen und wollte an den siebenbürgischen Lehrer denken. Aber das fiel ihr doch zu schwer, weil das Frontschwein zu sehr grunzte.

Das hat also auch seine Schwierigkeiten, dachte sie. Und obwohl er noch gut zwei, drei Stunden unbemerkt hätte im Haus bleiben können, schickte sie ihn fort. Ihre Mutter habe sich oben zu schaffen gemacht. Er sei zu laut. »Ich komme in Teufels Küche sonst. Reisen Sie gut zu Ihrem Engel! Immer rechts halten, die lange Straße lang ...«
Sie steckte ihm das verlogene Markstück unbemerkt in seine Manteltasche. Ehe er recht begriffen hatte, stand er schon auf der Straße.
»Sind Sie bös?« flüsterte er an der Tür. »Nein, ich liebe Sie!« flüsterte sie zurück und gab ihm noch einen Kuß auf die leicht stoppelige Backe.

Das einzige, was von ihm in Erinnerung blieb, war die Gier, der Hunger, mit dem er jedesmal über sie hergefallen war. Und das ihr Unverständliche war, daß sie jetzt auch solchen Hunger, solche Gier verspürte. Es war, als habe sich zwar dieser Mann verflüchtigt, aber einen Bazillus, einen Infekt hinterlassen. War dies der Preis für die Mißachtung, die sie ihm schließlich entgegengebracht hatte?
Zweimal ging sie abends an den Fronturlauberzug und kehrte allein wieder nach Haus zurück, aus Furcht vor einer Enttäuschung. Sie glaubte, sich wieder gefangen zu haben, und wollte einfach – wie früher gelegentlich – sehen, beobachten, wissen. Aber dann gefiel ihr ein junger Fliegerleutnant, der die Fahrpläne studierte, und sie fragte ihn, ob der Zug (mit dem er gekommen war) schon eingetroffen sei.
Die Antwort fiel wie gewünscht aus. Ob sie jemanden erwartet habe?
Ach, eigentlich nein. Es sei so ihre Art, manchmal an diesen Zug zu gehen, der sie an glückliche Tage erinnere. Das sei so eine Marotte von ihr. »Es ist auch so interessant, die vielen verschiedenen Typen und Gesichter zu studieren.« Jeder trage doch sein eigenes Schicksal mit sich herum, auch wenn der Krieg alles gleichzumachen scheine. Ob er

Berufsoffizier sei oder nur für die Kriegszeit bei der Luftwaffe?
Kein Berufsoffizier. Aber er wolle später Pilot bleiben. »Wenn es das dann für uns Deutsche noch gibt!« schränkte er lächelnd ein.
Ja, die alliierte Luftwaffe treibe es ziemlich toll. Die vielen Luftangriffe. Ob es an der Front ähnlich zugehe?
So kamen sie ins Gespräch, scheinbar zufällig. Er wollte in die Provinz, ins Niederrheinische. Aber der Fahrplan war durcheinandergeraten, der Pariser Zug hatte viel Verspätung gehabt. Sie studierten beide, fragten an der Sperre – ein Luftalarm kam, jagte sie in den nächsten Bunker. Es gab diesmal bald Entwarnung.
Er gefiel ihr sehr. Sie gefiel ihm. Es gab da Redewendungen, Bewegungen, Blicke, die das bald unmißverständlich machten, und er ging nur zu gern mit ihr. Sie ließ ihn heimlich ein, kümmerte sich ums Unvermeidliche, richtete noch einen kleinen Imbiß und opferte eine der nicht eben zahlreichen Weinflaschen, die noch im Keller lagen, und sie waren – wie man so zu sagen pflegt – sehr glücklich miteinander. Sie entzückte sich an seiner Jugend, ihm schmeichelte die erfahrene und gebildete Frau: er empfand das Zusammensein als ein Abenteuer von ungewöhnlichem Rang. Er hatte dergleichen noch nicht erlebt.
Er war ein guter und schneidiger Junge, ein bißchen »jugendbewegt«, aber intelligent, unfertig wie die meisten jungen Krieger – woher sollten sie's denn auch haben ... Aber er hatte einen so guten Körpergeruch, so schlanke, sehnige Glieder: es war eine Lust in seinem Arm zu liegen und sich so begeistert von ihm lieben zu lassen.
Als sie ihn beim Morgengrauen – sie war immer bei ihm – entließ und fragte, ob er nur sie gemeint hätte, als er sie geliebt habe, oder vielleicht eine andere, sagte er ganz erstaunt und naiv: »Gibt es das ...?«
Er wunderte sich, wie leidenschaftlich und zärtlich er für diese Frage belohnt wurde.

Diese Erfahrung versetzte sie einerseits in eine tagelange Euphorie; zugleich aber hielt diese Euphorie sie ab, neue Erlebnisse zu suchen. Sie wollte ihren vermeintlichen Gewinn nicht so rasch aufs Spiel setzen. Aber dann erlag sie doch dem Gesetz, dem alle Spieler erliegen, deren Gewinn nicht der Gewinn ist, sondern das Spielen an sich. Sie war wie eine Jägerin, die auf edles Wild jagt und die es verschmäht, leichte Beute zu machen. Obwohl sie diesen körperlichen primitiven Hunger wohl spürte, der da seine Befriedigung suchte und der – darüber täuschte sie sich inzwischen auch nicht hinweg – mit jeder neuen Erfahrung zunahm, überwog bei ihr doch der andere, der Hunger nach der unerfahrenen Erfahrung eben, dem neuen »Menschen« oder »Mann«. Sie begann plötzlich zu begreifen, wieso so viele sogenannte glückliche Ehen an dem Mechanismus der Gewohnheit erlahmten und andererseits auch: wieso manche weibliche Wesen diese Tortur der käuflichen Liebe ertragen können, die so viel Entwürdigung und Wiederholung mit sich bringt, aber hundert zu eins auch wohl – sie konnte das nur vermuten – die Chance, überrascht zu werden.

Sie fragte sich, ob jene »Zufällige«, von der sie durch sein Geständnis erfahren hatte, nicht auch vielleicht eine Abwehr – im letzten, tiefsten, vielleicht unbewußten Grund – gegen den Mechanismus sein könnte, diesen doppelten Mechanismus, der im Wesen und der Praktik dessen, was die Franzosen sachlich »faire l'amour« nennen, doch besteht. Was waren denn Gottes Mühlen, die da mahlen, anders als die Millionen Mühlen des geschlechtlichen Taktes? War der Automatismus der Ehe wirklich eine so sakrosankte Angelegenheit, wie zum Beispiel die Kirche es glauben machen wollte, ein Sakrament . . . oder war er im letzten nicht eine zur Zivilisation erhobene Barbarei? Große Redensarten und Vokabeln für ein simples, soziales Arrangement? Eine bequeme Lösung für das eigentlich Unlösbare? Nein, sie redete sich nichts ein, und sie redete sich nicht heraus. Sie war dabei, dieses Phänomen zu studieren, zu versuchen, zu untersuchen, zu praktizieren – aufmerksam gemacht durch den psychologischen Gatten. Und gerade jetzt im Kriege, im Chaos, in der täglichen Schlacht um die zwei Handvoll Essen, die paar Kubikmeter Sauerstoff, die notwendigen Stunden Schlaf zeigte sich doch, wieviel Phrase und Verlogenheit das Vokabularium der zivilisierten, zumal christlichen Gesellschaft beherrschten. Nein, sie würde nicht kapitulieren, sondern die Schlacht fortsetzen, die sie mit Monsignore M. seit drei Monaten gelegentlich im Beichtstuhl austrug. Woher wollten gerade diese Leute wissen, wie der Faden lief ... Ihre Mühle kannte man doch:

Üb immer Treu und Redlichkeit ...

Während Städte in Schutt und Asche sanken und Millionen krepierten, dieser Leierkasten ... bis an dein kühles Grab. Gottes Wege? Blasphemie! Euere Gedanken sind nicht meine Gedanken! –

Der nächste war ein »Kollege«! Merkwürdigerweise sogar ein etwas älterer. Sein Kofferhenkel löste sich an der Sperre, und sie kam zufällig dazu, half ein wenig, seinen Krempel einsammeln, während die Landser schadenfroh grienten. Aber er hatte das nicht verdient. Und er nahm das Angebot, ihn als »Kollegen« aufzunehmen auch gar nicht als Versuchung oder – Chance auf.

Eigentlich kamen sie über seine gefährdete Ehe zusammen: seine Frau betrog ihn – sie war neun Jahre jünger – fortlaufend; und er wußte es. Es war im Grunde nichts mehr zu retten. Er verfluchte den Krieg, der dies alles ausgelöst, bewirkt hatte. Und der verloren war (man durfte es nur noch nicht sagen).

Er war ein Landarzt, mit großer Praxis, sicher ein Arbeitstier, das beinahe jede Nacht zu einer bäuerlichen oder proletarischen Wehmutter gerufen wurde und jetzt irgendwo in Belgien ein Lazarett leitete.

Er war nicht schön, nicht sehr intelligent, gar nicht aben-

teuerlich. In manchen Augenblicken zu weich oder gar weinerlich. Aber es ging Wärme von ihm aus. Stallwärme. Er roch nach Landarzt. Und wenn die Gebote der Heimlichkeit nicht gewesen wären, wäre vielleicht gar nichts geschehen. Er von sich aus hätte sich wohl brav schlafen gelegt.
Aber ihre Reden vom »falschen Verdacht«, vom Leisemachen, von den Kindern und der Mutter brachten ihn wohl auf den Gedanken, daß er sich – auf diese Art – an seiner Frau rächen könnte. Und dann entflammte ihn dieser Gedanke offenbar so sehr, daß er auf eine komische Art galant und verführerisch wurde.
»Überlegen Sie sich's. Überlegen Sie sich's. Ich bin kein Mann der brachialen Gewalt. Ich werde mich brav in dieses Dienstmädchenbett legen und an Sie denken. Ich werde so herzlich und zart an Sie denken, daß Sie kommen werden. Ich weiß es. Gehen Sie! Küß die Hand, Liebenswerte. Aribert Förstemann wird auf Sie warten. Gute Nacht!« Er lächelte freundlich und zwinkerte lustig mit dem einen Auge.
Er mußte wirklich ein Weilchen warten, weil sie so unentschlossen war. Aber dann ging sie doch und wurde wie der Weihnachtsmann bewillkommnet. Sie hätte ihn nicht ein zweites oder drittes Mal erwählt. Aber für diesmal war sie zufrieden. Ein guter Mensch ist besser als ein schlechter Mann, dachte sie. Und daß er so dankbar, so glücklich war, machte auch sie dankbar.
Er versteckte eine große Bonbonniere im Bett, die sie Gott sei Dank beim Aufräumen entdeckte. (Er hatte sie wohl ursprünglich seiner treulosen Frau zugedacht.)
Ehe er beim Morgengrauen ging, hatte sie ihn gefragt, ob er an seine Frau gedacht habe, während sie sich liebten.
»Um die Wahrheit zu sagen«, hatte er nach einiger Besinnung gesagt, »in gewissen Momenten ja. Aber eben mit Unmut oder sagen wir: schmerzlichem Bedauern. Aber generaliter war ich ganz bei Ihnen, ganz der Ihre.« Dann stutzte er und fragte:

»Sind Sie etwa katholisch? Adjectio ad alteram? Oh, ich bin im Bilde!«
Nein, sie sei nicht katholisch. Sie frage nur wegen seines ehelichen Kummers. Er sei ein guter Mensch.
»Und kein schlechter Arzt!«

Sie hatte noch zwei Erfahrungen mit Männern, die älter waren als sie. Zunächst mit einem Hauptfeldwebel, dessen selbstsicheres Auftreten Eindruck machte auf sie; vor allem reizte sie sein Gang, der etwas Raubtierhaftes hatte. Sie beobachtete ihn eine ganze Weile und war sich ganz sicher, daß da menschlich keine Sensation vorläge. Aber er sprach sie sexuell an wie selten ein Mann vorher. Man sah unter seiner Uniform die Muskeln spielen, er trug die Schultern wie eine Herausforderung, und die dunklen Augen, die von buschigen Brauen überwachsen waren, erfaßten – so schien es – mit wenigen Blicken die Situation. Sicher war er ein gefährlicher Vorgesetzter, einer, den man nicht hinters Licht führen konnte, dabei vielleicht keine schlechte »Kompaniemutter«.
Sie hatte ihn richtig eingeschätzt: er war eine geschulter Athlet, mehrfacher Boxmeister, auch Degenfechter und als solcher Ausbilder in einer Armee-Sportschule, der eigentlich längst Offizier hätte sein müssen. Mindestens Oberleutnant. Als sie ihn darauf ansprach, verfinsterte sich seine Miene bis zur Bösartigkeit.
»Sprechen wir nicht davon. Sonst kotze ich Galle. Irgendein Schwein hat mich zur Strecke gebracht. Ich habe einen schweren Fehler gemacht, und man hat mich in den Feldwebelstand zurückversetzt für zwölf Monate. Aber die sind bald um. Sprechen wir nicht, sprechen wir nicht . . .«
Sonst erfuhr sie wenig. Verheiratet war er nicht, offenbar, weil er es so leicht und billig bei allen Frauen bekam, was er suchte. Auf so ein Mannsbild fielen fast alle herein. Sie eingeschlossen. Er hatte eine feste, noch leicht gebräunte Haut, und einen Körper, wie ihn wenige Männer besitzen.

Kein Gramm Fett. Ein Landsknecht, der sicher gelacht hätte, wenn man ihn nach seinem Seelenleben gefragt hätte. Er hatte keines. Er hatte nur seinen Ehrgeiz, der befriedigt sein wollte (und der eben einmal tödlich verletzt worden war): siegen – über andere, über sportliche Gegner, Frauen, Widerstände jeder Art. Er redete ziemlich schamlos, beinahe ordinär im Bett, veranstaltete einen Heidenzirkus. Aber ihr war dabei zumute, als müsse sie Sport treiben, und sie wollte doch lieben. Sie fragte ihn ein wenig aus – er sprach gern und war von Natur aus ruhmredig. Aber die eine Frage, die sie doch auch an ihn hätte richten können, wollte ihr nicht über die Lippen. Sie dachte: es hat keinen Sinn, dieses Mannstier zu fragen. Das ist ein geiler Bock. Ehe der zu denken und empfinden anfängt, muß er fünfzig sein. Das hat also noch fünfzehn Jahre Zeit.
»Zufrieden?« fragte er, als sie ihn entließ.
»Müde«, sagte sie ausweichend.
»Das ist für eine Frau dasselbe«, meinte er. »Adieu, cherie! Die Hausnummer merke ich mir!«
Sie schob ihn hinaus. Klugscheißer, dachte sie. Was weißt du von den Frauen ...
Der andere war weniger sportlich und attraktiv, ein Obergefreiter mit viel Gepäck. Er hatte einen Versetzungsbefehl, und seine Vorgesetzten hatten ihm so viele Mitbringsel für ihre Frauen aufgehalst, daß er sie kaum bewältigen konnte. Er hatte dafür mehr Reisespielraum bekommen, auch einiges Geld, mußte dafür aber von D. aus dreimal in die nähere Provinz reisen.
Irgend etwas interessierte sie an dem Mann, der ein gutes Gesicht hatte, aber ganz bestimmt kein guter Soldat war. Sie war neugierig, und darum fragte sie ihn aus, beriet ihn mit den Zügen, trug sogar zwei Pakete von ihm an die Aufbewahrung – er wußte gar nicht, was er sagen sollte. Sie hatte sich allerdings auch einfach angezogen und trug ein Kopftuch.
Sie machte den Fahrplan für den nächsten Tag und nahm

ihn mit, und weil er – Volksschullehrer und Organist im Mecklenburgischen – ja den ganzen Tag unterwegs sein mußte, um die raren Dinge an den Mann (beziehungsweise dessen oder deren Frauen) zu bringen, behielt sie ihn auch die zweite Nacht bei sich. Er gestand, freimütig, daß er in den zwölf Jahren seiner Ehe (er war erst knapp zwei Jahre Soldat und eigentlich nur bedingt tauglich) seine Frau noch nie betrogen habe. Die vier oder fünf Bordellbesuche zählten ja nicht. Man kenne diese Frauen ja nicht, vergesse sie auch sofort wieder, wolle sich auch gar nicht erinnern an sie. Und das sei auch richtig so. Aber nun?
Was nun?
Nun sei *sie* doch dazwischengekommen ...
Ja. Das habe ihn schon den ganzen Tag beschäftigt. Das sei etwas ganz Neues, anderes. Damit sei er noch nicht fertig. Sie müsse das verstehen.
Ob er es bereue?
Oh, nein. Er habe sich ja den ganzen Tag darauf gefreut, sie wiederzusehen. So oder so. Sie sei eine besondere Frau, nicht nur, weil sie diesen »besseren Kreisen« angehöre. Da stinke ja so vieles zum Himmel, wenn man genauer hinrieche. Nein. Er könne nicht sagen, wieso und warum – aber das würde er nicht bereuen. Er würde es auch nicht seiner Frau sagen. Das gebe böses Blut und endlose Rederei. Sie wolle sowieso immer alles genau wissen. Und nun erst das. Das behalte er für sich als sein schönstes Abenteuer. »Ich werde oft an Sie denken ...«
Sie fragte nicht weiter.
Als er sie zum Abschied noch einmal umarmte, sagte er leise: »Damit werde ich nun leben müssen, solange ...«
Also doch Reue?
Nein, nein, das auf gar keinen Fall. Aber er fürchte: Wenn er jetzt mit seiner Frau zusammen sein werde, so werde sie oft ... Er unterbrach sich und fuhr fort: »Ich glaube nicht, daß ich das vergessen werde. Für Sie würde ich vieles tun können ...«

Es war merkwürdig: im Laufe der Zeit gewannen gewisse Worte, Bemerkungen immer mehr an Bedeutung für sie, und die »Fakten« oder Handlungen schrumpften zu Nebensächlichkeiten, Begleiterscheinungen zusammen. Nachdem der erotische oder sexuelle Rausch verebbt war, entschied etwas anderes über seinen Wert – oder doch über den des Partners. Der Feldwebel mit seinen Atlas-Schultern wurde dann zu einer komischen Figur, einem muskulösen Hampelmann, und seine »Untergebenen« beschämten ihn. So hübsch sie sich ausnahmen, die Galane im Offiziershabit – sie dachte oft an den Fliegerleutnant –, so waren sie in ihrem Liebesvermögen doch oft kümmerliche »Geber«. Sie nahmen, fraßen, wollten haben. Aber was ließen sie zurück? Wenn sie sich mit diesen Helden, Herrschenden, Privilegierten, Egoisten einließ – was blieb ihr?
Ach, sie begann einzusehen, daß da ein Unterschied in der Art zu lieben zwischen den Geschlechtern bestand und daß das Geheimnis der Liebe nicht im Erfolg, in der Präpotenz, in der Stärke lag, sondern in der Angleichung, Unterwerfung, der Hingabe, die bis zur Schwäche gehen konnte. Der triumphierende Gockel war kein Sinnbild der Liebe. (Da waren die Bestien und Haustiere besser im Bild!) Sicher würde es sich lohnen, diesen Fall weiter zu studieren. Aber würde sich das Ergebnis – ihre Einsicht – ändern?
Nein, daran glaubte sie nicht mehr. Sie war nicht dumm genug, sich hinhalten zu lassen. Sie begann, dem Sieger-Typ zu mißtrauen, ja, ihn zu hassen – aus Selbstachtung.

Etwa zehn Tage nach dem liebenswerten »Dienstboten«, dem Organisten und Lehrer, war sie wieder auf dem Bahnhof und wurde, noch ehe sie sich ihrem Zug aus der Unterwelt genähert hatte, von einem Offizier angesprochen, der sie vielleicht für Freiwild hielt. Sie war nicht ganz unschuldig daran: sie trug – es war ein schöner sonnenheller Tag gewesen – ein orangefarbenes, gut geschnittenes Kostüm, in dem ihre Figur anziehend deutlich wurde, und leichte, ele-

gante Schuhe. Auch die Lippen waren in der gehörigen Abstimmung betont. Sie ließ den Werber reden, ohne mit mehr als ja oder nein oder einem Achselzucken zu antworten, und brachte ihn dadurch bewußt aus dem Takt. Schließlich fragte sie ironisch, aber nicht ohne herausfordernden Charme:
»Könnten Sie mir in drei, vier Worten sagen, was Sie von mir erwarten?«
Der Offizier, ein Oberleutnant der Panzerwaffe, nahm die Herausforderung an und sagte anzüglich:
»Sie wissen es, meine Liebe.«
»Ich rühr' keine Hand! Ohrfeigen Sie sich selbst!« Sie ließ ihn stehen und ging langsam auf die Sperre zu, durch sie hindurch und ließ sich im Gegenstrom an den Ankommenden entlang treiben, verhaltenen Schritts, in aufkommender Spielerlaune. Manchmal blieb sie kurz stehen, ging auch ein paar Schritte zurück, dann wieder vorwärts, immer den Blick ausschickend nach dem Unentdeckten, Unverhofften, Vermißten, vielleicht Niegeborenen.
Es war wie immer. Etappenhengste, Frontschweine aller Gattungen und Waffengattungen, zwei Goldfasane, ein paar Kettenhunde, Nachrichten-Eulen, Rote-Kreuz-Enten – die für Kriegsfahrt gecharterte Arche spuckte ihre Arten aus. Es waren nicht die edelsten Exemplare, und sie befanden sich auch nicht im besten Zustand. Etliche waren beschädigt, trugen Verbände, Armschienen, staksten mit vergipsten Beinen mühsam voran; aber auch die noch Heilen und Gesunden schienen gezeichnet, unsichtbar gezeichnet. Sie hätte nicht sagen können, wovon gezeichnet. Es war nicht so sichtbar wie bei Früchten, in die der Wurm eingezogen ist – gerade dort, wo noch der verdorrte Blütenrest zu sehen ist. Aber es war so ähnlich. Und vielleicht mußte ihr diese Gedankenverbindung kommen, weil sie sich ja selbst in diesem überreifen Äußeren darbot, anbot, überbot ... Je mehr Blicke sie abtasteten, auszogen, vergewaltigten, um so überfälliger, nutzloser, sinnloser kam sie sich

selbst vor. Sie wußte, daß ihre Kleidung untadelig war, ihr Körper gesund und schön, und glaubte sicher zu sein, daß ihr Sein den Schein der Täuschung überführte. Das hatte sie dem Monsignore im Beichtstuhl noch abgetrotzt, daß hinter dieser Lust des Weibes nach dem Manne, hinter der Lust an ihm mehr züngelte als dieser mit allen Karnickeln, Katzen und Mäusen zu teilende Auftrag: Mehret euch! Sie hatte offengelassen, ob er – als Mann – über feinere und verläßlichere Organe verfügte als sie. (Vielleicht melden sie sich unerwartet, unverhofft ... hatte sie nicht ohne Berechnung während dieses Beichtgespräches gedacht.) Aber daß sie, bei aller Selbstsicherheit, auf einem Seil ging, das wurde ihr mit jeder Minute deutlicher bewußt. Und vielleicht war der plötzliche Entschluß, in dem sie auf einen der letzten, die da dem Wagen entstiegen waren, zutrat, als sei er der Erwartete, schon der Absturz von diesem hochgespannten ungesicherten Seil, der Sturz ins Bewußtlose ...

Der Mann, der da, halb befremdet, halb erheitert, seinen Schritt verhielt und einen fast knurrenden Laut ausstieß, mochte Mitte der Dreißig sein. Er war ziemlich groß, das Wort stattlich wäre hier angebracht, und trug eine gutsitzende Uniform, eine schwarze, wie ihr zunächst scheinen wollte; es war jedoch eine blaue, und es war auch keine Wehrmachtsuniform, sondern eine der Polizei, der Bahnpolizei. Sie erfuhr das erst später.

Jetzt stand sie, einer erwachenden Nachtwandlerin nicht unähnlich, vor diesem – Beamten, der außer einer schwarzen großen Kunstledertasche kein Gepäck mit sich führte, starrte ihn zwischen Verlegenheit und Neugier an, schloß plötzlich, wie im Erschrecken über sich selbst, die Augen und ließ den Kopf auf die Brust sinken.

»Wohl eine kleine Verwechslung?« hörte sie ihn sagen. Und gleich darauf hinzusetzen: »Keine üble – möchte ich sagen.« Sie schüttelte den Kopf. »Entschuldigen Sie«, sagte sie leise. »Mein Vetter ...« Und sich hektisch nach allen Seiten umsehend: »Er scheint nicht mitgekommen zu sein. Woher kommt dieser Zug ...?«

»Noch aus Paris«, lautete die Antwort.
Wieder schüttelte sie den Kopf.
»Das gibt es«, sagte er, »daß jemand nicht ankommt. Da ist manches im Gange. Manche bauen schon ab oder um, in Paris. Aber ich komme aus Brüssel. Das ist auch kein schlechter Ort...«
Sie standen jetzt schon allein auf dem Bahnsteig. Sie hörte ihn reden, eine Stimme, nicht unsympathisch, aber auch nicht erwärmend, eine Allerweltsstimme, geübt, neutrale Auskunft zu geben, allgemeine Anweisungen oder auch dienstliche Belehrungen und Befehle. Was will ich hier, dachte sie bei sich. Ich bin verrückt.
»Ich bin nicht der, den Sie erwartet haben. Aber vielleicht kann ich doch zu etwas nütze sein. Vielleicht nach dem Motto: Die Polizei – dein Freund und Helfer!«
Er machte eine zum Gehen einladende Bewegung.
»Aber Sie sind doch nicht von der Polizei?« fragte sie unsicher.
»Bahnpolizei! – Aber notfalls auch Freund und Helfer.« Es klang kaum anzüglich.
Ob er auch im Kriegsdienst sei?
Das wohl schon. Wer sei das jetzt nicht? Obwohl... Sie sähe eigentlich nicht nach Krieg aus.
»Nein«, sagte sie fast böse. »Ich wollte jemanden abholen und ihn den Krieg vergessen lassen.« Wie oft laufe sie wie eine Putzfrau herum! Ob eine Frau sich an so einem warmen Sommertag... sie verstummte und ging etwas rascher, als wollte sie davongehen, ihn zurücklassen.
Aber nicht doch. So sei das doch nicht gemeint gewesen. Eher als Kompliment. Das wisse er auch, daß sie etwas Besseres sei – sozusagen. Er sei auch kein Banause.
Sie redeten im Kreis, aber der Kreis wurde allmählich enger. Sie dachte: es lohnt sich nicht. Er dachte: das lohnt sich mal! Sie dachte: den nehme ich nicht mit nach Haus. Er dachte: für die ließe ich heute abend mein Zuhause sausen. Sie dachte: von dem erfahre ich sicher nichts Wissens-

wertes. Er dachte: da kann man sicher noch einiges lernen. Sie dachte: einen Beamten der Bahnpolizei – soweit darf ich's nicht kommen lassen. Er dachte: ich bin doch nicht immer im Dienst; auch Beamte sind Menschen. Sie dachte: ich werde zusehn, daß ich ihn abschüttle. Er dachte: ich werde zusehn, daß sie sich für mich erwärmt. Sie hat ja recht ... Natürlich hatte sie recht: es war eine herrliche Sommernacht, sternklar und schweißtreibend, und die Verdunkelung machte alles noch dringender, fragwürdiger, geheimnisvoller. Der Krieg – unter uns – war wahrscheinlich verloren. Einmal war er schon ausgebombt, und sie saßen nun auf diesem tristen Nest, bis alles zu Ende sein würde. Wenn er davonkäme! Erstens war das sowieso für jedermann die Frage. Und zweitens war nicht sicher, ob Heldenklau in der dritten oder vierten Instanz nicht doch noch einen Uniformwechsel erzwingen würde. Wenn es der Ami und der Russe tatsächlich gemeinsam schaffen sollten – der Adolf würde kein Pardon kennen. Der nähme die letzte Tasse und die letzte Gabel mit. Man konnte nicht darüber sprechen. Aber er zweifelte nicht daran ...

Je länger er sprach, desto nachsichtiger wurde sie. Ein Eisenbahner mit Polizeivollmachten! Kein Frontschwein, kein Kavalier, kein Getretener, keiner mit Gemüt und Kultur, auch kein großfressiger Zwölfender allerdings, und Püppchen und Süße, das war wohl auch nicht sein Vokabular.

Er hätte den Zug zu seinem Kaff und seiner Anneliese gut kriegen können; aber er ließ ihn sausen. Er war Sonntagsjäger und wußte, daß man auf der Spur bleiben muß. Vielleicht war sie scheu; vielleicht tat sie nur so. Sie ließ sich zum Essen einladen, und die besseren Weiber sind nun mal so: immer ein bißchen abwesend, wenn sie in unsere Kreise kommen. Aber wenn auch alles schiefgehen sollte, im großen – das hat der Adolf doch geschafft, daß diese Schranken gefallen sind. Und was er nicht geschafft hat, das hat der Krieg ...

Eben hatten sie das äußerst bescheidene Essen eingenommen – sie tat langsamer und war noch nicht ganz fertig –, da gab es diesen Scheißalarm, und alles mußte in die Bunker. Daß die bei diesem klaren Wetter auf der Insel blieben – das wäre doch ein Wunder gewesen! Aber daß es nach zwanzig Minuten Entwarnung gab, war beinahe auch eins.

Eigentlich hätte es noch etwas länger dauern können, denn sie hockten so schön dicht aufeinander. Das ganze Gequassel ist doch überflüssig, wenn die Fakten sprechen. Aber als sie dann wieder auf die Straße gingen, ließ sie es zu, daß er seinen freundlichen und helfenden Arm um sie legte. Ach, die war gar nicht so.

Er hatte recht, sie erwog bereits, ob sie ihn nicht doch mitnehmen sollte. Aber noch ehe sie zu Ende überlegt hatte, kam da dieses drollige Gasthausschild »Zur guten Bleibe«, über das sie schon etliche Male gelächelt hatte und das für ihn eine Novität zu sein schien. Oder tat er nur so?

»Man soll's nicht glauben: Gute Bleibe. In dieser Zeit. Die haben Humor. Direkt sympathisch. Man sollte sie beim Wort nehmen. Was mich betrifft –«

Er faßte sie bei den Schultern.

»Wie heißen Sie? Mit Vornamen! Nur der zählt hier.«

»Anneliese.«

Er schluckte etwas. »Wie eine Kusine von mir ...« sagte er. Er hätte sagen müssen: wie meine Frau. Aber sie spürte seine Lüge. Sie wog die ihre auf.

»Lustig«, sagte sie ironisch. »Fragen wir ...«

Er ging voraus, mit amtlichem Schritt. Der Fall war klar. Er kam aus Brüssel im Dienst. Sie hatte ihn abgeholt. Alarm! Kein Zug mehr nach Ixdorf. Ein Doppelzimmer war noch frei. Er füllte die Papiere aus. Ehefrau: Anneliese.

Als sie die Treppen in den zweiten Stock hinaufstiegen, mußte sie plötzlich stehen bleiben und sich an ihn lehnen. Er glaubte an Zärtlichkeit; aber es war Schwäche. Vielleicht eine Kreislaufschwäche. Vielleicht eine andere ... Sie fühlte, wie ihr das Wasser in die Augen trat. »Halt mich«, flüsterte sie, und er tat es nur zu gern, merkte aber bald, daß er hier als Helfer angesprochen war. Sie faßte sich, und sie stiegen weiter treppan.

Als sie das Zimmer betraten, heulten die öffentlichen Alarmsirenen auf.

Er löschte sofort die Deckenbeleuchtung, leuchtete mit seiner Taschenlampe den Raum ab und knipste dann ein Nachttischlämpchen an. Von unten war noch eine Handsirene zu vernehmen: die Hotelgäste wurden in den Keller gebeten.

»Gehen wir nach unten?« fragte er unsicher.

Sie schüttelte langsam den Kopf und begann sich zu entkleiden. Er löschte das Nachttischlämpchen, legte seine Taschenlaterne abgeblendet daneben, zog die Verdunklung hoch, öffnete das Fenster und lauschte hinaus.

Man hörte das Geräusch der anfliegenden Maschinen. »Schweine«, sagte er böse. Er rang mit sich.

»Ich weiß nicht ... Als vereidigter Beamter ...«

Sie war entkleidet und legte sich in das der beiden Betten, das dem Fenster am nächsten stand. »Komm ...«, sagte sie einfach.

Er zögerte, lehnte sich noch einmal aus dem Fenster und lauschte. Dann schloß er das Fenster und wollte die Verdunklung wieder herunterlassen, aber sie bat ihn, das Fenster wieder zu öffnen.

»Ich ersticke ...« sagte sie.

»Ich weiß nicht ...« sagte er. »Vorschrift ist ... Aber wenn *du* willst ...« Er lehnte sich noch einmal hinaus und horchte. »Es sind viele«, sagte er und seufzte vernehmlich. Sie sagte ruhig:

»Wenn du hinuntergehen willst, so geh.«

»Ach, dieser Hotelkeller ...« sagte er verächtlich. »Der kann uns auch nicht schützen, wenn ...« Er begann sich auszukleiden. Als er sich des Uniformrocks und der Langschäfter entledigt hatte, trat er noch einmal ans offene Fenster. Er sagte: »Das andere, vorhin, das war nur das Vorspiel. Aber diesmal ...« Er sprach nicht zu Ende, sondern zog sich schweigend, beinahe zögernd weiter aus.

Ehe die dritte Luftmine das kleine Hotel in Schutt und Asche schlug und alles Lebende unter sich begrub, sah sie ihn noch im Zimmer stehend, etwas zum Fenster hingeneigt, wie lauschend, obwohl die Ohren bereits barsten von dem dröhnenden Geräusch, einen starken, hochgewachsenen Mann, dessen muskulöse Nacktheit gespenstisch im Schein der Explosion aufleuchtete.

Sie schloß die Augen und dachte:

Gott sei unseren Seelen ...

Nr. 20001

Er hieß Marian mit Vornamen, war polnischer Nationalität, Halbjude von der Mutter her, und trug die Nummer 20001. Er gehörte, wie man gern sagt, der Intelligenz an und konnte eigentlich von Glück sagen, daß er überhaupt noch am Leben war, denn sowohl seine Zugehörigkeit zur gebildeten Schicht des Volkes wie auch seine Eigenschaft als rassisch minderwertiger Mischling gaben ihm – wenigstens nach Auffassung der deutschen Okkupanten – das Anrecht auf einen Wohnplatz unter der Erde oder im verfinsterten Äther. Aber wie es zuweilen in diesem keineswegs auf Logik angelegten Dasein vorkommt, in dem geteilte Freude doppelte Freude und geteiltes Leid halbes Leid sein sollen: in irgendwelchen Amtsvorgängen der Verfolger hatten sich die beiden Argumente und Belastungen vorübergehend aufgehoben und aufgewogen, und das Äußerste war bislang an ihm vorübergegangen.

Nicht wenig dazu mochte freilich auch seine Jugend beigetragen haben; denn junge Leute kann man immer verwenden – zum Beispiel als Arbeitssklaven. Nachdem Herr Hitler bestialisch unter dem polnischen Volk gehaust hatte, hatte er einsehen gelernt, daß die Toten zwar keinen Hunger mehr haben, daß sie aber auch keine Hand mehr rühren können. Und nachdem er sich im Osten und in Afrika eine blutige Nase geholt hatte und es nicht nur an Wehrfähigen, sondern auch mehr und mehr an Arbeitsfähigen mangelte, war er dazu übergegangen, den von ihm erfundenen Adelsbrief der Arbeit nun auch an die minderwertigen, das heißt vor allem die slawischen Menschen zu vergeben. Als es dann Matthäi am letzten war, erlaubte er sogar der mindersten aller Rassen, den Juden, für ihn und seinen Weltkrieg zu arbeiten – sofern und solange sie dazu fähig waren. Und das waren wenige genug. Daß dies alles unter kaum lebenswerten und lebenerhaltenden Bedingungen geschah, versteht sich von selbst. Auch ein arbeitender Häftling blieb, von Krankheit, Unterernährung und Peinigung einmal abgesehen, eine Existenz auf Abruf. Und was die Nr. 20001 betraf, so hatte dieser Häftling nie zu den robusteren Naturen gehört. Anders wäre er vielleicht überhaupt schon als Soldat oder Gefangener im September 1939 oder wenig später draufgegangen. Aber er war nicht militärdiensttauglich gewesen. Wenn jedoch etwas an dieser schmalen, hohlwangigen Existenz überhaupt dazu berechtigte, mit der bescheidenen täglichen Häftlingsration bedacht zu werden, so waren das nicht seine Statur oder seine Muskelkräfte, sondern seine Hände, die zwar schmal und schwach, aber ausnehmend geschickt waren.

Diesen geschickten Händen war zuzuschreiben, daß der neunzehnjährige Marian vier Monate vor dem deutschen Überfall Aufnahme in die Akademie der Polnischen Künste in Warschau gefunden hatte. Nicht in der Zeichen- und Malklasse, sondern bei den Bildhauern. Denn, so merkwürdig es klingen mag, Marian bildhauerte, freilich nicht mit Hammer und Meißel und an carrarischem Marmor – nein, er fertigte aus Drähten, Edelhölzern, Knetmasse, leichten Metallen zierliche Plastiken an: Tiere oder tierähnliche Gebilde, Phantasieformen, künstlerisch getarnte Geräte, Schmuck und anderes mehr. Seine Arbeiten waren so zerbrechlich, zierlich, schwerelos wie er selbst, und seine Lehrer waren sich untereinander bald einig, daß in Marian ein besonderes Talent heranreifte, dem man um so weniger Vorschriften und Vorbilder aufbauen dürfe, als er selbst Wege, neue Wege zu finden oder gar zu bereiten berufen schien.

Nun soll man nicht meinen, das Großdeutsche Reich und die deutsche Kunst hätten des polnisch-halbjüdischen Künstlers und Bildhauers Marian bedurft, der alle Aussicht hatte,

den »Entarteten« zugerechnet zu werden. Was ihn verwendbar machte, das war die Geschicklichkeit seiner Hände, die sich in einem der ersten Lager, in die man ihn mit Altersgenossen der besseren Stände verschleppte, bei irgendeiner Beschäftigung zu erkennen gegeben und ihm einen gewissen Vorrang vor anderen Gefangenen gegeben hatte. Irgendeiner der Lagerfunktionäre hatte entdeckt, daß dieser Pole »goldene Finger« habe und die kniffeligsten manuellen Probleme lösen könne. Und weil zu dieser Geschicklichkeit noch angeborener Sachverstand kam, der Marian befähigte, auch als Reparateur für stehengebliebene Wecker, verstopfte Düsen, nicht funktionierende elektrische Geräte und anderes mehr einzuspringen, nahm er bald eine Vorzugsstellung ein, die er mehr und mehr als seine Überlebenschance wahrnahm. Er haßte die Peiniger seines Volkes; aber er wollte überleben. Also mußte er sich als nützlich erweisen. Und da er mit seinen Fingern kein Kaninchen hätte erwürgen können, bediente er sich des Feingefühls.
So war er schließlich in dieses Lager Dora gekommen, das am Fuße eines Kalkstein-Tafelberges lag, in welchem eine Art unterirdisches Rüstungswerk ausgebaut war. Von der Luftüberlegenheit der Alliierten übermächtig bedrängt, waren die Deutschen mit ihren Fabriken und Industrien unter die Berge und in die Erde gegangen – soweit dies überhaupt möglich war. Hier, in der Nähe der kleinen mitteldeutschen Stadt N., so hieß es, bastelten sie an der Herstellung einer Wunderwaffe, die den offensichtlich verlorenen Krieg in letzter Minute noch in einen siegreichen verwandeln würde. Das Lager selbst, in das Marian im Oktober 1944 verlegt worden war, war sorgfältig getarnt. Es lag im Sperrbezirk, zudem in einer Senke oder Falte des Kalkberges und wurde von den meisten Häftlingen nur in Richtung auf das Innere des Berges – die unterirdischen Anlagen des Werkes – verlassen. Lediglich ein halbes Dutzend der Gefangenen – unter ihnen Marian – wurden etwa zwei- oder dreimal im Monat, von einem bewaffneten Soldaten begleitet, auf

Feldwegen zu der etwa fünf Kilometer entfernten Stadt geführt, in deren südlich gelegenen stark ansteigenden Außenbezirken sich eine Werkstatt und einige Büroräume befanden, die als solche kaum erkenntlich waren, weil das Äußere des Gebäudes auf ein Privathaus schließen ließ. Welche Bewandtnis es mit diesem Außenbüro, dieser Sonderwerkstatt des großen Bergwerkes hatte, wurde weder dem Häftling Nr. 20001 noch den wenigen anderen genau deutlich. Manchmal trugen sie in grauen Leinensäcken, die nur zur Hälfte oder nur zu einem Drittel gefüllt waren, kleinere Schachteln zu dieser Stadt-Werkstatt und kehrten ohne jegliche Traglast zurück. Manchmal gingen sie ohne Last und kehrten auch wieder ohne solche zurück, manchmal auch mit leichter Last. Was sie trugen, wußten sie nicht, und was in den Büroräumen und der Werkstatt gedacht und getan wurde, war auch nicht auszumachen, weil alle Räume stets verlassen lagen, wenn die kleine Kolonne ankam. Immer aber mußten sie eine Art Großreinemachen veranstalten, das unter Aufsicht eines wortkargen Werkmeisters und des Wachsoldaten stattfand. Entweder sollte niemand aus der Stadt – außer den darin arbeitenden Heinzelmännchen – das mysteriöse Gebäude betreten und kennnenlernen, sozusagen aus Sicherheitsgründen. Oder man betrieb Irreführung und Einschüchterung in einem. Marian selbst begriff nicht, weshalb ihm dieser »Ausflug« geschenkt wurde. Im Unterirdischen hatte er seine gewohnte tägliche Arbeit, die mit dem Einbau von Uhrwerken in mechanische Systeme zusammenhing, welche er nur teilweise überblickte. War es eine Vergünstigung? Eine Belohnung? Ein purer Zufall?
Eine Vergünstigung war es auf jeden Fall, denn der Weg durch die frische Luft tat wohl, obwohl er auch Kräfte kostete. Zweimal über eine Stunde mußten sie marschieren, dann Besen und Schrubber oder Wischtücher führen, vielleicht wieder zwei Stunden lang, und die Ration blieb doch die gleiche. Es kostete Kraft, und die letzten beiden Male

war Marian kaum noch bis ins Lager gekommen, so erschöpft war er. Aber das hatte vielleicht auch seelische Gründe gehabt, Gründe, die ihn geradezu veranlassen könnten, diesen Weg täglich auf sich zu nehmen.

Dieser Weg, der sich der alten Stadt am Berg durch einen Buchenwald näherte, führte im Grunde nur durch zwei Straßen, gepflegte Straßen mit Villen oder schönen Miethäusern, die alle hinter Vorgärten lagen, Straßen, in denen kaum Verkehr herrschte. Da sie meist morgens loszogen und mittags zurückkehrten, also unterwegs waren, wenn Arbeitszeit war, trafen sie kaum Menschen auf den beiden Straßen, vier oder fünf oder sechs; eine Frau, die vom Stadteinkauf kam, einen älteren Mann, der spazierenging, ein paar nicht schulfähige Kinder ... und fast alle, bis auf die neugierigen Kinder, beachteten den kläglichen Trupp nicht oder sahen vielmehr beflissen zur Seite, beflissen oder auch betreten. Und hatten sie nicht recht? Weder der mißmutig und stur in seinen Knobelbechern daherstampfende schwerbewaffnete, meist ältere Landser, der immer wieder seinen Schritt wechseln mußte, noch die fünf oder sechs Elendsgestalten in ihren Sträflingskleidern boten ja ein sehenswertes oder gar anregendes Bild menschlicher Würde oder Macht. Und könnte es denn helfen, bemitleidet zu werden ...?

Doch. Es kann unglaublich helfen, jemanden zu treffen, der mit einem leidet, den man mit-leiden sieht, in dessen Auge sich Trauer spiegelt oder gar Empörung über das, was dem – angeblich – geringsten seiner Brüder geschieht. Marian hatte es erfahren. Einige Male hatte er es in den Augen lesen können, den Augen einer jungen Frau! Und einmal hatte er die Bestätigung für alles Vermutete, Verspürte, Erhoffte sogar aus ihrer Hand erhalten.

Wenn sie den ansteigenden Weg, die erste Straße mit den gepflegten Häusern betraten, lag linker Hand eines, es war das dritte, in dessen Erdgeschoß eine junge, blonde Frau wohnte, die an den warmen Frühlingstagen draußen im

Garten saß und sich sonnte, neben sich meist ein kleines spielendes Kind. Wenn sie nicht im Garten war, saß sie auf dem Balkon, der drei, vier Stufen höher als der Garten lag.
Er glaubte, die junge Frau schon zwei oder drei Mal im Winter gesehen zu haben – auf der Straße. Er war, an Teilnahmslosigkeit gewöhnt, plötzlich einem Blick begegnet, der ihn betroffen machte. Keinen mitleidigen Blick eigentlich. Eher einem zornigen, schmerzerfüllten. Und gerade das hatte ihn so erregt. Was ist ein Mitleid ohne Zorn, ohne Schmerz? Ein wehrloses Mit-dem-Strome-Schwimmen. Ein Achselzucken.
Dann hatte er sie wiedererkannt, beim nächsten Mal. Er sah sie kommen, blieb etwas zurück, ein, zwei Schritte, um sich abzuheben von den anderen und sie besser zu sehen. Und sie sah ihn! Sie sah ihn ganz deutlich an, ernst, angerührt – er sah sie ja diesmal bewußt und direkt an! –, und dann grüßte sie ihn mit den Augen. Damals war er nicht so ganz sicher. Aber alles Weitere gab seiner damaligen Empfindung ja recht. Als sie – es war Frühlingsanfang, der 21. März – mit dem Kindchen im Garten saß, konnte er über die ganze Länge des Grundstücks seinen Blick ausgehen lassen, vorsichtig unter dem Berge – er hielt sich ganz bewußt am Schluß des Trupps. Und sie hatte seinen Blick aufgefangen und war mit seinem mitgegangen, und am Schluß hatte sie gelächelt. Vielleicht nur für ihn wahrnehmbar. Aber genügte das nicht?
Und dann hatte er für alles Brief und Siegel erhalten an jenem wunderschönen Apriltag, als er sie morgens auf dem Balkon sitzen sah und zwei Stunden später, als sie zum Lager zurücktrotteten, dann das Unerwartete geschah: daß er gespannt auf das Haus zuging, aber plötzlich Schritte hinter sich und gleich neben sich hörte und fühlte, wie eine Hand schnell nach seiner griff und einen kleinen Gegenstand in diese legte. Und schon ging der, dem die Hand gehörte – sie! – an ihm und den anderen vorüber und bog in den Garteneingang zu ihrem Haus ein.

Er mußte sich zusammennehmen, um die anderen nicht aufmerksam zu machen. Der Wachmann ging auf der Straße neben ihnen; er hatte nichts bemerkt. Aber er selber hätte aufschreien mögen: Haltet sie! Ein lebendiger fühlender Mensch! Ihr werdet sobald keinen wieder treffen. Haltet ihn fest ...
Es war ein weiß verpackter Riegel Schokolade gewesen, an dem – mit Heftpflaster – eine kleine Reklamepackung Zigaretten, drei Stück, befestigt war. Es paßte genau in eine Hand. In seine Hand ...
Am Wald hatte er sich dann setzen müssen, so sehr hatte ihn das alles mitgenommen. Schließlich lebten sie alle, auch ihre Bewacher und Herren auf einem Pulverfaß, das jeden Augenblick hochgehen konnte, und wer weiß, wer davonkam. Ihre Bewacher konnten machen, was sie wollten – irgendwie sickerte die Wahrheit durch, sie durchdrang selbst den Kalkstein. Die Russen standen vor Berlin. Die Amerikaner rückten in Westdeutschland vor, der letzte Akt der Götterdämmerung stand bevor, und Warschau lag weit. Würden sie das Ende überleben? Hieß es nicht, sie würden alle noch »umgelegt«, wenn das Dritte Reich bezwungen werden sollte?
Dabei roch alles nach neuem hervorbrechendem Leben. Ein Frühling war, wie er nie einen erlebt zu haben glaubte. Seit Wochen blaute der Himmel, und aus allen Poren der Erde quoll es: Grün, Blumen, Lebewesen ... die anderen, im Lager, hörten ja nur die Vögel singen morgens, und sahen nachts den sternklaren Himmel. Aber ihr kleiner Trupp, der sah auf seinem Wege zur alten Stadt die erblühten Wiesen, sprossende Saat, das junge Laub an Buchen und Birken, die herrlichen Forsythienhecken dann in den Gärten. Und die schönste blühte vor *ihrem* Haus. Das hatte er beim letzten Mal gesehen. Sie selbst hatte er nicht gesehen. Aber der Strauch war wie ein Gruß gewesen von ihr.
Und nun, fünf Tage danach sollten sie, diesmal um einige

andere Häftlinge verstärkt – neun waren sie nun – schon wieder zur Stadt gehen, und das mußte schreckliche Gründe haben, die nur zu ahnen waren. Es mußte etwas geschehen sein, in den letzten vierundzwanzig Stunden, das alle im unterirdischen Werk, bis zum kleinsten Schergen herab, verstört und kopflos gemacht hatte. Waren die Befreier schon nahe? Gab es sensationelle Neuigkeiten?
Einer von den Leidensgenossen, der an den Geleisen arbeitete, behauptete, auf die Stadt müsse ein Luftangriff geflogen worden sein: er habe, mit einer Lore zum Ausgang unterwegs, riesige Detonationen vernommen, und gleich darauf sei besonderer Alarm gegeben worden, seien alle Schotten und Zugänge dicht gemacht worden. Und wer hätte den vom Feuerschein erhellten Himmel gestern Nacht nicht wahrgenommen, auch wenn man sie auffallend eilig in die Baracken getrieben hatte. Selbst durch die kleinen Fensterluken sah man den Schein, und die ganze Sphäre schien elektrisch geladen. Eine Stimmung herrschte – wie am Jüngsten Tag. Auch er hatte nur wenige Stunden geschlafen.
Sie trotteten dahin wie immer, mit dem gleichen Bewacher, und ein paar Rebhühner flogen auf vor ihrem Schritt. Äußerlich schien die Landschaft unverändert – die Stadt war ja durch den Wald abgeschirmt, und Menschen sah man sonst auch kaum und heute überhaupt keinen. Aber ein Dunst stand in der Luft und trübte den klaren Tag. Und als sie dann das Waldstück durchquert hatten, den sogenannten Hegehain, und ein Teil der Silhouette sichtbar wurde, der ihnen geläufig war – nur ein sehr begrenzter Ausschnitt –, da wußten sie, was die Stunde geschlagen hatte. Sie sahen, ahnten es an den abgebrochenen Türmen der Kirchen, sie schmeckten es auf der Zunge, sie rochen den Brand und die anhebende Verwesung von achttausend unter den zerbombten Häusern Begrabenen und Verbrannten, sie blickten verschreckt nach dem dunstig-schwelenden Himmel, und in ihren Ohren knisterte es von ent-

fernten, unbekannten Geräuschen, gegen deren Chaos kein Mensch mehr angeht.
Marian versuchte später, das Undefinierbare dieser ersten Wahrnehmung, Ahnung, Erspürung einer furchtbaren Katastrophe auszudrücken. Aber es gelang ihm nicht. Es war ihm, als schwele ein Feuer zu Ende, unter dem alles Lebendige schon erloschen und begraben sei.
Es war kein Mensch zu sehen, auch hier nicht, wo die erste Straße begann, die ihm so unvergeßlich geworden war durch diejenige, die in ihr wohnte. Es schien, daß alle Lebenden die Stadt verlassen hatten, auch dort, wo keine Bomben gefallen waren. Totenstille. Aber über der Stille dieses knisternde, zehrende Geräusch. Und über diesem Geräusch – hörten sie es denn nicht! – ein anderes, nahendes, schwellendes, das sich plötzlich in den Mund einer Sirene drängte, die aufheulte und Alarm gab. Alarm für wen?
Sie stutzten alle, duckten sich, lauschten – der Wachsoldat rief etwas von »Zusammenbleiben«!, dann von »Dekkung!«, und kehrte vor dem ersten Haus zur Linken um, hinter dem ein abschüssiger Acker begann, und lief, unsinnige Kommandos brüllend, auf den Acker zu, während Marian, plötzlich den Forsythienbusch vor Augen, zu rennen begann, stadtwärts, aber nur zwanzig, fünfundzwanzig Meter oder Schritte, bis zu dem Garteneingang vor ihrem Haus, der offenstand. Acht bis zehn Schritte waren es bis zu dem Balkon, auf dem sie manchmal saß. Und dorthin hastete Marian, schleppte sich die Stufen hoch bis an die Tür, die verschlossen war, und sackte vor ihr zusammen. Als er die ersten Bomben detonieren hörte, kroch er vier, fünf Meter weiter seitlich in den Winkel des Balkons, wo ihn rechts und links etwa ein Meter und zwanzig hohes Mauerwerk schützte – soweit von Schutz da überhaupt die Rede sein kann.
Alles, was er getan hatte und noch tat, tat er aus Instinkt. Er floh, scheinbar, vor den Bomben, die da in einem zwei-

ten, endgültig vernichtenden Angriff abgeladen wurden, und in Wahrheit vor denen, die so lange Verfügungsgewalt über ihn ausgeübt hatten. Er berechnete nichts, wog nichts ab – er fühlte nur, daß dies die Stunde war, eigene Wege zu gehen, sich abzusetzen von denen, die ihn immer geführt hatten, wohin er nicht wollte. Er floh in Freiheit, auch für den Fall, daß sie mit dem Tod identisch sein könnte, und der Forsythienbusch war für ihn mindestens ein so verheißungsvoller, geweihter Ort wie der Dornbusch, aus dem der Herr den Moses angerufen hatte. Wenn es Rettung gab in der letzten Stunde, der Stunde des ausbrechenden Chaos, so konnte es nur hier sein, wo ein Mensch wohnte, der in ihm den leidenden Menschen gesehen hatte. Von diesem Augenblick an gab es einen neuen Marian, einen, der sein Schicksal selbst bestimmen wollte.
Dabei hockte er, ein gebündeltes Elend, in der Ecke, die leibhaftige Wehrlosigkeit gegen alles, was sich in der nächsten Viertelstunde über ihm und hinter seinem Rücken abspielte und das ihm die schrecklichen Stunden ins Gedächtnis zurückrief, die er als neunzehnjähriger in Warschau erlebt hatte, als die deutschen Bomber und Stukas die Stadt in einen Steinhaufen verwandelten. Aber die Erinnerung daran ließ ihn nicht erschauern, nein, sie stärkte ihn. Und wenn ich draufgehe, dachte er – dies ist die Rache des Himmels, ich erlebe sie mit! Es gibt eine Gerechtigkeit, es gibt eine Strafe. Sie trifft hier wie da viele Schuldlose und noch Unschuldige. Aber die Waage strebt dem Gleichstand zu. Ich lasse meiner nicht spotten, spricht der Herr. Auge um Auge, Zahn um Zahn. Sollen sie ersaufen in dem Meer von Blut und Tränen, das dieser Höllenbube aus den Festen der Erde losgelassen hatte.
Er flog am ganzen Leibe, seine Hände zitterten wie die eines Epileptikers, und ganz gewiß schüttelte ihn die Todesfurcht – ging doch die Welt um ihn herum unter. Aber diese Angst wurde aufgefangen, eingefangen von dieser schrecklichen Genugtuung, aufgenommen – sie ret-

tete sich gewissermaßen aus den Schauern der Kälte in den wollüstigen Schmerz fiebernder Hitze. Mit offenem Mund und zuckenden Kiefern schluckte er die Explosionen, die sein Trommelfell zerreißen wollten. Er fühlte, wie der Angstschweiß aus den Achselhöhlen, von der Brust niederrann, wie die Luft, gegen die Balkonmauer geschleudert, zerplatzte, ein paar Fenster über ihm zersprangen, Glassplitter auf ihn fielen ... Aber mit jeder Minute, die er länger zittern und erschauern konnte, nahm seine Sicherheit zu, daß auch dieser Angriff sich auf die Unter- und Mittelstadt beschränkte, wo die Industrie lag, die beiden Bahnhöfe, wo die Fernstraße die Stadt kreuzte. Der Außenbezirk mit den Villenstraßen blieb auch diesmal ausgespart. Es ging um den Stadtkern, den er nicht kannte.
Aber – was konnte, nach dem gestrigen Inferno, denn überhaupt noch heil sein? Wenn hier kein Mensch in den Häusern geblieben zu sein schien – wer konnte in der verwüsteten Stadt noch hausen? Warfen sie ihre Bomben und Minen nicht in die Trichter und Gräben von gestern? Und wirklich: ihm wollte es scheinen, als gleiche dieser Bombenhagel mehr und mehr dem Toben eines Irrsinnigen, der auf einen Feind einschlägt, der längst am Boden liegt, längst ausgeatmet hat – und immer wieder und weiter schlägt er auf den Kadaver ein ... Die Stadt war ja nicht groß. 35 000 oder 40 000 Seelen sollte sie haben. Seelen, Seelen ...
Wie lange es gedauert hatte, konnte er nicht sagen. Aber als er hörte, daß die Wellen abebbten, als die Angst oder der Haß oder beide zusammen nachließen, begann eine andere Furcht. Würden sie ihn nun nicht suchen? Nicht im Augenblick vielleicht, weil der Wachhabende ja nun um so mehr auf die noch vorhandenen Schäflein aufpassen würde und weil das Inferno nun so vollkommen sein mußte, daß man sich für die nächsten Stunden, vielleicht Tage, gewiß nicht um einen entlaufenen Häftling Beine ausreißen würde, wenn viele Tausende obdachlos und verwundet und verstört umherirrten, ausgegraben oder begraben wer-

den mußten. Aber hier, im Freien, konnte er nicht bleiben. Er mußte sich unsichtbar machen, sich verstecken, unauffindbar sein.
Er blickte um sich und sah die beschädigte Scheibe. Die eine Seite des Doppelfensters war gesprungen, die andere fast gänzlich verschwunden. Er konnte hindurchgreifen, den Griff von innen öffnen und einsteigen. Er witterte nach allen Seiten, obwohl er eigentlich sicher war, daß es jetzt keine Passanten gab. Höchstens ihr Wachhabender konnte in der Nähe sein. Aber er war nicht zu sehen, und so stieg er rasch ein und schloß wieder. Die Gardinen, beiseite gefegt, richtete er flüchtig so, daß der Einblick etwas verdeckt war; dann sah er sich im Raum um.
Warum weinte er plötzlich? Weil er überlebt hatte? Ach, er war noch lange nicht gerettet. Nein, es schüttelte ihn plötzlich, daß er in einem von Menschen bewohnten Raum stand, in dem Häuslichkeit atmete, Möbel standen, geschmackvolle sogar, vermutlich Stilmöbel, Bilder an den Wänden hingen, ein paar Stiche ... Ein sandfarbener Teppich bedeckte den Boden, eine kleine Brücke lag da. Eine menschliche Wohnung ...
Auf dem Tisch stand noch ein einzelnes Teegeschirr, eine bunte Kindertasse; ein Lätzchen lag auf der Couch, Brot und ein Glas Marmelade, eine fast leere Butterdose waren offenbar eiligst abgestellt, auf einem kleinen Bücherbord, nahe der Tür ... Alles deutete auf einen überhasteten, plötzlichen Aufbruch hin.
Er bückte sich, kniete nieder und sah die Bücherrücken an. Es waren drei Reihen; in der untersten standen Bildbände, manche Rücken hatten französische Aufschriften. Ein Band kam ihm bekannt vor, er zog ihn vorsichtig heraus. Da war es, das Buch, das ihm, als er vielleicht elf, zwölf Jahre alt war, die Mutter wie ein Bilderbuch gezeigt hatte, aber eines für beinahe Erwachsene: *Les très riches heures du Duc de Berry*.
Er mußte blättern, sehen – ach, die Erinnerung überfiel ihn

gar zu mächtig; er hatte nicht die Kraft mehr, es ordentlich wieder einzureihen. Mühsam stand er auf, schleppte sich in den Sessel und legte das Gesicht in die Hände. Die Sinne wollten ihm schwinden. Der Kopf sank ihm auf die Brust...

Aber da! Er schreckte auf. Rief da nicht jemand seinen Namen? Ein Schuß fiel. Und wieder scholl Rufen. Eine rauhe, grobe Stimme, die er kannte. Natürlich: der Wachsoldat. Sie mußten ohnedies hier vorbeigehen, wenn sie ihren Auftrag noch erfüllen wollten. Der Angriff war vorüber. Es hätte eigentlich entwarnt werden müssen. Aber vielleicht war der Sirene das Maul gestopft durch einen Volltreffer. Und da diese Straße hier heil geblieben war, würde auch wohl die andere noch stehen, wo das bekannte Wegziel lag. So oder so. Und Befehl ist ja Befehl – das hatte er hundert Mal gehört in den letzten Jahren. Kann man mich sehen? Ja, wenn vom Fenster aus jemand hereinblickte, könnte er gesehen werden. Er stand auf. Da waren zwei Türen; die eine führte seitwärts, die andere rückwärts beziehungsweise vorwärts, wo vermutlich freies Feld lag oder Ackergelände angrenzte, auf das die anderen geflohen waren. Von wo kam das Rufen?

Er lauschte. Ja. Da rief es wieder, aber schon weiter entfernt. Er dachte: Ich gehe in das hintere Zimmer. Da kann man vielleicht ungesehen das Haus verlassen, wenn sie hier hereinkommen... Und wenn sie mich draußen finden sollten, stelle ich mich ohnmächtig. Die Angst. Oder ein dummer Sturz. Ich bin dann nicht geflohen, sondern vor den Bomben fortgelaufen. Ich lege mich dann wie ein Hase in eine Furche... Er sah zum Fenster. Nichts. Er drückte die Klinke zum Nachbarzimmer herunter, trat ein, schloß: er befand sich in einem Schlafraum. Da standen zwei Betten, ein großer Schrank, ein Kinderbett, ein Waschtisch, eine weiße Kommode. Ein Schlafzimmer. Ihr – Schlafzimmer... Er blickte vorsichtig aus dem Fenster. Er hatte sich nicht geirrt. Etwa 250 Meter weit ging der Blick über

freies Feld, dann lief parallel zur Straße hier ein baumbestandener Weg. Oder eine kleine Chaussee. Nach rechts konnte er nicht sehen, nach links aber war ein Fenster, das auf die beiden ersten Häuser der Straße zeigte – die Richtung, aus der sie immer kamen.
Er öffnete leise das rückwärtige Fenster, sah vorsichtig hinaus und hinunter. Zwei Meter gut – die konnte er schaffen; und da standen ein paar Büsche, und Furchen waren genug. Hier würde er zunächst bleiben ...
Er wischte sich den Angstschweiß von Stirn und Schläfen. Dann öffnete er den Schrank und sah in eine Spiegeltür und erschrak. Seit Jahren hatte er sich nicht voll im Spiegel gesehen, nicht einmal in einem Schaufenster. Immer nur in kleinen Scherben, in alten Rasierspiegeln, in schmutzigen Fenstern.
So sieht man aus ... Sein Blick wanderte fassungslos auf und ab. Mach den Mund zu, Marian, flüsterte er, ohne es selbst zu hören. Er ging ganz dicht an den Spiegel, als gelte es, sich wieder zu entdecken. Er dachte, du siehst erbarmungswürdig aus, Marian. Was haben sie aus dir gemacht ... Du bist wirklich reif für die Grube. Und diese Kleidung! Man kennt sie ja, man bewegt sich unter seinesgleichen, und die sehen alle so aus. Und nicht ums Verrecken möchte ich in der Uniform derer stecken, die uns kommandieren. Aber hier – er sah um sich – in dieser Umgebung ... es schüttelte ihn. Mußte man sich nicht ekeln vor sich selbst?!
Und da stieg wieder der Haß auf in ihm ... Ja, er konnte noch hassen. Vielleicht erhielt ihn das am Leben. Vielleicht ist das mein Erbteil von der Mutter her, und ich schäme mich nicht zu hassen. Hatten sie nicht die Großeltern aus der Wohnung gewiesen, die alten Leute, in Lodz, und irgendwohin transportiert, umgesiedelt, ausgesiedelt – sie hatten so viele Worte für das, was sie den Polen und den Juden und allen, die sie haßten und befehdeten, antaten, und es war doch in der Sache immer ungefähr das gleiche.

Er kannte das Wort, er hatte es in den Reden ihres Todfeindes vernommen – er hatte den Klang und die wütende Artikulation noch im Ohr –, wenn sie in den letzten Wochen vor dem Krieg deutsche Sender hörten, und er seinen Haß hinausschrie: das schreckliche, unfruchtbare, unmenschliche Wort: *vernichten.* –
Fünfundzwanzig Jahre war er jetzt alt. Aber der im Spiegel hatte vielleicht vierzig oder fünfundvierzig. Diese tiefliegenden Augen, scharfen Züge, stoppeligen, eingefallenen Wangen. Er war immer schmal gewesen, hatte nie ein Lot Fett am Leibe gehabt. Aber jetzt war er fast skelettiert. Die Suppen wurden immer dünner. Es hieß ja, daß sie selber zehngrammweise rechnen müßten. Was wollen sie da für das Ungeziefer übrig haben, das sie sich in den Pelz gesetzt hatten. Er lauschte wieder.
Aber das Rufen war verklungen. Durchs halboffene Fenster hörte man nur ein unbekanntes, unbestimmbares Geräusch – so wie ein Ofen wabert oder Öl in der Pfanne siedet. Wenn da noch etwas zu vernichten war an dieser toten, entvölkerten Stadt, so mußte es vernichtet sein – bis auf diese paar Straßen hier oben, die noch standen. Überall und von allem bleibt ein Rest . . .
Auch von diesen da – er sah wieder dem Häftling da ins Gesicht – würde ein Rest bleiben. Und er wollte dazu gehören.
Aber nun mußte er sehen, was er tat. Hier konnte er nicht bleiben. Die, auf die er gehofft hatte, war nicht da. Sie hätte ihm sicher ein Versteck gewiesen. Und jetzt brauchte er eines, von dem aus er etwas sehen und beobachten konnte. Er sah sich noch einmal an im Spiegel, ganz nah trat er heran, führte Lippe zu Lippe, schloß die Augen und küßte sein Spiegelbild. Geh mit Gott, Marian! dachte er inbrünstig.
Er schloß die Schranktür, ging leise ins andere Zimmer zurück und öffnete die andere, seitliche Tür, die in einen schmalen Gang führte, der sich zu einer Diele weitete und,

rechts und links an einer Zimmertür vorbei, auf den doppeltürigen Ausgang bzw. Wohnungseingang zulief. Er ließ sich öffnen. Und er ließ ihn offen.

Er lauschte, hörte nichts, stieg treppauf, leise wie ein Dieb, über die erste Etage zur zweiten, an der Wohnungstür vorbei zu der anderen, die die Bodentür war. Ein Schlüssel steckte: geschlossen. Er drehte ihn: offen. Er mußte sich an das spärlich durch Luken einfallende Licht gewöhnen, sah Verschläge, abgestelltes Gerümpel, Bettenteile, eine Matratze – alles was so auf Böden herumsteht und herumliegt. Hier könntest du nächtigen, dachte er. Er sah Tücher, Lumpen – es war kein Winter mehr, Gott sei Dank –, und die Matratze könnte man vorsichtig umlegen ... Dann öffnete er die Luken, zwei gingen zur Straße, und unter einer stand eine kleine Tragtreppe. Die stieg er hinauf – er sah auf die Straße. Nicht weit, vielleicht vierzig, fünfzig Meter auf die gegenüberliegende Seite und entsprechend weniger auf dieser Seite. Es roch nach Brand, Gasen oder Abgasen, Schwefel, Rauch – nach Undefinierbarem. Das trug die Luft herauf, oder es stieg von selbst auf und verdrängte die reine Aprilluft. Man fühlte, man roch die Zerstörung, aber man sah sie nicht. Und vielleicht war es gut, daß er sie nicht sah. Sie und ihr Elend. Er kletterte herab, ließ aber die Luken offen und die kleine Leiter stehen.

Während er noch überlegte, sich umsehend dabei, wo ein unauffälliges Versteck für ihn sein könne, fiel ihm der verlassene Frühstückstisch unten ein, und er glaubte Hunger zu spüren. So oder so – er mußte etwas essen, denn hier oben war nichts Eßbares zu sehen. Und wenn er ein paar Tage leben mußte hier oben?

Er stieg wieder hinab, behutsam, obwohl er doch wußte, daß er in Pompeji war. In der Diele öffnete er die Türen, an denen er vorhin vorübergegangen war. Die eine führte in eine Küche, die andere in einen größeren Wohnraum, dem eine Art Notküche angegliedert war. Das Mobiliar war ganz verschieden von dem anderen ... wie das? Aber dann, an der zweiten, noch kleineren Küche sah er es ja, wurde es ihm bewußt, daß hier zwei Parteien wohnten. Achtung! dachte er. Er nahm das Brot an sich, das auf ihrem Tisch lag, löffelte drei Löffel Marmelade und ging dann in die zweite Küche. Er entnahm einiges – es gab nicht viel. Er trank von der Milch, die dort stand. In tiefen Schlucken. Nach jedem setzte er ab. Es war Jahre her, daß er Milch getrunken hatte. Sie gehört dem Kind, dachte er schuldbewußt, als er die Hälfte geleert hatte. Aber dann spürte er eine solche Gier nach dem Rest, daß er nicht widerstehen konnte. Vielleicht sind sie bei einem Stadtgang von dem Angriff überrascht worden und leben gar nicht mehr?

Er wollte sich das als Entschuldigung anbieten und war überrascht, wie sehr dieser Gedanke ihn erschreckte. Nein, nein, nein! Sie darf nicht tot sein. Sie muß überleben. Er nahm seine kleinen Schätze, fand in der zweiten Küche noch ein Stück Brot, einen Wurstzipfel und ein Glas eingemachtes Obst – Birnen oder Äpfel. Das nahm er mit.

Oben angelangt, bugsierte er die mit der Breitseite an die Wand gelehnte Matratze auf den Holzboden, setzte sich darauf und begann, langsam zu essen. Er wußte, daß man sich mäßigen muß, und schämte sich nachträglich seines Unmaßes: er hätte nicht alle Milch trinken sollen ... Dann kam ihm der Gedanke, die Bodentür von innen zu verschließen – er ging, zog den Schlüssel ab, der außen steckte, und schloß von innen ab, den Schlüssel an sich nehmend. Er öffnete das Obstglas – herrliche süße Birnen! Aber er ließ dennoch einen Rest. Er legte sich auf die Matratze. Er dachte an die Redewendung von Abrahams Schoß, an die Holzverschläge und die schmutzigen Strohsäcke in den Lagern ...

Irgendein Geräusch weckte ihn. Er lauschte. Das Haus war totenstill. Aber auf der Straße? Schritte. Eine Stimme – nur kurz. Er erkannte sie sofort wieder. »Los! Marsch! Nicht einschlafen!« Dann glaubte er die schlurfenden

Schritte zu hören, aber er täuschte sich natürlich. Oder hörte er es doch?
Seine Furcht sagte ihm, daß es sein Trupp war, der ins Lager zurückkehrte. Aber er war nicht kaltblütig genug, auf die kleine Leiter zu steigen. Ich stürze ab, ich mache ein Geräusch – und alles ist aus. Er hielt den Atem an, als könnte selbst dieser ihn verraten. Dann wurde er etwas ruhiger, aber die Unsicherheit plagte fast noch mehr als die Angst. Er glaubte sich zu entsinnen, daß das Treppenhaus leicht vorgebaut sei. Vielleicht ... Er zog die Schuhe aus, schlich in den zweiten Stock – das Bodentürschloß machte kein Geräusch – und spähte nach rechts. Aber es war schon zu viel Laub an den Bäumen. Er sah sie nicht. Sie suchen mich nicht mehr, dachte er erleichtert. Niemand hat gerufen. Ob sie mich überhaupt jagen werden? Wieviel Zeit blieb ihm?
Es mußte Mittag sein. Zwölf, ein Uhr. Vielleicht drei Stunden war er sicher. Vielleicht bis zum Abend. Der neue Angriff wird seine Wirkung auch auf das Lager und die unterirdische Anlage ausüben. Nein, so wichtig war er wohl nicht, daß man in dieser Situation eine Hatz veranstaltete. Wenigstens nicht heute! Vielleicht morgen, wenn es keinen neuen Angriff gibt, morgen früh ... Er legte sich wieder. Der Schlaf stärkte. Er würde noch viel Kraft brauchen, wenn er überleben wollte. Es war still. Still auf diese schreckliche Weise: er war von Ersticktem umgeben. Er legte sich zu den Erstickten. Er betete, daß *sie* nicht erstickt sei, daß sie käme, daß er sich ihr entdecken könnte. Aber hier oben? Oder nach unten gehen und so, wie er war, da unten vielleicht ... Ehe er wieder fortsank in diesen Schlaf aus Übermüdung, Ratlosigkeit, Einsamkeit, Angst und Flucht vor sich selbst, dachte er noch, daß er seine Häftlingskleidung loswerden müßte. Aber – würde sie ihn dann auch erkennen? Warum hatte er in dem Schrank nicht nachgesehen, ob Männerkleider darin waren. Sie hatte ein Kind. Da gehört ein Mann dazu, der wahrscheinlich Soldat ist.

Wenn ich etwas von ihm anziehe ... müßte sie dann nicht, nach allem Erschrecken, stutzig werden und darauf kommen, daß ...
Ach, es gab nur einen Ausweg aus dieser Ausweglosigkeit, und den fand er. Er schlief ein. –
Diesmal weckte ihn das Geräusch eines fahrenden Autos, das mit lauten Hupsignalen unten langsam die Straße entlang fuhr. Aber es schien kein bestimmtes Ziel zu haben. Aber es waren jetzt noch andere Geräusche wahrnehmbar. Er sah aus der linken Luke nach dem Stand der Sonne. Es konnte vier, auch fünf Uhr sein – man konnte das Tagesgestirn nicht genau ausmachen. Der Himmel war bewölkt, die Atmosphäre diesig.
Er stieg vorsichtig auf die kleine Treppe und lugte nach vorn hinaus.
Er sah ein älteres Paar mit einem Handwägelchen müde herankommen und erschrak. Wenn das Hausbewohner wären. Sie hätten vielleicht zwanzig Schritte noch ... sein Herz hämmerte heftig gegen die Rippen. Schaffe ich's noch bis unten, ehe sie das Haus betreten? Aber er sah, daß sie sich links hielten und auf der anderen Seite blieben, wo die Häuser schon hundert Meter früher anfingen. Gott sei Dank! In fliegender Hast stellte er die Matraze gegen die Wand, schlug sein Wasser, das ihn bedrängte, in das leere Birnenglas ab und goß es nach hinten aufs Dach. Dann ging er, die Stiefel in der Hand, nach unten, vorsichtig, spähend und lauschend. Aber es war still wie vorher. Er zog unten die Wohnungstür hinter sich zu und tappte auf leisen Sohlen in das Schlafzimmer zurück. Er sah, daß da ein Schlüssel steckte und schloß sich ein. Er öffnete den Schrank wieder, der drei Türen hatte, eine große zweiteilige in der Mitte und zwei schmale rechts und links. Die rechte Tür trug auf der Innenseite den Spiegel, in dem er sein Jammerbild betrachtet hatte. Jetzt sah er genauer zu und bemerkte, daß da einige Mäntel hingen, Frauenmäntel – und auch zwei Herrenmäntel, ein wollner und ein Wettermantel. Er at-

mete schneller. Wo Mäntel sind ... dachte er und irrte nicht. Die große Tür zeigte zwar in der Mehrzahl Kleider, aber auf vier Bügeln hingen Jacketts, darunter Hosen, ein dunkler Anzug, ein schwarzer. Im linken Teil waren Fächer: Unterwäsche, Hemden, Strickwesten, Pullover. An einer quergespannten Kordel hingen Krawatten. Ihr Mann. War er groß, breit? Er mußte etwas probieren, um zu wissen ...

Er nahm ein Jackett und zog es über die Häftlingskleidung. Es schlotterte um seinen Oberkörper. Er mußte lächeln, so unmöglich kam er sich vor, so grotesk, als er in den Spiegel sah. Er hielt eine Hose seitlich an. Es würde dasselbe Bild ergeben. Aber dann zog er sie doch über. Eine schlecht sitzende Hose fällt weniger auf als ein zu großer Rock. Und siehe: wenn er den Gürtel tief genug schnallte, ging es zur Not. Aber der Rock, nein! Bei Tageslicht fiel das jedem auf. Er zog beides wieder aus und sah unter den Pullovern nach. Da war einer, der leidlich paßte, vielleicht einer der ihren, aber mit Rollkragen. Ob nicht vielleicht auch eine kürzere, schmalere Hose zu finden ist? Er sah bei den Kleidern nach, ob darunter auch vielleicht ...

Er erschrak. Er hörte Rufen. Eine Frauenstimme. Wo? Im Vorgarten? Was rief es? Jetzt am Fenster.

»Hallo, Ruth! Lebt ihr noch? Hallo, Ruhuth!«

Er hörte, wie das Fenster geöffnet wurde und wie jemand einstieg. Das konnte nicht sie sein. Sie hatte einen Schlüssel. Es war eine Frau, Gott sei Dank! Trotzdem, jemand Fremdes. Was tun, was tun?! Er flog am ganzen Leib. In einem plötzlichen Entschluß machte er zwei Schritte zur Tür, schloß auf, trat zurück und kniete auf den Boden, die Hände vors Gesicht legend. »Bitte ...«, sagte er, immer nur: »Bitte, bitte, bitte ...«

Die Tür öffnete sich vorsichtig. Ein Frauenkopf, schmal, mit Kopftuch, blickte besorgt, ängstlich durch die Tür. Er nahm das Gesicht durch die Fingerspalten wahr, verschwimmend, und stammelte immer noch sein »bitte ...«, aber jetzt mit ausgestreckten Händen.

»Pst!« Die Frau legte den Finger auf die Lippen.
»Helfen, bitte, helfen ... Nicht verraten. Bitte ...« stieß er, wie japsend, hervor.
Die junge Frau schüttelte leicht den Kopf, aber es war keine Verneinung, es war eine Geste des Nicht-begreifen-Könnens, der totalen Verzweiflung an dieser Welt, die solche Erniedrigung, solches Elend, solche Kreatur zuließ, ja bewirkte, wollte ...
Sie kniete nieder, faßte seine Hände. »Komm«, sagte sie, »steh auf! Keine Angst. Alles wird gut. Hier bist du richtig.« Sie mußte ihn stützen, als er aufstand. »Lager Dora?« fragte sie.
Er nickte. Er hatte Mühe zu sprechen. »Ja ... Dora ...«, flüsterte er.
In einem plötzlichen Impuls schloß sie die Tür hinter sich. »Vorsicht!« sagte sie erklärend. »Nachbarn! Du Russe? Jude? Pole? Nationalität?« fragte sie.
»Pole, Warschawa«, sagte er leise.
»Tu parles français?!« Sie spannte auf seine Antwort.
Er nickte heftig. »Oui, je parle français.«
»Oh, bien. Très bien.« Sie lachte leise. »Sois sûr, tu seras sauvé.«
Und in einem plötzlichen Ausbruch: »Je le jure, mon ami. Je le jure. Oh, ces cannailles, ces bêtes! Encore quelques jours, et la guerre sera fini. Nous allons te sauver.«
Und dann begann sie zu handeln. Er mußte sich ausziehen. Aha, sie sah, daß er es schon versucht hatte. Ja, der Pullover paßte. Hier ist Unterwäsche. Stell dich hinter den Schrank! Kein einziges Stück vom Lager darf am Leib bleiben. Er mußte die eine Hose anziehen, sie half ihm, sie enger zu schnüren. Nicht sehr elegant, aber es geht. Strümpfe? Da. Und Schuhe mußte sie suchen gehen. Sie zog den Schlüssesl ab, schloß ihn ein. Nach zwei Minuten kam sie mit zwei Paar Halbschuhen wieder. Sie waren etwas geräumig, aber es ging. »Ça va.« Alles ging, was sie anfaßte. Sie behandelte ihn wie ein Kind, wie eine Mutter ihren ungeschickten oder kranken Jungen.

Er mußte seinen Namen sagen.
»Je suis Esther.« Sie reichte ihm burschikos die Hand. Er fragte nach Ruth. Sie wohnt noch hier? Die Blonde, die ihm neulich die Schokolade gegeben hat und die drei Zigaretten.
Waas? Das hat sie gewagt? Das sieht ihr ähnlich. Sie lachte. Ja, die würde wohl auch bald kommen, vielleicht heute abend, oder morgen. Und dann machte sie einen Plan: er würde hier bleiben bis zur Dunkelheit und sich nicht rühren. Eingeschlossen. Sie nahm den Schlüssel mit und hinterließ ein paar Zeilen auf dem Tisch des Wohnzimmers, daß Ruth sofort zu ihr käme. Dreihundert Meter von hier, wo das Haus der Familie läge: Schwester, ein kranker Bruder, zwei Kinder, die ihren, zwei Neffen, eine alte Tante; ein älteres Ehepaar sind Mieter. Gute Leute. Ein gesunder Bruder im Krieg. Der hätte seine Figur etwa. Oh, sie würde ihn schon gut anziehen, daß ihn keiner wiedererkannte. Und dann wurde sie still und nachdenklich. Er spürte ihre Gedankengänge, ihre plötzliche Melancholie. Er fragte zögernd:
»Vous êtes mariée, . . . Esther?«
Sie hob die Achseln. Ihr Mann sei vermißt. Seit siebzehn Monaten. Peut-être veuve. Peut-être mariée. Dieser idiotische Krieg . . .
Aber dann fing sie sich wieder. Wenn es dunkel wäre, würde sie ihn abholen. Er sollte sich rasch waschen, vielleicht auch rasieren. Und ganz still sein, auch wenn Ruth käme. Und seine Häftlingskleidung . . . ja, die nehme sie mit. Sie rollte ein Bündel, holte eine alte Zeitung und ein Netz aus der Küche. In zwei, drei Stunden würde sie zurücksein und ihn holen.
Ob sie ihn nicht suchen würden, vielleicht?
Nein, sie schüttelte ganz energisch den Kopf. In diesem Chaos! Nein. Die Stadt sei zu achtzig Prozent ein Trümmerhaufen. Es gebe Tausende von Toten, Verschütteten, Verletzten. Non, non. Mais quand même: Attention. »A bientôt . . . Marian.« Sie legte ihre Rechte auf seine Wange

und streichelte sie leicht. »Au revoir, mon ami. Pas de peine ...« Sie nahm das Netz auf. Draußen war sie. Der Schlüssel knackte. Er sah in den Spiegel über dem Waschtisch und lächelte sich an. Rasieren? Nein. Und womit? Nein. Er spähte aus dem Fenster. Da war nur das leere weite Feld. Der Schock als Stille. Sprachlose Natur. Er legte sich auf einen Bettvorleger, auf dem er von keinem Fenster aus gesehen werden konnte. Er hatte so lange schlecht gelegen. Er wollte jetzt keinen Fehler machen. –

Während sie ging, eilig – niemand ging an diesem Tag spazieren –, überlegte sie, wo sie ihn unterbringen würde. Am besten in der Mansarde, die sie sich als kleines Atelier eingerichtet hatte. Da konnte er auch schlafen. Auch ein paar französische Bücher hatte sie. Den bringen wir durch! Haha, sie lachte in sich hinein. Sie würde ihn Sorges und den Kindern als taubstummen Vetter vorstellen. Ein Verwandter aus – na, woher denn ... aus Bethel. Ein leichterer Fall. Man kannte ja dieses Haus für seine verrückten sozialen und sozialistischen Anwandlungen. Bis vor drei Monaten hatte sie noch die alte »Elendsmalerin« hier gehabt. Und wer würde nun noch kommen aus der Stadt – von ausgebombten, überlebenden Freunden? Ach, da ist so viel Elend, so ungeheuerlicher Mord, so viel Haß und Vernichtung um mich herum, und ich freue mich plötzlich! Mir ist hell zumute. Unglaubliche Kräfte werden aufgeboten, um Völker, Rassen, Städte, Systeme zu zerstören, und sie, Esther, hatte in dieser Wüstenei einen winzigen Fleck Grünes, ein Pflänzchen entdeckt, das man retten konnte. War das nicht ein Geschenk des Himmels an sie? Eine Vergünstigung? Sie bemerkte plötzlich, daß sie ihr Netz trudelte, in dem die Häftlingskleidung lag. Sie rief sich zur Ordnung. Aber dann fiel ihr, wie eine Rechtfertigung das Gedicht von Werfel ein: »Ich habe eine gute Tat getan.«
Aber je näher sie dem Haus kam, das etwas vereinzelt am Stadtwall stand, hinten ganz im Grünen, um so winziger

wurde diese Tat wieder vor der Untat, die geschehen war. Der Schnitt, mit dem die heile Welt von der zerstampften getrennt war, verlief etwa hundertfünfzig Meter vor ihrem Haus, dessen Dach fast zur Hälfte abgedeckt war. Fast alle Fenster, die zum Stadtkern blickten, waren zersprungen. Die Straße war übersät mit Ziegeln, Glassplittern, Brandasche – sie waren genau eine Stunde vor dem heutigen Angriff heimgekehrt, beglückt, daß das Haus noch stand, und waren eben beim ersten Aufräumen, als die Bomber kamen und sie auf und in den nahen Brauereikeller trieben, aus dem sie Gott sei Dank lebend wieder herauskamen. Und das Haus stand immer noch! Wie launisch das Schicksal mit den Menschen umging. Hatte sie nicht um so größere Pflichten, nun anderen zu helfen?

Es herrschte noch immer Furcht und Schrecken im Haus, aber die Schwester, Charlotte mit Namen, war eine handfeste Person, fünf Jahre älter als Esther, Lehrerin und an Unruhe und Unordnung fast gewöhnt. In drei Minuten waren sie sich einig: Vetter Theo kam in die Atelier-Mansarde. Ein zerbrochenes Fenster mußte irgendwie verschalt werden. Das taten sie am besten gleich. Zur Not konnte auch Esther dort noch schlafen, wenn Obdachlose aus der Unterstadt kommen würden. Der Rückstrom der gestern auf die umliegenden Dörfer Geflohenen würde ja erst morgen oder übermorgen einsetzen – wenn kein weiterer Angriff käme. Aber wen kann man dreimal totschlagen ... Schon dies heute war gegen jeden Sinn und militärischen Verstand.

Sie sah auch schon in Karls Schrank nach, was da an Kleidung für Marian verfügbar und geeignet sein könnte, und hängte es auf einen Bügel. Das Netz hatte sie in ihre Bettmatratze gestopft. Er würde es sicherlich noch brauchen können.

Als es zu dunkeln begann, zog sie einen Regenmantel Karls über den eigenen und brach zu ihrer Rettungsexpedition auf. Es waren knapp fünf Minuten Weg. Sie sah schwaches

Licht in der zweiten Etage; aber Ruth war noch nicht heimgekehrt, auch die Nazisse von gegenüber nicht. Hier und dort flackerten vereinzelt Kerzen hinter Fenstern. Es gab keinen Strom, kein Gas. Nur Wasser gab es in den heilen, höher gelegenen Häusern.

Sie stieg wieder durchs Fenster, schloß das Schlafzimmer auf. Im Flüsterton gab sie ihm Verhaltensmaßregeln: kein Wort sprechen, auch nicht auf der Straße, rechts von ihr gehen, hier den Mantel anziehen. Sie leuchtete ihn kurz mit der Taschenlampe ab: très bien – und nun los, durch die Wohnungs- und Haustür. Noch ist Polen nicht verloren, dachte sie. Leise sagte sie:

»La vie recommence.«

Sie ging ihm etwas zu schnell. Er zupfte sie am Ärmel, und sie begriff. Er hatte auch Schwierigkeiten mit den Schuhen. Der Abend bedeckte das Grauen. Er sah nur das Haus, in das sie eintraten, hörte Stimmen von Kindern, wurde aber am Arm mitgezogen, treppauf, dann die kleine Wendeltreppe, durch die Tür, die sich hinter ihm schloß. Ein Zündholz, eine Kerze – er sah ungefähr, wo er war. Er sah die Bilder an der Wand, den angefangenen Kopf, die kleine Staffelei, den flachen Tisch, die Tuben, Flaschen, Pinsel und schüttelte den Kopf. »Incroyable«, flüsterte er. »C'est incroyable. Absolument incroyable ...«

Warum? Was sei denn unglaublich?

»C'est mon métier«, sagte er und legte die Hand vor die Augen. Sie führte ihn zu einem der beiden Sessel, und er setzte sich.

»Peintre?« fragte sie leise. Er schüttelte den Kopf und zeigte auf die angefangene Plastik.

»O ... sculpteur?!«

Er nickte lächelnd, und sie kam und nahm seine Hände und betrachtete sie fragend. Er ahnte, nein, er wußte, daß sie es nicht glauben konnte. Mit diesen schwachen, leichten Händen ...

Noch in der Nacht besprach sie sich mit der Schwester, und

sie beschlossen, das Spiel mit dem »Vetter Theo« zu lassen. Esther würde den Raum abschließen, und die Kinder sollten ferngehalten werden: Esther arbeitet. Es würde auch so viel Ablenkendes zu sehen geben und Aufregendes geschehen. Die Amerikaner rückten vor. Charlotte habe englische Nachrichten gehört. Sie wollten sich den taubstummen Vetter für den Notfall aufheben: einen eventuellen weiteren Luftalarm. Aber es gab keinen mehr.

Sechs Tage, so lange wie Gott zur Erschaffung der Welt gebraucht hat, saß Marian in einer Haft, die mehr und mehr einer Verzauberung glich. Vor dem schrägen Fenster des kleinen Ateliers blühte ein riesiger alter Birnbaum; nach links sah er auf den alten Stadtwall, über dem es blühte und grünte, als sei der Frühling gerade eben erst erfunden, denn nach rechts lag vor seinem Blick das nackte Chaos. Chaos, aber nicht urweltlich wie Aufbruch, sondern abgelebt, nach Verwesung schmeckend. Eine zerschlagene, umgepflügte, plattgewalzte Stadt, die tausend Jahre gestanden hatte und aus der die stehengebliebenen Kirchtürme wie Grabmäler aufragten – riesigen Vogelscheuchen ähnlich. Achttausend Tote, so hieß es, hätten die Bomben gefordert in der Stadt. Und draußen, in der Nähe des Militärflugplatzes, waren Verlegenheitswürfe auf ein Lager mit verlegten Häftlingen und Fremdarbeitern gefallen und hatten – zwei Wochen vor Kriegsende – noch 1300 Opfer gefordert.
So führte sich der Krieg noch in der Überwindung seines Anstifters ad absurdum.
Oben aber, im kleinen Atelier, lernte ein fünfundzwanzigjähriger Pole das Leben wieder, hantierte mit allem, was er vorfand und was man ihm brachte, und zauberte aus Draht, Knetstoff, Knöchlein, Wurzelholz, Steinen, Scherben, übrig gebliebenen Pflaumenkernen, Stoffresten, Gardinenstangen, Büroklammern, einer alten Perücke im Laufe dieser Schöpfungswoche zwei merkwürdige Gebilde, die

von Tag zu Tag mehr Ähnlichkeit gewannen mit den Köpfen von Esther und Ruth.

Denn natürlich war Ruth, als sie am nächsten Mittag nach dem zweiten Angriff mit ihrem Kindchen heimkehrte, sofort zu Esther geeilt und hatte erfahren, was alles geschehen war und wer darauf wartete, ihr Dank zu sagen. War sie nicht die Urheberin der Rettung, die erste Schutzpatronin Marians? Ohne sie wäre er schwerlich zur Flucht ermutigt worden. Ihr Balkon war für ihn das Sprungbrett in die Freiheit geworden.

Aber – sie hatte stets das Kindchen bei sich, wenn sie kam, und erinnerte ihn immer ein wenig an die Madonna, an etwas Liebens- und Verehrungswürdiges, zu dem man aufblickt. Und auch ihr Mann, so war zu hoffen, war gerettet. Sie hatte schon Nachricht aus einem amerikanischen Gefangenenlager. Ihr blondes Haar umgab sie wie eine Art Heiligenschein. Sie sprach auch nicht französisch, sondern nur wenig englisch. Sie sprach überhaupt nicht viel. Sie war vielleicht zurückhaltend, hatte Hemmungen – bis eben auf entscheidende Dinge ...

Esther dagegen war wie ein Kamerad, zupackend, sprudelnd, herzlich. Sie verstand viel von seiner Arbeit. Sie saß oft dabei, wenn er tüftelte und bastelte und probierte – natürlich an ihrem »Portrait« – und beobachtete ihn, und sie unterhielten sich. Aber wenn er dann irgendeinen besonderen Punkt erreicht hatte, sprang sie plötzlich auf, rief »Magnifique!« oder »Excellent!« und umarmte ihn einfach.

An den beiden ersten Tagen brachte er nicht viel zustande. Es wollte ihm scheinen, er hätte alles verlernt. Aber dann hatte er sich vorgenommen, die Köpfe der beiden Freundinnen zu »portraitieren« – auf seine Art eben. Und damit fing es an.

Zuerst hatte er auch noch Furcht; er glaubte sich verfolgt und gesucht. Bis er begriff, daß jetzt die Schergen und Wächter ihre eigene Haut in Sicherheit zu bringen trachteten und daß das Desaster komplett war. Und da fing er auf einmal

an, anders zu atmen. Er sah sich im kleinen Spiegel mehrmals am Tage an, betrachtete mit Wohlgefallen die Kleidung, die sie ihm »verpaßt« hatte. Er aß mit Heißhunger und ahnte gar nicht, welche Mühe es in diesen Tagen ihr und der Schwester bereitete, die vielen Mäuler zu stopfen. Es waren ja am zweiten Tag nach dem zweiten Luftangriff noch drei obdachlose Freunde – ältere Leute und ein Kind – gekommen, die nun auch im Haus wohnten und verpflegt sein wollten. Er ließ sich das alles von ihr erzählen – sie war ja unermüdlich unterwegs am Tage –, aber was man vom Hörensagen kennt, das kennt man doch nur halb.
Nun schlief sie auch oben. Sie ließ ihm die Couch und schob für sich die beiden Sessel zusammen, warf sich eine Decke über. Sie lief ja tagelang in den alten Hosen herum und mit dem Kopftuch – außer im Zimmer –, das sie am Tag seiner Flucht trug. Aber er sah doch, daß sie ein schönes Mädchen war, von einer herben Schönheit – bittere Mandel, dachte er – und einer verborgenen Sinnlichkeit. Er sah es, wie man Lanzettfische unterm Mikroskop sieht: man hat nicht teil daran.
Manchmal saßen sie eine halbe Stunde zu dritt – die Kinder spielten mit der Kleinen von Ruth auf der Terrasse –, und er sah, wie verschieden die Freundinnen waren. Aber sie hatten auch manches gemeinsam: sie waren beide mutig und haßten diesen Hitler (der sich entleibt hatte), hatten jüdische Freunde gehabt, eigene Verwandte in Lagern – sie wußten, was gespielt worden war, und sie waren Bundesgenossen über alle Schranken der Nationalität hinweg. Wenn Esther aufschloß und sagte: »Mon vieux copain, comment ça va ...?«, wußte er, daß auch diese Deutschen mit dabeisein würden, wenn dieses antiquierte, provinzielle Europa entrümpelt würde. Aber ohne den Menschen, die Frauen Esther und Ruth, wäre er schwerlich zu solcher Einsicht gelangt. Einmal fragte er sie, was »ravissante« zu deutsch heiße. Er wollte ihr sagen, daß sie eine hinreißende Frau sei.
Aber er sprach es nicht aus.

Dann, endlich, war es soweit. Schreckliche Aufregung, ob die Stadt, vielmehr der Trümmerhaufen, verteidigt werden würde. Ein paar Verrückte, große Konfusion. Ein halbes Dutzend Artilleriegeschosse in die Trümmer – der Spuk war aus. Die amerikanischen Panzer rollten ein. Bettücher hingen aus den Fenstern der wenigen Häuser, die noch standen.
Er bekam das nicht so mit. Er saß in seinem Vogelbauer und bastelte. Aber dann kam der Augenblick, da sie die Treppe heraufstürzte und kaum vor Aufregung das Schlüsselloch fand. Mit ausgestreckten Händen, das Kopftuch mit der Linken herunterreißend, stand sie da: »Tu es libre, tu es sauvé!« schrie sie. »Oh, mon cher copain, Marian ...« Und sie lagen sich weinend in den Armen, und er mußte sie küssen, Wangen, Stirn, Augen, Mund ...
Und dann war sie wieder ganz praktisch und geistesgegenwärtig. Sie hatte mit einem der Boys gesprochen, der nach dem Lager gefragt hatte. Dem Lager Dora. Und er hatte gesagt, daß alle befreiten Häftlinge zwei Tage unbegrenzt in der Stadt plündern könnten.
Ab wann?
Ab sofort. Wenn die ersten Häftlinge auftauchten. Häftlinge, Fremdarbeiter und befreite Kriegsgefangene.
»Schluß mit der Kunst! Jetzt wird geplündert!« schrie sie. Sie brachte ihm das Netz mit der Häftlingskleidung, und er mußte das verhaßte Zeug wieder anziehen. Und sie selbst kostümierte sich wie eine zerlumpte Hexe, eine alte Zigeunerin. Alle Türen standen jetzt offen, und die Kinder gafften ihn, als er erschien, wie ein Weltwunder an, gafften die rasende Mutter an, die Schwester bog sich vor Lachen und weinte dazwischen. Sie gingen hinunter in das große Wohnzimmer, wo der Flügel stand, und Esther setzte sich vor ihn, schlug in die Tasten und sang:

Allons, enfants de la patrie!
Le jour de gloire est arrivé.
Contre nous de la tyrannie ...

Und der kranke Bruder im Rollstuhl fuchtelte mit den Krücken wie ein Tambourmajor, und die Kinder schrien: »Der Krieg ist aus, der Krieg ist aus!« Und der kleine Martin fragte plötzlich:
»Haben wir nun gewonnen – oder verloren, Mama?« Und sein größerer Bruder lachte über diese dumme Frage. Aber dann war es plötzlich ganz still, und in der Tür standen Wächters, die Untermieter, und Kleinspans, die ausgebombten Freunde, und Esther, wie eine Zigeunerkönigin, ging auf Marian zu und sagte, ihren Arm in seinen hängend:
»Wir haben ihn gewonnen!«
»Hurra!« schrie Martin, und der Krückenbruder hob seine Tambourstöcke.
Und Esther brach mit Marian zum Plündern auf.
Und sie führte ihn zum Innungsmeister der Metzger, zum NSKK-Obersturmbannführer Gehring, der sich verkrochen hatte – aber seine Frau mußte die Kälber und Schweine hüten, die da im Laden an den Haken hingen, und Esther schob Marian vor sich her, während sie französisch fluchte wie ein Marktweib, und sie hoben ein halbes Schwein vom Haken, und Esther streifte sich zwei runde Würste über die Arme und huckte das halbe Schwein auf den Rücken, und Marian faßte es hinten beim einen Lauf und trug so wenigstens ein Drittel des Gewichtes nach.
Und die Kinder schrien wieder Hurra!, als die Schweinehälfte und die Würste in der Küche lagen. Und dann plünderten die beiden weiter, und die Schwester und Kleinspans beinten das Fleisch aus und fingen an, zu kochen und zu brutzeln.
Es kamen noch Konserven und gefüllte Gläser und Weinflaschen und Steinhäger und Nordhäuser Korn, Zigarren und Zigaretten, ein Eimer Marmelade, Kommißbrote ...
Und dann wurde in der Diele der große Tisch gedeckt, und Felix, der ältere, mußte rasch die Ruth herbeiholen – und dann aßen sie alle, bis sie nicht mehr konnten. Und wer dazukam aus der Nachbarschaft oder vorbeikam und her-

einsah, der bekam sein Teil ab von der Mahlzeit und der Friedensfeier. Und an der Stirnseite des Tisches saßen Esther und Marian, jetzt in schönen Kleidern, beinahe wie ein hochzeitendes Paar.

Sie saßen, bis alle gegangen waren. Und dann gingen sie auch schlafen.

Aber Esther schlief in dieser Nacht nicht mehr in den zwei aneinandergerückten Sesseln.

Bruna

Fünf Jahre und sieben Monate waren vergangen, seit sie aufgebrochen waren wie eine Wolfsherde, und in die Hürden eingefallen, nach Osten, nach Norden, nach Westen ... und weil ihr Gebiß so scharf und ihre Läufe so schnell waren, hatten sie jeden Widerstand überrannt, der sich ihnen entgegenstellte, und auch andere, von jenseits des großen Gebirges, hatten sie mitgerissen und mit diesen dann den Sprung übers Wasser nach dem heißen Süden gewagt, und ihre Rudel wilderten oder sielten sich in den vier Himmelsrichtungen, und es war ein Raub- und Siegeszug von des Oberwolfs Gnaden – man könnte sagen ein Siegeszug ohnegleichen, der wie ein Ungewitter daherrauschte mit Donnerhall und sengenden Blitzen, mit berstenden Wolken und rauchigen Nebeln am Morgen danach ... die Welt begann irre zu werden an ihrer Bestimmung, und was leben und in Ruhe sterben wollte, mußte mit den Wölfen heulen, und es hatte den Anschein, als werde alle Welt wölfisch werden müssen und als gebe es auf der ganzen Welt nur eine Überlebenschance für alle anderen Tiere: gefügig zu sein und der Gewalt zu huldigen, die von diesen Wölfen und ihrem Oberwolf ausging und sich, wie alle ungesetzliche räuberische Gewalt, überfraß und überschätzte und glaubte – weil zum Beispiel ein dummer indischer Elefant Beifall trompetete, oder ein norwegischer Seehund Männchen machte –, ein neues Zeitalter sei angebrochen: das Zeitalter der Wölfe, vor denen sich alle zurückziehen und zurückhalten mußten, selbst, beispielsweise, der Bär oder der Löwe, von den kleineren Bestien ganz zu schweigen oder gar den friedlichen und ans Haus gewöhnten Tieren ...
Und nun waren sie überall, nach Jahren und Tagen, mit

zerfetztem Fell, mit wunden Läufen und abgebrochenen oder stumpfen Zähnen auf dem Weg in die angestammten Wälder, in denen sich schon die anderen einzurichten begannen, welche sie herausgefordert hatten, und die nun von Angst- und Wehgeschrei widerhallten, demselben etwa, das sie einst verbreitet hatten, als sie aufgebrochen waren, die wölfische Welt zu errichten, in der nur die Wölfe das Sagen haben sollten – bis herunter zu dem letzten kleinen Werwolf, der zwar nicht mehr beißen und fressen kann, aber doch noch widersagen möchte.
Aber wie sie da überall, als plötzlich zum letzten Halali geblasen wurde, sich auf den Stellplätzen zusammendrängten, abgerissen, ausgemergelt, enttäuscht, verraten und verkauft, wehrlos und gottverlassen und von Treibern, die sie führten, wohin sie nicht wollten, auf den Weg gescheucht wurden in den großen und doch zu kleinen Pferch, hinter dem die Freiheit und das Recht hilflos zurückblieben, dieselbe Freiheit, dasselbe Recht, das zu mißachten ihnen als Lebensregel, Taktik, Strategie auferlegt worden war – da begann langsam bei den letzten das Wölfische aus ihren Mienen zu weichen, und viele taten, als wären sie nie anderes als Schafe im Wolfspelz gewesen, und viele von den vielen waren tatsächlich Schafe gewesen – in jedem Sinn des Wortes –, hörig dem Hirten, gehetzt von den Hunden, zur Schur bestimmt und am Ende für die Schlachtbank.
Und so zogen sie in Herden dahin, jene da, die anderen dort und diese hier von Rovereto nach Brescia ins große Lager, ein Massenlager der Amerikaner, die damals noch aus besseren und zwingerenden Motiven ihre Boys in die weite Welt geschickt hatten, unter einem Banner, auf dem die Sterne noch funkelten ...
Es waren Zehntausende, und in ganz Italien waren es an die Million, die da kapitulierten, und sie taten es acht Tage früher als an den anderen Fronten, weil ein deutscher Gesandter und Generalbevollmächtigter namens Rudolf Rahn seit Monaten eigenmächtig Kontakte mit den vorrücken-

den Alliierten aufgenommen und dem sinnlosen Blutvergießen ein Ende zu setzen versucht hatte. Eine lächerliche Spanne Zeit – acht Tage, und bei fünfzig Millionen Toten innerhalb von zweitausendundfünfundzwanzig Tagen, die sich ja über vier, fünf Kriegsschauplätze und die emsig arbeitenden Vernichtungslager verteilen, würde sich das im Prozentsatz nur auf die vierte Stelle hinter dem Beistrich auswirken, was heißen würde, daß –

Aber das ist ein müßiges Zahlenspiel. Und wenn es nur der eine – statt zehn- oder zwanzig- oder dreißigtausend – gewesen wäre, der noch namenslos in der namenlosen Herde treibt, und von dem unsere Geschichte erzählen will, so hätten die acht Tage ihren Sinn gehabt.

In die Sprache des Siegers hat die Herde die vielsagende Formel S.E.P. gefunden: Surrendered Enemy Personal. Und weil in Italien vor allem oder ausschließlich westliche Alliierte den Feind bezwungen haben, werden Zehntausende der von den Amerikanern Gefangenen an englische Lager übergeben – was nicht das schlechteste Los ist. Entlang der Küstenstraße zwischen Rimini und Cervia wachsen die Massenlager aus lehmigen Ackerboden, stacheldrahtumzäunt, bevölkert von den gezähmten, geprügelten, ausgehungerten Wölfen, die den Menschen in sich wiederentdecken dürfen und die zunächst widersinnige Erfahrung machen, daß ihnen die in Freiheit geraubte Freiheit in der Gefangenschaft wieder neu zuwächst.

Das Essen mag mager sein – Wassersuppe, einige Kekse, Milchpulver, einen Pfirsich für drei (um den Kern wird gelost!), aber das geschwächte Fleisch macht den Geist williger. Wenn der Mensch, der nach Hölderlin dichterisch wohnt, auf nackter, aber bildsamer Erde hausen muß, hilft kein Klagen und Reden – der Künstler muß bilden. Und so bilden die Vorbilder ihre Ausbilder und Nachbilder: dem lehmigen Boden werden Sitz- und Liegegelegenheiten entrungen, die sich um so kühner ausnehmen, als sie schmucklos bleiben müssen. Die Erde, auf der man liegt, wird der

Körperform angepaßt. Die Gefangenen sitzen in Mulden, die sich wie Sessel ausnehmen, betten sich auf irdenem Diwan. Die zusammenfaltbaren Zelte lösen sich in Sonnenschutzsegel auf, aus den Konserven verschiedener Größe erstellen die Phantasie und Notdurft regelrechte Geschirre (bis herab zum nächtlichen) – Kisten, Schachteln, Blecheimer, Banderolen, Bindfäden, Stanniolpapier –, es gibt kein Material, das in dieser Gesellschaft, die sich in radikalem Gegensatz zu unserer Wegwerfgesellschaft befindet, keine Verwendung fände. Prometheus erfindet das Feuer, verliert es aus Übermut und entdeckt es in der Demut neu.
Auch im Geistigen geht es um Wiederentdeckung, Neugeburt, Menschwerdung. Wie viele Talente hat der Krieg brachgelegt, Entwicklungen unterbrochen, Lehrer verstummen lassen! Dieser entsetzliche Simplifikator, der alles über Korn und Kimme ausrichtet! Hunger vergeistigt. Sonne entschlackt. Untätigkeit macht nachdenklich. Entfallenes fällt wieder ein. Entflohenes kehrt zurück. Die langen, warmen und leeren Sommerabende verlangen nach Erfüllung, Auffüllung, und wo wären Fragende, denen kein Antwortender lauscht, Lehrende, denen kein Wißbegieriger zuhörte! Die Schleusen des Wissens öffnen sich. Man kann Vorträge hören über Goethe und Gott, über Bienenzucht und Imker, die Herstellung von Mäusefallen durch geschickte Kombination von Wippe und Falltür; Sprachkurse beginnen über Sanskrit und Suaheli, Arabisch und Türkisch, ganz zu schweigen von europäischen Sprachen. Der Musikdozent aus Bonn spricht über die Matthäuspassion, der Kölner Museumsmann über moderne Malerei, der junge Schauspieler rezitiert Hölderlin, George, Rilke, Trakl:

> Am Abend tönen die herbstlichen Wälder
> von tödlichen Waffen, die goldenen Ebenen ...

Die Gärtner finden ihren Mentor und Lektor ebenso wie die Geflügelzüchter. Geschichte wird nun nicht mehr geschrieben, sondern studiert. Die Mediziner versammeln sich um ein einziges medizinisches Lehrbuch. Die ernsten Bibelforscher werden wieder ernst genommen und dürfen frei reden; selbst Karl Marx ist wieder salonfähig, ja aktuell. Bücher werden ausgetauscht, erst privat, dann im Rahmen einer streng verwalteten Lagerbücherei. Und ganz sicher schreitet oder wandelt, Verse murmelnd, ein Dichter von morgen unerkannt durch die Lagergassen, zerfetzte Turnschuhe an den Füßen, mit dem Haupte die Sterne streifend. Groß ist die Macht der Kunst und Balsam fürs zerrissene Herz ...

Auch die sogenannten bildenden Künstler rühren sich. Nachdem Sessel und Diwane, Sitzreihen und Vortragspodeste aus Lehm geformt sind, wollen da feiner und abstraktere Motive gestaltet werden. Maler und Grafiker beginnen auf Kekskartons zu zeichnen, Architekten entwerfen ihre Träume der Zukunft. Wird nicht für Jahre hinaus der unbehauste Mensch nach einem natürlichen Obdach suchen? Selbst die täglichen Rationen Toilettenpapier werden artistisch zweckentfremdet. Und weil noch immer das fast totgesagte Christentum lebt, gibt es den YMCA, den christlichen Verein junger Männer, der auch die Feindesliebe ernst nimmt und den um Material verlegenen Künstlern mit kleinen Materialspenden beispringt. Ein paar Pinsel, einige Tuben Farbe, Kohle zum Zeichnen sind Mannah in der Wüste der Gefangenschaft. Und daß sie mit ihren Motiven nicht in der Elendswelt hängen bleiben, gibt es ein paar Mal Sondergenehmigung für ein paar Stunden außerhalb des Lagers. Ein paar Landschaften, ein paar Portraits – von freundlichen Bewachern oder Lagerfunktionären – legen Zeugnis ab für den Sinn dieser humanen und liberalen Behandlung.

Außerdem sind die Kunstwerke wörtlich für ein Butterbrot, eine Weintraube, eine Schachtel Navy Cut zu erwerben.

Aber nach zwei Monaten künstlerischer Aktivität ist doch

eine ganze Anzahl von Talentproben übrig geblieben, und weil der Kampf der Wagen und Gesänge an allen Fronten der Kunst entbrannt ist, veranstaltet die Gruppe der Maler, Grafiker und Architekten ihre erste Kunstausstellung. An Pfählen befestigtes Sackleinen trägt die Zeichnungen und Darstellungen manigfaltigster Thematik und Machart, und der südliche Himmel wölbt seine unermeßliche Kuppel über dieser allerersten Dokumenta. Besucher-Reihen ohne Ende: aus der Zeltstadt, aus den Verwaltungszelten, der örtlichen Kommandantur. Ja, selbst aus dem Hauptquartier in Riccione kommen Autos, und einem dieser Autos entsteigt ein General, der an der aufgespannten, dekorierten Sackleinewand entlangwandert und verfügt, daß diese Ausstellung auch in Riccione gezeigt werden soll. Wer hat Georg Friedrich Händel groß gemacht? War Voltaire ein Preuße? Warum sollte Casals vor Hitler konzertieren? Ist Franco größer als Picasso? Liest Breschnew heimlich Solschenyzin? – An ihren Künstlern sollt ihr sie erkennen! Es gibt ganze Generationen, die an ihren Generalen gemessen werden...
Die Ausstellung hängt eben in Riccione, da fährt ein Jeep aus dem Hauptquartier am Lagertor vor und läßt den Kriegsgefangenen Peter Ritter nach dort bitten, ausgedienten Oblt. der besiegten großdeutschen Wehrmacht und – was in diesem Fall das Ausschlaggebende ist – Urheber einiger an der Sackleinewand aufgehängten Portraits und im Privatberuf Maler und Mosaicist. Er wird dem General vorgeführt, der den Wunsch nach einigen der ausgestellten Zeichnungen äußert. Mit der Großmut des Besiegten übergibt der Maler dem General die gewünschten Zeichnungen, mit der Großmut des Siegers erstattet der General ein Honorar: eine Schachtel Navy Cut. Er will auch wissen, ob Ritter portraitieren könne.
Aber ja. Das hat er nicht nur gelernt – das ist seine besondere Stärke. Portraits! Charakterköpfe! Eine der reizvollsten Aufgaben für einen painter überhaupt...

Sesam, öffne dich! Peter Ritter hat es nicht ahnen können, aber nun sieht er, was er nicht ahnte: die Tür, die sich an das Generalzimmer anschließt – der Herr bewohnt eine Luxussuite im Grand Hotel –, öffnet sich und gibt den Blick frei auf eine bereitstehende große Staffelei, auf Leinwand und zwei großen Kästen Ölfarben; alles wartet auf den Maler, der da eben eintritt. Auch der Ordonanzoffizier Colonel South, der beauftragt wird, für den knapp dreißigjährigen Gefangenen in der englischen Soldatenunterkunft Quartier zu machen. Ein vorerst frugales Abendessen leitet den Feudal-Auftrag ein.
Am nächsten Tag ist erste Sitzung, und die frappante Ähnlichkeit des prominenten Modells mit jenem Schweinskopf, mit dem Metzgermeister Staupe in der Heimatstadt zentral sein Ladenschaufenster zu dekorieren pflegte, wird bei genauerem Studium wahrgenommen und beflügelt des Künstlers Hand. Der Schweinskopf hatte stets eine Mohrrübe im Maul. Der General bevorzugt eine Brasil. Etwas enttäuscht betrachtet das Modell die auf einem YMCA-Block angefertigte Kohle-Skizze, die den runden und saftigen Zügen von Backen und Doppelkinn gewissenhafter, als ihrem Träger lieb ist, folgt, und weist auf die Leinwand: er will doch ein Ölbild! Aber der deutsche Ritter ohne Furcht und Tadel kann den hohen Herrn beruhigen: diese Zeichnung ist für ihn vonnöten als Vorlage, als Arbeitsunterlage für die Zeit, da der General seinen Pflichten obliegt und der Künstler ohne ihn arbeiten muß an dem Portrait, das ohne diese Skizze schwerlich die treffendste Gestalt annehmen kann und das am besten, der Persönlichkeit des Dargestellten entsprechend, nach Renaissance-Art und mit reicher Akribie gemalt werden sollte. Es gibt da große Vorbilder – man muß sie nicht nennen.
Der englische Hannibal in Sieger-Pose nickt Einverständnis. Renaissance! Wer kann da widerstehen? Eine treffliche Idee. Nur nicht zu modern und verrückt. Idealisierte Ähnlichkeit. Kapitalistischer Realismus. Wahrheitsliebe.

Schönheit. Oh, Ritter ist mit jeder Parole von seinem Auftrag begeisterter. Er geht an das Portrait auf der Leinwand nicht mit teutonischem Feuereifer oder genialischem Huschhusch, sondern konzentriert, ins Detail verliebt (wo ja die Wahrheit sich verborgen hält); die italienische Landschaft, in welcher der Sieg errungen wurde, muß unverkennbar zu bewundern sein. Kein sozialistischer Realist, der Marschall Shukow oder auch Marschall Stalin malen würde, könnte mehr Verantwortung und Sorgfalt an den Tag legen, an seinen Gegenstand verschwenden als Ritter.
Natürlich kann der General nicht stundenlang sitzen – die Neuordnung der Welt braucht ihn. Aber sich mit stick und gloves leicht gegen den Tisch, der den Mauervorsprung ersetzen mußte, lehnen und die endlosen, in drei, vier Reihen angebrachten Ordensspangen vornehmen und die Farbe des kostbaren englischen Militärtuches ausprobieren lassen – dazu bedarf es nicht der leibhaften Präsenz des Generals. Dafür steht Colonel South ein gutes Stündchen zur Verfügung. Und für die detaillierte, beinahe mikroskopische Erfassung der einzelnen Bänder, Auszeichnungen und Münzen genügt die Ordensspange allein – der Bursche des Generals bekommt sie angesteckt und nickt bei der aufreibend monotonen Sitzung schließlich ein. Was wiederum die einwandfreie Erledigung des künstlerischen Auftrages um ein Stündchen streckt. Eine Verschiebung der Brustpartie verändert die Lichtreflexe, und gerade von der fast greifbaren Gegenständlichkeit seiner Ordensspangen ist der hochgestellte Auftraggeber besonders entzückt.
Auch die minuziös gemalte Landschaft, die sich im Mittelgrund aufbaut bis fern hin zu den vielfach geschichteten Höhenzügen des Apennin, findet allerhöchsten Beifall, und jeder Ochs und Esel, jede Wasserträgerin, jeder Bauer, jedes pflügende Gespann, jeder Ölbaum, jeder Brunnen, jedes ländliche Gebäude tragen eine jeweilige Genehmigung für ein Sonderstudium ein (das wieder Skizzen abwirft, Stiftungen für die niederen Ränge, wenn der Einbau ins große

Portrait sie überflüssig macht), sind Anlässe für Gegenstiftungen: Trauben, Kekse, Zigaretten.
Aber das Wichtigste, was sich unser Künstler in pedantischer Akribie erarbeitet, ist Zeit. Jedermann kann sehen, daß ein Meisterwerk im Entstehen begriffen ist, über jeden Zweifel erhaben. Hier ist kein Schriftsteller am Werk, der Zeilen schindet, sondern ein Portraitist, der – wenn er nicht zum geschlagenen Feind gehörte und also die Gegenseite nur von ihrem Schattenwurf her kennte – wohl in der Lage wäre, den alliierten Sieg in Italien von Sizilien bis an den Brenner darzustellen: ein Triptychon, ein Pentatychon oder Heptatychon. Oder gar ein Dekatychon – alles wäre ihm zuzutrauen. Wäre der Kaugummi nicht längst erfunden – er könnte ihn erfinden! Hat er nicht für die kleine Eidechse, die unweit der englischen Generalstiefel am Mauervorsprung aus einem Raum, den ein ausgebrochener Stein hinterließ, vertrauensselig und neugierig züngelnd hervorsieht, eine ganze Woche gebraucht? Aber: welch eine Eidechse! Der General wirft den Namen Dürer, anfragend, in die Unterhaltung. Zuviel der Ehre! Die Nachwelt wird entscheiden. Wäre der General Franzose und ein geistreicher Mann, würde Ritter antworten: »Mais oui, Dürer. Mais ce Dürer vient de ›ça dura‹, mon général.« Aber er ist in englischer Gefangenschaft – und gibt es gescheite Generale ... Sicher sind sie wertvoller, wenn sie gutmütig und eitel sind.
Aber nicht allein die Zeit, die ja fast gleichbedeutend mit Freiheit ist, soll man preisen. Auch die Verpflegung will besungen sein. Der englische Porridge erstellt Fundamente. Die Fleischgerichte überzeugen mehr durch ihre Substanz als durch ihren Geschmack. Um so besser ist der Tee, der aus den Quellen des Commonwealth rinnt, und Ritter ist engagierter Teetrinker – was ihm zusätzliche Sympathien und viele cups of tea einträgt. Auch sein Englisch verbessert sich zunehmend, und wenn es nicht als unzeitgemäße Anbiederung oder gar Provokation mißdeutet werden könnte,

würde Ritter, der eine wohltönende Stimme hat und manchmal leise beim Alleinsein vor sich hinsummt, zuweilen ein »Glory, glory, halleluja!« hinausschmettern, daß es von den Apenninbergen widerhallte.
Der Raum in dem der neu entdeckte Dürer arbeitet, ist geräumig und hell, hat eine breite Fenstertür zur Terrasse und zwei andere Türen. Durch die eine tritt der General ein, wenn er den Fortgang oder den Stand seines Portraits begutachten will oder ein halbes Stündchen stillhalten muß um der Kunst willen; durch die zweite tritt Ritter vom Flur her ein, wenn sein Arbeitstag beginnt. Und an dieser klopft es eines Tages, leise, aber unüberhörbar.
Als Engländer würde man vielleicht »come in!« rufen. Aber als Deutscher und zudem Kriegsgefangener ist man in Verlegenheit. Das Albergo ist italienisch. Soll man »Avanti« rufen? Ein »Herein!« kommt keinesfalls in Frage. Man geht an die Tür und öffnet. Und was sieht man?
Im Halbdunkel des Korridors steht jemand, nein, eine Jemandin: aus dunkel gerahmtem Gesicht blicken zwei fast schwarz zu nennende Augen, und ein schön geschwungener roter Mund spricht in fehlerfreiem Deutsch: »Würden Sie mir, bitte, bei der Übersetzung einer Liste von Material helfen, die ich anfertigen muß?« Eine warme, wohlklingende Altstimme sagt es, und ein neuer Kosmos, ein Paradies tritt mit sicherem und graziösem Fuß über die Schwelle des Raumes, in dem der ordensgeschmückte General mit stick und gloves, Eidechse und Apennin und allen den vordergründigen und hinterlistigen Erfindungen eines ausgehungerten, freiheitsdürstenden, in Klausur, ja mönchischer Einsamkeit lebenden Malers wie ein Säulenheiliger steht, ein strenges Sanctissimum das Klima bestimmt, die Atmosphäre beherrscht, die plötzlich unhörbar zu tönen und unwahrnehmbar zu duften beginnt.
Es fehlen nur zwei Wörter noch in ihrer Liste »Feldfernsprecher 36« und »Vermittlungsanschlußgerät 307«. Wer würde sich je an diese schrecklichen technischen Wort-

ungeheuer der deutschen Sprache erinnern, wenn die herzerwärmende Altstimme nicht noch an ihren Dank die teilnehmende Frage anschlösse:
»Wie fühlen Sie sich? Fehlt es Ihnen an Decken, oder soll ich Ihnen etwas zum Lesen bringen?« So eine Frage, aus einem so schönen Mund, vergißt man sein Lebtag nicht mehr.
Aber wo hat sie ein so ausgezeichnetes Deutsch gelernt? Sie ist doch wohl Italienerin ...
Si. Aber sie hat Deutsch studiert; Deutsch und Englisch an den Universitäten Rom und Venedig und ein Wintersemester auch – 1942 – in München. Aber das sei eine längere und nicht ganz folgenlose Geschichte, die sie ihm ein anderes Mal erzählen kann, wenn etwas mehr Zeit dafür ist.
Aber das noch, ehe das andere Mal komme, auf das er sich von nun an jede Stunde freuen werde: wie heißt sie denn?
»Bruna«, und das R rollt ihr über die süße Zunge wie Taubengurren und das U klingt wie ganz tiefer Unkenruf, und das A enthält alle As und Ahs der Welt von Abraham bis Alcazar.
»Bruna ...« sagt er. »Welch einfacher und schöner Name!«
Sie lächelt. Sie hört ihren Namen gern aus seinem Mund. Sie hat manchmal an der Tür gelauscht, wenn er beim Malen leise vor sich hin sang. Soll sie, kann sie ihm das sagen? Nein. Aber sie sagt ihm, daß er ihn auch schön ausspreche, nicht so mit dem deutschen oder englischen R. Er kenne Italien?
Welcher Maler kennt es nicht!
Natürlich ... Aber nun muß sie gehen. Man wartet auf die Liste. Sie arbeitet hier im Hauptquartier als Dolmetscherin, mit zwei anderen Italienerinnen. Sie wohnen sehr hübsch am Park-Rondell von Riccione, und tagsüber haben sie hier zu tun.
»Wir werden uns also wiedersehen ...« sagt er zwischen Frage und Beschwörung.

Sie nickt lächelnd.
»Certamente!?«
Aber sie ist schon aus der Tür. Doch ehe sie diese Tür schließt, sagt sie durch einen Spalt, der noch einmal das schöne Gesicht sehen läßt, ein leises »Arrivederci«.
Und sie hält Wort. Täglich, irgendwann, tritt sie beherzt und gewärtig, daß durch die andere Tür der General leibhaftig eintreten könne, der da schon seit vielen Wochen am naturgetreu gemalten Mauerwerk steht, in das Behelfsatelier ein und spricht mit dem deutschen Maler, schenkt ihm eine Fotografie, um die er sie herzlich gebeten hat, steckt ihm ein Fiaschetto Weines zu, eine Zeitung, ein bißchen Obst ... und da kann gar kein Zweifel sein, daß sie seine Neigung erwidert, auch wenn sie es etwas weniger deutlich zeigen kann als er, während er wiederum weiß, daß italienische Weiblichkeit sittenstrenger erzogen und ein wenig mißtrauischer und zurückhaltender ist als z. B. französische oder deutsche. Aber er weiß auch noch ein anderes: daß Italienerinnen, wenn sie lieben, wie Löwinnen für den Geliebten kämpfen können, daß sie dann treu sind wie das berühmte Gold und daß selbst die Hölle oder der Hades sie nicht schrecken würden, nicht Ritter, Tod und Teufel. Er hat den englischen Hannibal für sich gewonnen, er wird auch die italienische Bruna erobern.
Und der englische Hannibal wird ihm sogar, unbewußt, dabei helfen. Er hat sein Herz für diese penible, renaissancegesättigte Dürer-Seele entdeckt, die da täglich von der Unterkunft der englischen Soldaten ins Hauptquartier hin und her wandert. Hat er nicht seine gelegentlichen Studienausflüge zum Erfassen von Ochs, Esel, Eidechse, Baum und Strauch gewissenhaft genutzt und sich des Vertrauens wert erwiesen? Er verdient ein allgemeines Permit, und darum erhält er es auch. Und mit diesem Permit in der Brusttasche werden die späten Nachmittagsstunden zum Studium jenes Phänomens genutzt, das unsere Stammeltern angeblich aus dem Paradies vertrieben hat, damit sie sich

gemeinsam ein neues suchten und schüfen, von dem die einen meinen, es sei von der Größe eines Schrebergärtchens, während andere glauben, es müsse die Ausdehnung des Krügerschen Nationalparks haben, und wieder andere denken, es sei eine Fiktion zur unendlichen Fortpflanzung und Vermehrung des Menschengeschlechts, indes wieder andere glauben, es sei ein Pflichtenkreis.
Für diese beiden ist es die Blüte vor der Frucht, eine beseligende Verzauberung, ein erregendes Geheimnis, eines, das sie für sich selbst hüten und das ihnen die Tage kostbar macht und die Nächte mit wundersamen Träumen erfüllt. Lange Gänge am nun winterlich einsamen Strand, durch welliges Hügelland. Tiefschürfende Fragen und Gespräche. Gemeinsames Ausgeschlossensein aus der Zone der Bevorrechtigten. Leben sie nicht beide von den Brosamen der Reichen, von der Nachsicht der Herrschenden?

Bruna ist in einem Dorf der Marche geboren, nahe einer größeren Stadt an der Adria, und arme, ja ärmste Verhältnisse hatten ihren Vater, als sie kaum zwei Jahre alt war, nach den Vereinigten Staaten auswandern lassen, zweifellos in der lauteren Absicht, durch besser bezahlte Arbeit im Wunderland des Dollars den Lebensstand der mit drei Töchtern gesegneten Familie zu heben. Er war ein Vorläufer der Hunderttausende gewesen, die heute in den reichen Ländern Europas für ihre unter kargsten Bedingungen lebenden Familien freiwillig in Arbeitssklaverei gehen, um die Hälfte ihres Lohnes in ihre Dörfer zu schikken, wo ihre Familien sitzen, auf Briefe und Postanweisungen und auf die einmalige alljährliche Ankunft des Erlösers warten, des Erlösers aus Armut, Erniedrigung, Zukunftslosigkeit. Sie hausen, oft ausgebeutet von schamlosen Vermietern, zu viert und fünft in Notunterkünften, und ihre Piazza ist der zementierte Himmel der Bahnhofshallen, wo sie sich für einen Schwatz treffen, ein Bier an der Theke der Stehbierhalle, weil der Wein, den sie lieben, unerschwinglich ist, und ihre Sehnsucht hundertmal vorausreisen lassen mit den täglichen Zügen in den Süden – bis zu jenem Tag, da sie, mit Mitbringseln beladen, endlich einen dieser Züge besteigen können, um zu denen zu reisen, die ein tägliches Anrecht auf sie hätten – Weiber, Kinder, Eltern –; aber sie müssen ihre Freude und Liebe in ein paar kärgliche und doch überreiche Wochen pressen, um dann aufs neue ...

Nicht alle können diese Fastenjahre – Jahre der Einschränkung, der Lieblosigkeit – durchstehen und den Versuchungen der »besseren« Welt widersagen. Und so waren auch die Briefe aus den USA mit den spärlichen Dollars immer seltener geworden, und Schmalhans blieb immer Küchenmeister im Haus der vier Weiblein, von denen die jüngste doch ein so wohlgeratenes, kluges und hübsches Kind war, daß der Lehrer meinte, es sei eine Sünde, wenn man dieses verheißungsvolle Pflänzchen in dem Dorf der Marche verkümmern und vertrocknen lasse; und er hatte mit dem Pfarrer ein paar wohlhabende Contadini bewegen können, die Bruna auf die höhere Schule nach C. zu schicken, wo sie sich aller Förderungen mehr als wert erwiesen hatte. Und als das Examen schließlich mit der besten Note bestanden war, da ließ man Bruna studieren – was freilich mehr Geld erforderte als das Liceo. Und weil die vereinzelten Privatspenden und -stipendien nicht ausreichten, hatte Brunas tapfere Mutter, die sich wie eine Heldin für ihre Kinder schlug, Geld geliehen, um die Studentin nach Roma und Venezia zu schicken, wo sie die englische Sprache und – weil das sich im Zuge der Zeit empfahl – die deutsche studierte: Lingue e lettere. Und auch da war sie fleißig und molto brava, daß sogar ein Stipendium nach München für sie abfiel, das dann freilich im Stalingradwinter 1942, als die vermeintlichen Sieger die Spendierhosen gegen eine mit schmäleren Taschen eintauschen und den Gürtel enger schnallen mußten, ziemlich abrupt entfiel.

Dollars kamen längst keine mehr – der Krieg hatte die

letzten Rinnsale dieser Quelle verschüttet. Und als dann 1943 die letzten Prüfungen – mit einer Promotion über Conrad Ferdinand Meyer – bestanden waren, hatten die Alliierten ihren Fuß längst auf italienische Erde gesetzt, und als der Krieg langsam, aber unaufhaltsam nördlicher zog, da erreichte er auch eines Tages die Stadt an der Adria, in der die junge Doctoressa Bruna als Dolmetscherin des deutschen Hafenkommandanten etliche Monate gearbeitet hatte, um auch ein wenig Geld zu verdienen für die Abzahlung der Studien-Schulden. Vor dem Durchmarsch der Alliierten war Bruna noch ins Dorf zurückgekehrt, zur Familie – alle drängten sich dicht zusammen in den schrecklichen Wochen des Frontwechsels.

Und Engländer und Amerikaner kamen, überrollten die Stadt und zogen weiter; aber in ihrer Spur kamen die Partisanen und die Antifaschisten und wollten nun Gericht halten über alle Kollaborateure und Verräter im Lande. Und gehörte eine junge Dolmetscherin, die für den deutschen Hafenkommandanten gedolmetscht hatte, nicht auch zu diesem Gesindel von Verrätern?

Es waren traurige, angsterfüllte, gehetzte Tage, da die unbestellten Richter wie nächtliche Feme umgingen und zu richten suchten, wessen sie habhaft werden konnten. Bruna, ihre Mutter und die beiden Schwestern verbarrikadierten sich in ihrem kleinen Häuschen, verbrachten die Nächte schlaflos und zitternd, immer der Rächer gewärtig, hörten das Rufen der Verfolger, die Schreie der Verfolgten. Kein Stück Brot im Haus, kein Mann, der sie hätte schützen können. Fanatiker, Desperados, Konjunkturritter, Gernegroße führten ein wahlloses Regiment, und einige hatten es auf das schöne lange Haar der »Verräterin« abgesehen. Aber als sie ihrer endlich habhaft werden, ist der erste Zorn der Rächer schon verraucht, und der heilige Zorn des furchtlosen Mädchen besiegt den ihren: »Wenn ihr mit meinen Haaren Italien retten könnt, so schneidet sie ab, ihr traurigen Helden. Es wird schneller nachwachsen, als eure Schande vergessen sein wird!«

Als endlich Ruhe einzieht, verläßt Bruna das Dorf – ein englischer Stab hat sich in der nahen Küstenstadt eingerichtet und sucht eine englische Dolmetscherin. Sie ist die Ernährerin der Familie, sie hat Englisch studiert, sie bewirbt sich, man grüßt sie, stellt sie sofort ein ... Eine Denunziation beim englischen Vorgesetzten bringt sie wieder aus Amt und Verdienst: man belegt sie mit dem »ewigen« Verbot, jemals wieder für eine englische Dienststelle zu arbeiten.
Aber stärker als alle Verbote sind die Gesetze des Lebens, stärker als die Furcht ist der Selbsterhaltungstrieb. Sie setzt sich aus dem engeren Bereich ab und geht zum englischen Hauptquartier nach Riccione, wo man eine deutsch-englisch-italienische Dolmetscherin von dieser Qualität mit Kußhand nimmt. Sie findet Arbeit, Broterwerb und – einen deutschen Maler im Zimmer neben dem General. Englisch-deutsche Probleme und Thematik – das hat sie studiert, darin ist sie zu Haus, dafür scheint sie prädestiniert. Das ist ihr Schicksal. Dem kann, dem will sie nicht entgehen. Sind sie nicht beide Gefangene? Beide Besiegte, Rechtlose? Wenn sie sich lieben, klug sind wie die Schlangen, sanft wie die Tauben und zusammenhalten wie Pech und Schwefel – können sie dann nicht der feindlichen Welt ein Schnippchen schlagen?
Es steht nicht schlecht um unser Paar. Gerade da er fürchten muß, wieder ins Lager zurückbeordert zu werden, weil das Generalsportrait nun wirklich kaum noch vervollkommnet, ergänzt, verbessert werden kann, da erscheint morgens der Auftraggeber in Begleitung eines anderen Generals, und beide hohen Herren betrachten und begutachten das Portrait und stellen fest, daß es ein selten gelungenes Kunstwerk ist. Alles Dargestellte ist lebensecht, naturgetreu – vom General bis zur Eidechse. General Block ist voller Anerkennung. Und das wichtigste: Auch er möchte gemalt werden. Bis heute abend – so verfügt Modell Nummer 1 – muß der letzte Pinselstrich geschehen sein. Morgen früh beginnt Ritter mit dem Auftrag Nummer 2.

Eine halbe Stunde vor dem »Dienstschluß« unseres Künstlers holt sich der Chef sein Renaissance-Portrait ab. Honorar: eine Dose Tabak. »I see you smoke a pipe«, sagt der General verständnisinnig.
Schon am nächsten morgen sitzt General Block zur Skizze im YMCA-Block, und alles läuft ab wie ein Sandkasten-Manöver; erst die Skizze, dann die Übertragung der Umrisse des zu Portraitierenden auf die Leinwand, dann die Ausführung der persönlichen Details erster und zweiter Ordnung, dann die Komposition des Hintergrundes: die Geographie der Siege des im Mittelpunkt stehenden Hannibal 2. Diesmal wird die Perspektive ein wenig verschoben, so daß auf der rechten Seite des Bildes ein Stück Meerblau aufleuchtet: die Adria.
Das Portrait wächst; die Liebe wächst. Alle Sterne stehen günstig. Ein köstlicher Frühling, der gleich in einen Frühsommer übergeht, macht das Land lachen, das Meer glänzen. Längst ist der verschlissene deutsche Offiziersrock mit dem englischen battle-jacket ausgetauscht worden. Dem gesellt sich bald eine Hose aus britischen Beständen zu und – für die Freizeitstudien – ein fesches britisches Barett.
Noch immer gilt – Generale sind ausgenommen – NO FRATERNISATION. Aber wer will einen Engländer im Badeslip von einem Deutschen in der gleichen Kostümierung unterscheiden? In der flimmernden Sommerhitze sehen alle gleich aus, und in wieder erwachender englischer Toleranz löst sich auch die unbrüderliche Losung für den deutschen Kriegsgefangenen Peter Ritter mehr und mehr auf. Das Personal des Hauptquartiers nimmt diese Kommißregel ohnedies gelassener hin, als es Deutsche tun würden. Selbstverständlich badet er mit Bruna an jenem Teil des Strandes, der als Badebereich dem Hauptquartier vorbehalten ist. Wem Generale als Modell sitzen ...
Eines Abends besucht er – nicht zum ersten Mal – das geliebte Mädchen in dem schönen Haus unter den Pinien, wo Bruna mit ihren Freundinnen einquartiert ist; es liegt ge-

nau gegenüber der Unterkunft des britischen Town majors. Als deutsch-englisches Chamäleon tritt er mutig in den Vorgarten ein, wo ein weiterer Engländer seinen Weg kreuzt, der ebenfalls das Haus betreten will.
»Hallo ...« sagt Ritter.
»Hallo«, antwortet der Brite und lächelt, und Ritter lächelt zurück. Beide steigen mit gelassenem Selbstbewußtsein die Stiege hinauf. Der Brite geht auf eine Tür zu, Ritter auf die andere. Beide klopfen, nicken sich schelmisch zu und verschwinden, sehnsüchtig erwartet und freudigst empfangen, in den Zimmern.
»Wer ist der Engländer im Nachbarzimmer?« fragt Ritter gespannt.
»Signor Schmitthenner, il interprete tedesco.« Der deutsche Dolmetscher des Hauptquartiers, der mit Graziella befreundet ist.
Inzwischen wächst Hannibal 2 seiner idealsten Gestalt entgegen, auch er eine malerische Orgie deutscher Gründlichkeit, Genauigkeit, Observanz und Idealisierung. Ritter läßt sich Zeit. Denn längst schmieden die beiden Liebenden an den Plänen für ihre Entlassung in eine Freiheit, die sie in die äußerste Bindung und Gemeinsamkeit führen soll.
Brunas Entlassung wird kaum Schwierigkeiten bereiten. Bei unserem Maler ohne Furcht und Tadel liegen die Dinge jedoch nicht so einfach, wie man's gerne sähe. Aber da zeigt sich die Findigkeit, die Opferbereitschaft und Strategie der italienischen Löwin. Ach, sie sind ja alle viel tapferer und tüchtiger als viele ihrer Männer, vor allem als jener, der das große Wort erfunden hatte: »Meglio vivere un giorno da leone che cento anni da pecora.« Gebrüllt hatte er zwar wie ein Löwe, Jahre hindurch. Und dann hatte er sich in einer deutschen Unteroffiziersuniform unter der Plane eines LKW hervorziehen und wie ein Lamm vom Metzger abschlachten lassen. Kein rühmliches Schauspiel, wahrhaftig – fürs Schaf nicht und nicht für den Metzger. Sag mir, wo die Helden sind, wo sind sie geblieben ...

Während Ritter mit einem neuen Auftrag beschäftigt ist, reist Bruna mit Entwürfen und Bildern nach Rom und klopft an die Türen angesehener und einflußreicher Persönlichkeiten. Aber wer soll, in diesen Jahren, sein Ohr und Herz für einen deutschen Kriegsgefangenen auftun; zumal einen Maler ...
Einen Maler? Und wieso: zumal? Ein Maler ist ein Maler und ein guter deutscher Maler ist besser – aber wozu das aussprechen ...
»Ja, wenn wir ihn schon hier hätten ...« sagt ein höherer vatikanischer Würdenträger, auch ein Deutscher, der auf den nicht so repräsentativen Namen Kaas hört und sich einst aus dem Nazi-Deutschland abgesetzt hat, um Bürger und Beamter des Vatikans zu werden. »Wenn wir ihn hier hätten – wir könnten ihn gut gebrauchen. Zum Beispiel in der vatikanischen Mosaikwerkstatt ...«
Wunderbar! Das kann er; auch das. Dieser Mann ist zu allem zu gebrauchen. Ein Artista meraviglioso. Das englische Hauptquartier hat sein Talent zur höchsten Entfaltung gebracht. Wenn man sich doch für ihn verwenden würde ...
Ein jünger, energischer Monsignore, der hinter einer Tür mit der Nummer 13 wohnt, wird sich des Falles annehmen.
Ist er – katholisch?
Auch das noch! Ja! Si, si.
Man wird's versuchen.
Es vergehen noch Wochen, bis eintritt, was erhofft, aber doch kaum geglaubt wird. Aber in diesen Wochen steigert Peter Ritter noch einmal sein Talent zu äußerster Entfaltung:
Colonel South, der Ordonnanz-Offizier, meldet endlich auch seine Ansprüche an. Und da er ein begeisterter Schwimmer ist – einst Meister in der Rückenlage von Südwales – und Ritter sich ohnedies eine neue Perspektive, ein neues Motiv wünscht, wird es diesmal ein Bild, auf dem die blaue Adria den Hintergrund bestimmt. Und in die Küstenlandschaft

malt Peter Ritter, zur Bereicherung des Elementes und weil man die Fische ja nicht malen kann und er auf Sonder-Permit hinreichend Ochsen und Hornvieh studiert hat, das klassische und immer wieder hinreißende Motiv des Stieres (oder Stiergottes, denn kein Geringerer als Zeus hat seine Gestalt angenommen), der Europa geraubt hat und nun mit schnaubenden Nüstern durch den Schaum der Brandung die Entführte zum Liebesmahl trägt.
Colonel South, mit der Mythologie als biederer Waliser Landsmann nicht auf Duzfuß stehend, muß sich das ungewöhnliche Motiv und seine Plazierung erst erklären lassen. Aber dann hat er eine Idee, die ihn wie ein entzücktes Kind ein paar Tanzschritte auf der Stelle machen läßt! Er öffnet seine Brieftasche und reicht Ritter ein Photomat-Bild von seiner Frau und bittet auch um ihr Portrait. In der Größe einer italienischen Briefmarke fügt Ritter das Portrait ein: die geraubte Europa erhält die unverkennbaren Gesichtszüge von Missis Emily South, die der bullige Stier an den Strand des englischen Hauptquartiers bei Riccione absetzen wird.

Gewissermaßen in einer dankbaren Gegenbewegung trägt ein paar Tage später der alliierte Urlauberzug Rimini–Bologna–Roma den mit einem höchst dienstamtlichen Entlassungsschein und Freifahrkarte versehenen Peter Ritter, dessen – in einem Kekskanister – blau umgefärbtes englisches battle-jacket mit dazugehöriger Hose von den singenden, von Wein und Urlaubsvorfreude leicht trunkenen Soldaten mißtrauisch beäugt wird, der Ewigen Stadt entgegen, und neben ihm steht mit großen schwarzen Augen und langen dunklen Haaren eine stolze, selbstbewußte Italienerin. Ihre Liebe hat einen deutschen Maler freigekämpft.
Erst Jahre später werden die beiden für die Welt sein, was sie füreinander vom ersten Augenblick waren, ein liebendes Paar für das Leben. Und in dem kleinen Ort auf dem

Hügel in der Marche spricht die von Leid und Not ein Leben lang geprüfte Mutter Brunas, versöhnend und entschuldigend zugleich, für die Besiegten und Befreiten das Schlußwort dieser Geschichte der Liebe ihrer Tochter zu dem deutschen Maler: È un tedesco, ma è tanto buono.

Aber vielleicht stellt General Block, dem die beiden viele Jahre später im Speisewagen eines D-Zuges nach Köln begegnen, noch ein anderes, sachlicheres zur Wahl, als er seinem einstigen Portraitisten, freundlich lächelnd, beim Abschied das Wort mit auf den Weg gibt:

»... and you remined a prisoner ever since.«

Irini

Als sich an einem Juniabend des Jahres 1944 eine der wenigen Besatzungen, mit denen die Deutschen ihre – mehr oder weniger unbefehdeten – Stützpunkte in der Ägäis gehalten hatten, in einer Bucht der Insel Seriphos versammelte, um die knapp sechzig Köpfe zählende Mannschaft im Schutze der Nacht und eines Kanonenbootes auf einem Motorsegler nach dem Festland überzusetzen, fehlte zu aller Verwunderung der knapp einundzwanzigjährige Schreibstuben-Unteroffizier Theodor Scharffe, dessen erst vor kurzem erfolgte Beförderung sich gerade auf Pflichttreue, Gewissenhaftigkeit und soldatisches Wohlverhalten gegründet hatte. Scharffe war Pfarrerssohn, kam aus dem Niedersächsischen, wollte selbst auch später Theologie studieren, betrieb – zum Vorteil der wie in Verbannung lebenden Truppe – fleißig neugriechische Sprachstudien, wobei ihm seine sechs Jahre Altgriechisch auf dem humanistischen Gymnasium und die Lektüre von Ilias und Odyssee sehr zustatten kamen, und hatte sich im Lauf eines Jahres dadurch unentbehrlich und zum heimlichen Sachwalter seiner Kameraden gemacht. Darum und weil er seit Tagen und bis in die letzten Stunden mit der geheimzuhaltenden technischen Vorbereitung der Absatzbewegung beschäftigt gewesen war, wollte eine Desertion so gut wie ausgeschlossen erscheinen. Eher war noch die Möglichkeit eines unvorhersehbaren Mißgeschicks – eines Sturzes etwa – gegeben, denn auch an gewalttätiges Handeln von griechischer Seite her mochte niemand glauben. Die Truppe hatte gerade durch Theodor Scharffes vermittelndes Wesen in gutem Einvernehmen mit den Insulanern gelebt, die weder kriegerisch noch sonst unter dieser Besatzung zu leiden gehabt hatten.

Man beriet sich kurz. Der Einheitsführer, ein Oberleutnant, der besonderes Vertrauen in seine »rechte Hand« gesetzt hatte, zögerte den Aufbruch noch um zehn Minuten hinaus. Aber kein Scharffe erschien; auch kein Überbringer irgendeiner Nachricht. Da man die ohnehin kurze Nacht nutzen mußte, brach man, unbefriedigt rätselnd, schließlich auf. Wenn dem jungen Unteroffizier wirklich etwas zugestoßen sein sollte, so glaubte man auf die Hilfsbereitschaft der Inselbewohner gerade diesem Germanos gegenüber hoffen zu dürfen.
Aber – auch die Griechen hätten nichts über Theodor Scharffe verraten können, nicht jetzt, nicht in den kommenden Wochen und Monaten; denn sie wußten weder etwas von seinem Aufbruch, noch von seinem Zurückbleiben. Scharffe hatte über alles und allen gegenüber, wie es seine Pflicht war, geschwiegen – mit einer einzigen Ausnahme. Und die war verschwiegen: Irini.
Irini war die jüngere von den beiden Töchtern des Bauern Markos Doxiades, der für griechische Maßstäbe zwar kein reicher, aber für Insel-Verhältnisse doch ein einigermaßen wohlhabender Mann war – mit einigem Grund und Boden, einem kleinen Gehöft, einer Schafherde und einigen sonst dazugehörigen Tieren. Aber das Beste, was er hatte, waren wohl seine beiden Töchter Eleni und Irini, zwanzig und achtzehn Jahre alt, die er hütete wie seine Augäpfel – vor allem dadurch, daß er sie niemals allein und nur äußerst selten im Hafenstädtchen sehen ließ, wo die Germanoi ihn immer an den Krieg erinnerten und sich die Sitten mehr lockerten als für heiratsfähige Töchter gut sein konnte. Sie hatten auch Arbeit genug auf dem kleinen Hof, mit den Tieren, auf den kargen Feldern, mit der Schafherde. Es waren fünf Viertelstunden Weges zur Stadt zurückzulegen – wer hat Zeit zu verschenken, wenn er auf einer Insel der Ägäis Landwirtschaft treibt ...
Aber wie das Schicksal es fügt: wer keinen Geliebten in der Stadt hat, dem kann ein Liebender auf dem Land zulaufen.

Oder auch: wer die Oliven hängen lassen will, dem fallen sie auf den Kopf. Irini, die Jüngere, war eines Tages mit den Schafen draußen, als ihr ein »marsch-erleichterter«, also locker gekleideter deutscher Soldat über den Weg lief, der sie in ein freundliches Gespräch verwickelte (er sprach recht gut griechisch), ihr Rosinenbrot und Schokolade zu kosten gab, die Bilder seiner Eltern und Schwestern zeigte und ihr zum Schluß sogar den Text irgendeines griechischen Liedes abverlangte, den er – in sauberen Druckbuchstaben – in ein Büchlein eintrug, in welchem schon andere Texte standen. Darunter auch einer, den sie selbst noch nicht gehört zu haben meinte und den er von einem älteren Vetter her kennen wollte, der einmal einige Monate auf der Insel Kreta zugebracht hatte:

Matia me matia vleponde
ke dio Kardies ktipoune,
kalitera stin mavrin gin
para nachoristoune

Die Augen sehn der Augen Schein / die Herzen klopfen beiden, / besser in schwarzer Erde sein / als voneinander scheiden!
Er kannte sogar die Melodie und sang ihr das Verschen vor, das mit einem türkischen »aman-amana« eingeleitet wurde und dessen erste und dritte Zeile er gegen den Rhythmus wiederholte.
Es war an einem Märztag, einem Sonnabend, als die Disteln zu blühen begannen und die Mandelknospen aufplatzten, und es war alles so sonderbar und natürlich zugleich: daß dieser Fremde in ihrer Zunge redete ... gar nicht so schlecht und fehlerhaft, wie man hätte erwarten sollen oder wenigstens: wie sie erwartet hätte. Und daß er nicht zudringlich war oder auch nur Blicke geworfen hätte, die hätten erkennen lassen oder glauben ... nein. Er sagte nur, daß er gern übers Land gehe und sie wieder zu treffen hoffe mit

ihren Schafen und Lämmern, vielleicht am nächsten Sonnabend schon? Oder Sonntag? Er kenne schon einen großen Teil der Insel, er liebe die griechische Sprache, die griechische Musik und sei gerne hier und hoffe, nach diesem Krieg – er sprach das Wort »polemos« etwas geringschätzig aus – wiederzukehren. Einmal müsse ja der Frieden – irini – kommen. Aber Gott sei Dank sei es ja ruhig hier. Außer den manchmal auftauchenden Flugzeugen ...
Er winkte ab und ging. Er winkte ihr.
Seine Stimme blieb ihr im Ohr, auch die kretischen Verse, und wohl weil sie fürchtete, ein wahrheitgetreuer Bericht könnte auf Unglauben oder Verdacht stoßen, sagte sie daheim nichts von dieser seltsamen Begegnung, sondern erinnerte sich an sie wie an ein zu hütendes köstliches Geheimnis und zählte, insgeheim auf ein Wiedersehen hoffend, die Tage bis zum nächsten Wochenende.
Sie ging diesmal mit ihren Schafen noch etwas weiter weg vom kleinen Gehöft, so daß auch kein Zufall es offenkundig machen könnte, wenn ... Doch da schien es gar kein Wenn oder Aber gegeben zu haben: er kam, früher noch als das letzte Mal, mit kleinen Mitbringseln aus der Stadt versehen, blieb noch etwas länger, sprach mit ihr, lobte einmal kurz ihre Augen, die wie das Meer seien (er sprach das Wort thalassa fehlerfrei aus, geradezu genüßlich fehlerfrei), und sagte auch sonst Freundliches und Schönes, ohne die Grenzen des Anstands auch nur anzutasten. Manchmal lächelte er ihr zu, vielleicht mit einem Anflug von großer Sympathie oder auch Zärtlichkeit; aber sonst fiel ihr nichts auf. Allerdings gestand er, daß er niemandem erzählt habe, wie er sie hier – wie im alten Hellas – mit ihren Schafen getroffen und mit ihr gesprochen habe.
Sie auch nicht!
Wirklich?
Sie sah, wie es ihn freute. Er ließ sie wissen, er wünschte sich, daß es so bliebe. Er wäre glücklich darüber. Und weil sie lächelnd dazu nickte, fügte er an, daß sieben Tage eine

sehr lange Zeit seien, und fragte, ob sie auch an einem anderen Tag der Woche oder auch sonntags mit der Herde hier in der Gegend anzutreffen sei.
Warum nicht... Sie wechsele sich mit ihrer Schwester ohnehin ab. Wenn er einen Tag vorschlüge...
Das alles in einfachsten Wendungen – mia phora Eleni, mia phora egò. Aber er sagte ihr, sie solle ruhig ganze Sätze sagen, er verstehe sie gut und wolle ja hinzulernen.
Also vielleicht Dienstag? Oder besser Mittwoch?
Der Mittwoch war ihm gelegener. Und wo?
Noch etwas weiter westlich. Und wenn er keine Schafe sehen würde, so käme sie allein. Er solle nur schauen.
Oh, das würde er! Und einen Namen habe sie doch auch...?
Irini. Sie lächelte, und er nickte lächelnd und sagte kopfnickend: »Kala, kala!«
Sie gaben sich diesmal die Hand, und er hielt die ihre etwas länger als vielleicht statthaft; aber gerade, als sie das dachte, ließ er los, sagte leise seinen Abschiedsgruß und ihren Namen. Er sagte ihn gleich zweimal, einmal als ihren Mädchennamen, das andere Mal schien es, als schlösse er auch den Frieden mit ein, nach dem sich alle Welt sehnte.
Das nächste Mal brauchte es etwas länger, bis er sie fand, denn sie war ohne die Herde gekommen, die geschoren wurde, und sie hatte nur wenig Zeit. Ein längeres Fernbleiben werde Argwohn erwecken. Sie war offensichtlich traurig darüber, und auch er war traurig, daß sie schon gehen mußte. Es war ein Fleck mit schönstem Ausblick. Sie setzte sich aber doch, und er setzte sich dazu. Er legte seinen Arm um ihre Schulter und sagte leise:
»Ich glaube, ich liebe dich, Irini.«
Sie lächelte und streichelte seine Wange, und dann küßten sie sich. Aber dann sprang sie rasch auf, sagte »Sonnabend!«, eilte zu Tal, und er sah ihr nach. Sein Herz galoppierte.
So kam das in die Reihe. Er machte Umwege, sie machte Umwege. Die Herde war immer ein guter Vorwand, und

manchmal gab es auch einen anderen oder gar besseren. Anderthalb Wegstunden zum Beispiel vom Gehöft gab es eine ältere Tante, die kränkelte und sich auch über den kürzesten Besuch freute. Und daß er gern herumstreifte und wanderte, das wußten seine Kameraden, die fast alle älter und bequemer waren als er, trinkfreudig und heimwehkrank.
Sie liebten sich und litten daran, ebenso wie sie selig darüber waren. Sie waren klug wie die Schlangen, und darum war das Glück mit ihnen. Irini wußte Plätze, da sie sicher sein konnten; auch eine Höhle gehörte dazu. Aber jetzt war der Mai gekommen, und die Sonne schien sommerlich warm vom tiefblauen Himmel – was sollen da Höhlen...
Theodor Scharffe war der glücklichste Mensch der Insel, zumindest, was ihre Besatzer betraf. Aber im stillen bangte er um sein Glück. Seines Vaters Briefe wurden immer ernster; zwischen den Zeilen stand die Not. Und wenn er die unregelmäßig aus Athen eintreffende Soldatenzeitung aufmerksam las, so las er auch dort zwischen den Zeilen, daß das Spiel verlorengehen würde, wenn nicht ein Wunder geschähe. Und auf dieses Wunder hofften die meisten; aber nicht alle glaubten daran. Was aber würde aus ihnen werden, den Ausgesetzten, den Vorposten? Würde man sie vergessen, abschreiben, dem Feind, der Gefangenschaft überlassen?
Dann kamen die ersten Anzeichen für eine Veränderung. Weil er in der Schreibstube Dienst tat, erfuhr er als erster davon.
Irini sah ihr »Gottesgeschenk« auf einmal nachdenklich, ja traurig und wurde selbst traurig darüber. Und schließlich fragte sie nach der Ursache dieser Traurigkeit, und er gestand ihr, daß der Tag nicht mehr fern sei, da die Germanoi die Insel verlassen müßten. Er sei Soldat und müsse gehorchen, auch wenn er fast sicher sei, daß alles verloren sei und sein Land zahlen müsse für eine falsche und größenwahnsinnige Politik. Megalomania. Hybris... welcher Grieche hätte diese uralten Worte für uralte Sünden nicht verstanden... Was sie denn davon halte?

Wovon?
Ja, daß er ... daß er dann ginge, fortginge – mit den anderen ...
Es herrschte lange Schweigen zwischen ihnen. Dann bat sie leise um das Notizbuch, in das er seine Eintragungen machte, und blätterte, bis sie die Stelle gefunden hatte, und zeigte mit zitterndem Finger darauf:

kalitera stin mavrin gin
para nachoristoune!

Und dann zog sie den kleinen Stift aus der Schlaufe, blätterte eine ganz neue Seite auf und schrieb diese beiden Zeilen quer über die Seite und setzte ihren Namen darunter.
Irini.
Wortlos.
Beim nächsten Wiedersehen wollten sie nicht von solchen Dingen reden – beide hatten es sich vorgenommen. Aber da Irini ihre Herde an einer Stelle weidete, die nicht allzu weit von der Höhle lag, die sie ihm damals gezeigt hatte, bat er sie, mit ihm dorthin zu gehen. Er wollte sich des Ortes versichern, den er jetzt anders sah ...
Und sie wies ihm den steilen und unebenen Weg dahin – sie hatte ihn als Kind mit der Schwester Eleni auf spielerischen Streifzügen entdeckt –, und er kroch in die Höhle und leuchtete sie mit seiner Taschenlaterne nach allen Seiten aus, und ein paar Mal gab er zufriedene kurze Pfiffe von sich. Und als er wieder draußen war, sagte er lächelnd:
»Mein Name ist Polyphem ...« Aber aus ihrer unsicheren Miene ersah er, daß sie sein Wort nicht zu deuten wußte. Sie mußte wohl erst den Vater fragen, oder gar den Lehrer.
»Sen ine kala?« fragte sie unsicher.
»Poli kala!« lobte er und umarmte sie.

Als dann der Funkspruch kam – etwa zwei Wochen später –, der die Räumung des Stützpunktes anordnete, waren

die wichtigsten Schritte schon eingeleitet. In mühseligen abendlichen Gängen hatte er einen kleinen Schatz an Vorräten – aus Einkäufen, aus Beständen – zusammengetragen, und auch Irini wußte nun, welches »Gottesgeschenk« der Mann war, der sich Polyphem genannt hatte. Und wie Liebende zu tun pflegen, überraschte auch sie den künftigen Höhlenbewohner, indem sie dies und das seinem Schatz heimlich zutrug: eine zweite Decke, Trinkgefäße, ein paar Kleidungsstücke, die sie der Tante aus dem Bestand ihres Sohnes entwendet hatte, der noch in italienischer Gefangenschaft war, ein Schaffell und anderes mehr.
Als die anderen bei Anbruch der Dämmerung sich, rätselnd und ratlos, ohne Theodor Scharffe von der Küste lösten, hatte sich dieser mit gewaltig pochendem Herzen seiner felsigen Fluchtburg schon bis auf den letzten Anstieg genähert. –

Das war ein merkwürdiges Leben, das er nun zu leben begann. Aber so sehr es ihn in den ersten Stunden und Tagen beunruhigte und ihn sich fragen ließ, ob er denn recht daran getan habe, um eines geliebten Mädchens willen Kameraden, Vaterland, Herkommen und Zukunft aufs Spiel zu setzen, so rasch wurde ihm das Außergewöhnliche vertraut, das Abenteuerliche erregende Gewohnheit. War er nicht alles in einem: liebender Romeo, Eremit und Anachoret, Odysseus, der doppelt verschlagene, Sindbad und Polyphem? Konnte man nicht Visionen haben wie Johannes, wenn man – wie er zuweilen tat – noch ein Stückchen höher kletterte und plötzlich auf der einen Seite das Meer erglänzen sah, unabsehbar?
Sofort hatte er sich der Uniform entledigt und das leinene Beinkleid und das darüberhängende ausgebleichte Hemd angezogen, das fast die Farbe der hellgrauen Felsen hatte. Und da er ihn nicht mehr daran hinderte, wuchs auch ein dunkelblonder Bart in seinem gebräunten Gesicht – er war fast achtundvierzig Stunden alt, als Irini zum ersten Mal

wieder ihre Wange an die seine lehnte und beide dann, wie verirrte, aber glückliche Kinder, leise zusammen sangen:

Die Augen sehn der Augen Schein,
die Herzen klopfen beiden.
Besser in schwarzer Erde sein
als voneinander scheiden ...

Aber wie rasch wuchs der Bart! Bei jedem neuen Besuch bestaunte Irini ihn: »Er macht einen Griechen aus dir!«
Alte Sandalen brachte sie ihm, eine Leibbinde aus dem Vorrat des Vaters, ein kleines Käppi. Und wenn Markos Doxiades eine Zeitung aus der Stadt mitbrachte und ausgelesen hatte, so landete sie einen Tag später in der Höhle des jungen Anachoreten, der jeden Buchstaben verschlang und sein Griechisch übte, als gelte es in wenigen Wochen ein Examen zu bestehen, das über Tod und Leben entscheiden würde. Aber da er nie an überfülltem Magen litt und Schmalhans Küchenmeister blieb, weil die wenigen Vorräte gestreckt werden mußten und Irinis Ergänzungen und Zutaten recht unterschiedlich ausfallen mußten, blieb sein Geist glasklar und hellwach. Und auch für das Gelübde der Keuschheit, das ihm Irini abgerungen hatte, war es gut, wenn ihm nicht zu viele Kalorien das Blut erhitzten. Sie werde ihm folgen bis ans Ende der Welt, sich zerstückeln, verbrennen, zermahlen lassen für ihn – aber um diese herzliche Geduld bitte sie ihn. »Mein Vater schlägt mich tot«, sagte sie, und es war ihr ernst.
Aber es war doch ein sehr beschränktes oder vielmehr großzügiges Gelübde der Keuschheit, das dieser Eremit da auf sich aufnahm. Er durfte das Glas nicht bis zum Boden leeren; aber trinken konnte er schon. Sie teilten sich redlich in Genuß und Verzicht.
Die ersten Trauben reiften, die Melonen zogen Saft, sein Haar und sein Bart wucherten, der Sommer blähte sich tyrannisch; aber in der Höhle blieb es leidlich kühl, und

unter Sternen schlief sich's nicht minder gut. Immer ist ja Wind in der Ägäis und quellreine Luft. Nur an Wasser litt er da oben Mangel. Zu trinken hatte er genug, aber zum Waschen fehlte es. Er verzehrte sich manchmal nach einem Bad im Meer. Durfte er den Abstieg wagen?
Zunächst tröstete ihn ein stürmischer Wolkenbruch, dem er sich nackten Leibes aussetzte. Aber in der dritten Augustwoche stieg er dann doch bei Anbruch der Dämmerung ab und suchte das Meer dort, wo sie es ihm geraten hatte.
Alles ging gut.
Im September war es noch warm, aber die Nächte kühlten schon leicht ab, und der Oktober schien aus purem Gold gemacht: er glänzte warm und lag wie Metall auf der Haut.
Noch immer war Krieg – er konnte es lesen –, aber für ihn gab es Irini. Er dachte an die, die eben gegangen war, und an die, die morgen – hoffentlich! – oder übermorgen kommen würde. Es war ja das erste Mal, daß er mit Leib und Seele liebte, ohne Vorbehalt lieben konnte, lieben wollte um jeden Preis. Er hatte zwei Schwestern, die eine jünger, die andere zwei Jahre älter als er, an denen er die Mädchen zu messen sich gewöhnt hatte. In einer norddeutschen Kleinstadt, zumal als Pfarrerssohn, und während zweieinviertel Jahren Kommiß waren dem guten Jungen keine Göttinnen über den Weg gelaufen. Nun war ihm die Liebe in Gestalt eines Bauern- und Hirtenmädchens begegnet, und er hatte ihr ohne Bedenken sein Leben verpfändet. Und seine Freiheit.

Er wunderte sich insgeheim, daß niemand von den ihren Argwohn schöpfte; aber sie hatte ihre Herde, die wohl wie eine Schutzwand vor ihr herzog oder ihr nachging. Und er hatte seine Einsamkeit, die erfüllt war von ihrem Namen. Hätte es sie nicht gegeben – er wäre vielleicht vertiert. Hätte sie sich ihm ergeben – er wäre vielleicht abgestumpft oder gleichgültig geworden. So aber blieb der Bogen gespannt, und an manchen Abenden, wenn er auf das Meer blickte und in die sinkende Sonne sah, streifte ihn eine Ahnung von der Kraft, die aus großer Tugend erwachsen kann, eine Ahnung von jener Weisheit und Wahrheit, die manche Geister im Gespräch finden, im Gespräch mit sich selbst. –

Es ging auf das neue Jahr zu – Irini hatte ihn mit Lammfellen gut versorgt –, als die Insel in Erregung geriet über einen Brief aus der Schweiz, den der Pope am Sonntag in der Kirche verlas, den Brief eines weltumspannenden Hilfsverbandes für Verschollene und Vermißte, welcher zum ersten Mal Kenntnis gab von der Tatsache, daß bei der Räumung der Insel ein Mitglied der deutschen Besatzung zurückgeblieben sein müsse: der Unteroffizier Theodor Scharffe. Der Vater wende sich mit der Bitte an die Bewohner der Insel, ihm Nachricht zu geben über Schicksal und Verbleiben des vermißten Sohnes.
Die Leute sahen einander verwundert an und zuckten die Achseln. Fast alle kannten den Theodoros, den freundlichen, so gut griechisch sprechenden jungen Soldaten. Aber niemand war ihm seit jenen Tagen begegnet. Das war eine merkwürdige Sache ...
Der Vater brachte es mit heim, und zwei Tage später las man es in der Zeitung. Sogar ein Bild war zu sehen.
Polyphem erkannte sich nicht wieder; aber Irini zitterte vor Erregung am ganzen Leib. War das nicht ein Wink des Himmels, dieser Brief aus der Schweiz? Welche Mühe hatte sie oft, ihren Anachoreten zu nähren und zu erhalten, und wußte oft nicht wie ... Und mußte man den suchenden Eltern nicht tröstliche Antwort geben?
An diesem Abend erkrankte Irini und mußte sich, von Fieber geschüttelt, aufs Krankenbett legen, wo sie ihrer Schwester Eleni am darauffolgenden Abend unter Tränen gestand, was da zu gestehen war. Und diese, von Schluchzern unterbrochen, gestand der Schwester Geständnis der Mutter, und diese, seufzend und unter Tränen, erzählte es nachts im Bette dem Herrn über alles und alle im Haus.

Die Mutter hat später verraten, auch ihren Markos Doxiades habe sie seufzen und schluchzen oder schlucken gehört; aber ihr wurde solche törichte Rede energisch verwiesen. Auf jeden Fall gab es im Haus Doxiades eine schlaflose Nacht. Dieses Teufelsmädchen! Und nun flüchtete sie in die Krankheit ...

Aber das verschonte sie nicht vor dem Familienrat, der sich an ihrem Bett versammelte am anderen Morgen, nachdem kalte Wadenwickel das Fieber etwas niedergeschlagen hatten. Ach, wie gut sie ihren Vater kannte! Schon die erste Frage zielte auf den wundesten der wunden Punkte, und als sie die Hand zitternd zum Schwure erhob und bei der heiligen Jungfrau versicherte ... da schlug er, tief aufseufzend, ein Kreuz und schloß die Tochter in die Arme.

»Alles wird gut«, stammelte er, »alles wird gut ...«

Dann rüstete er zum Gang in die Stadt, zum Popen, zum Bürgermeister, zum Richter, und sie berieten zu zweien, zu dreien, zu vieren, wie der Fall zu nehmen und zu behandeln sei. Denn da war kein Zweifel: der Zurückgebliebene war ein Feind, und noch war kein Friede. Konnte man den Fall an Ort und Stelle entscheiden? Mußte man nicht Athen und die Alliierten in Kenntnis setzen? Sollte man den Fall überhaupt an die große Glocke hängen oder ihn nehmen als das, was er doch war: ein Exempel menschlicher Liebe in der Zeit des Völkerhasses?

Ach, das waren schwierige Fragen, und die Männer berieten bis in den Abend, und weil sie nicht ins reine kamen, blieb Markos zur Nacht beim Bürgermeister, und sie setzten ihr Gespräch anderntags fort. Der Richter befragte die Gesetzesbücher, der Pope die Heilige Schrift, der Bürgermeister die kurz gefaßte und darüber schweigende Gemeindeordnung. Hätten sie ihn nicht alle als den stets gefälligen, so gut griechisch sprechenden Germanos gekannt – der Fall wäre in zwanzig Minuten entschieden gewesen. Aber hier ging es wohl um höheres Recht, und Markos war ein Ehrenmann und Theodors Vater ein Amtsbruder des

Popen. Wenn auch ... Wie also sich verhalten? Wenn man den Menschen gehorchte – – – Aber: sollte man nicht Gott mehr gehorchen als ihnen?! Der Pope und der Richter mußten sich einig werden. Es handelte sich doch um eine Art Anzeige – oder ...?
Aber davon wollte Markos nichts wissen. Er werde doch seinen vermutlichen Schwiegersohn nicht anzeigen! Man halte schließlich nur eine Art Kriegsrat.
Friedensrat! schlug der Pope vor.
Also gut: Friedensrat.
Aber wie immer sie es nannten – sie mußten zum Schluß und Beschluß kommen. Und es wurde beschlossen, ein Telegramm in die Schweiz zu senden und zu melden, daß der Vermißte am Leben sei und der Hilfsverband seine Freilassung erwirken möchte. Des weiteren wurde beschlossen, den Germanos gefangen und in Haft zu nehmen – der Richter hatte einen Behelfsraum für Sünder in seinem Amtshaus, den sie gastlich gestalten wollten, damit die Haft für den Häftling leicht werde, nicht härter jedenfalls als die, die er zur Zeit in der Höhle erlitt, wo er gerade, weil Irini ausblieb, argen Hunger verspürte und Ungewißheit und Zweifel dazu. Und zum dritten solle der Pope nach Athen schreiben, daß die Braut Christi, die Kirche, ihr Wort einlege für den gefangenen Bräutigam der tugendsamen Jungfrau Irini Doxiades, damit beide den Bund fürs Leben eingehen könnten. Und weil der Pope den Text mit den anderen abstimmen wollte, entwarf er ihn gleich und noch einen zweiten dazu, in dem die Gemeindeoberen Diomedes Ktistakis, der Bürgermeister, Louisis Venesis, der Richter, und Markos Doxiades die Bittschrift befürworteten. Und weil darüber Abend geworden und ihrer aller Herzen leichter waren, feierten sie das Ende des Rates mit einem guten Essen und viel Rhezina, und Theodor Scharffe mußte noch eine Nacht länger hungern und bangen und Sehnsucht leiden nach Irini.
Am anderen Morgen aber brachen sie zu viert auf und hie-

ßen den jungen Anachoreten durch den Mund der rasch genesenen Irini aus seiner Höhle treten und sahen lächelnd und verwundert den bärtigen, leicht abgemagerten Germanos und hörten seinen Gruß und seine Frage nach ihrem Ergehen. Und weil der Aufstieg mühsam gewesen und der Mittag nicht mehr fern war, lud Markos alle zu einem Mahl in sein Haus, und wer es recht besah, meinte wohl eher, Zeuge einer Verlobung zu sein als einer Verhaftung.

Es soll nicht verschwiegen werden, daß da noch etliche Steine aus dem Weg geräumt und einige Hürden genommen werden mußten, bis Theodor Scharffe seine volle Freiheit erhielt und dazu auch diejenige, die griechische Jungfrau Irini Doxiades zum Altar zu führen. Weil er jedoch so viel für diesen Schritt gewagt und entbehrt und erlitten hatte, durfte er ihn zweimal tun.

Und das war gerecht schon um derentwillen, die ihm nur einmal beiwohnen konnten.

Nur *einer* war auf beiden Hochzeiten (wenn er auch nicht tanzte): der unermüdliche Vater, der seinen Sohn freikämpfte und eines Tages, elf Monate nach jenem Junitag 1944, auf der Insel erschien und durch ein mit höchsten Siegeln versehenes Papier die – kaum so zu nennende – Haft Theodor Scharffes beendete.

Bei dieser Hochzeit war er nur bescheidener Trauzeuge. Aber einen Monat später war er selbst der Vollziehende – vor seiner Gemeinde, welche die junge Griechin nicht weniger staunend betrachtete, als die griechische Gemeinde den jungen Deutschen betrachtet hatte.

Offenbar gibt es auf dieser alten ramponierten Erde kein bewundernswerteres Phänomen als die unbeirrbare Liebe zwischen zwei jungen Menschen.